14 April   WIN

D0713617

Get **more** out of libraries

Please return or renew this item by the last date shown.
You can renew online at www.hants.gov.uk/library
Or by phoning **0300 555 1387**

C015440510

Das Buch

Was an dem Tag, als der Junge erschossen wurde, genau passiert ist, kann keiner mehr sagen. War es Notwehr? Wo ist dann die Waffe des Jungen? Und warum kann sich niemand an etwas erinnern?

Der Schütze, Kriminalhauptkommissar Fallner, ist dienstunfähig. Um Abstand von den Geschehnissen zu gewinnen, verwirklicht er sich einen Jugendtraum: mit einer BahnCard 100 so lange Zug fahren, wie er Lust hat. Fallner hat kein bestimmtes Ziel. Er will nur weg von dem toten Jungen, der ihn in seinen Gedanken verfolgt. Doch der lässt sich nicht so einfach abschütteln.

Mit einem ihm ganz eigenen Sound zeichnet Franz Dobler das Porträt eines Polizisten im Zug nach nirgendwo. Sein Roman ist Charakterstudie, Deutschlandporträt und große Krimi-Literatur: spannend, humorvoll, unangestrengt.

Der Autor

Franz Dobler, 1959 in Schongau geboren, lebt in Augsburg. Neben Romanen und Gedichtbänden, für die er unter anderem mit dem Bayerischen Literaturförderpreis ausgezeichnet wurde, veröffentlichte er auch Erzählungen und Sachbücher.
www.franzdobler.de

Lieferbare Titel
Johnny Cash – The Beast in Me

FRANZ DOBLER

Ein Bulle im Zug

ROMAN

WILHELM HEYNE VERLAG
MÜNCHEN

Unter www.heyne-hardcore.de finden Sie das komplette Hardcore-Programm, den monatlichen Newsletter sowie alles rund um das Hardcore-Universum.

Weitere News unter www.heyne-hardcore.de/facebook

Der Verlag weist ausdrücklich darauf hin, dass im Text enthaltene externe Links vom Verlag nur bis zum Zeitpunkt der Buchveröffentlichung eingesehen werden konnten. Auf spätere Veränderungen hat der Verlag keinerlei Einfluss. Eine Haftung des Verlags ist daher ausgeschlossen.

Verlagsgruppe Random House FSC© N001967

Vollständige Taschenbuchausgabe 04/2016
Copyright © 2014 by J. G. Cotta'sche Buchhandlung
Nachfolger GmbH, gegr. 1659, Stuttgart
Copyright © 2016 dieser Ausgabe
by Wilhelm Heyne Verlag, München,
in der Verlagsgruppe Random House GmbH,
Neumarkter Str. 28, 81673 München
Printed in Germany
Umschlaggestaltung: Nele Schütz Design, München,
nach einer Gestaltung von © Herburg Weiland, München
Druck und Bindung: GGP Media GmbH, Pößneck
ISBN: 978-3-453-67696-1

www.heyne-hardcore.de

NO ONE IS INNOCENT

Ronald Biggs

Aussichten

Der erste ICE aus Berlin kam in die Stadt gekrochen. Der weiße Hai war müde, er hatte stundenlang dreitausend Tonnen bewegt und immer wieder bis 260 km/h beschleunigt. In seinem Bauch saßen und lagen fünfhundert Menschen, die seinen Einsatz für selbstverständlich hielten. Die wenigsten von ihnen konnte er leiden, aber er hatte sein Bestes gegeben, um ihnen die Fahrt so angenehm wie möglich zu machen und sie ans Ziel zu bringen. Das war sein Auftrag und er hatte ihn fast ausgeführt. Es war nicht seine Schuld, wenn sie zu spät kamen. Sollten sie sich doch in eine Blechkiste setzen. Die endlose Litanei ihrer Beschimpfungen kratzte ihn nicht. Sollten sie sich doch mit einer Nummer in der Verwaltung in Verbindung setzen.

Es waren die Menschen draußen, die ihm auf die Nerven gingen. Sie waren schuld, dass er durch die Städte kriechen musste, als wäre er unterwegs angeschossen worden. Sie nannten es Lärmbelästigung. Eine dumme Sache, an der ihm nur ein Detail gefiel – die langsame Geschwindigkeit machte ihn scheinbar doppelt so lang. Es sah so aus, als würde er sich jetzt mit einer Länge von einem vollen Kilometer in die Stadt schieben, Baby, falls hier jemand mit seinem Lastwägelchen mehr zu bieten hatte, sollte er vortreten und mit lauter Stimme sprechen.

In drei Minuten würde ihn ein Stahlblock an der Weiterfahrt hindern, den er leicht aus dem Weg fegen könnte. Wenn dieser dumme Mann nicht in seinem Kopf sitzen und sich an die dämlichen Vorschriften halten würde. War noch Zeit genug, um wieder auf 100 km/h hochzugehen. Wäre eine Kleinigkeit, bei aller

Müdigkeit. Der weiße Hai sehnte den Tag herbei, an dem er mitten in der Stadt seine ganze Kraft zeigen und den Sackbahnhof mit voller Wucht attackieren könnte. Wie es danach mit ihm und seiner Umgebung aussah, war ihm egal, genau wie diesen Menschen, die es endlich einmal allen richtig zeigen wollten.

Zugüberfälle waren aus der Mode gekommen. Die Chance, dass er nachts angehalten wurde und ein Typ mit einem Tuch vor dem Mund dem Mann in seinem Haikopf eine Kugel verpasste, war gleich null – es war ein Elend!

Auf seinem Balkon beobachtete Robert Fallner den in die Stadt hereinschleichenden Hai und war wie immer fasziniert von diesem Anblick. Der ICE war eine in der Sonne glänzende mobile Kunststoffmauer, die eine geteilte Stadt skizzierte – ein paar Intercity-Express-Einheiten aneinandergehängt, und es würde aussehen wie der Beginn einer neuen Staatsgrenze. Oder wenigstens wie die extravagante Ouvertüre eines Terrorkommandos. Was nicht selten so was Ähnliches wie eine Staatsgründung war. Die Geräuschlosigkeit der Aktion verstärkte das Bizarre des Anblicks. Die Kette der weißen Waggons, die im Netz der Schienen und Masten und dreckigen Güterwagen aus der Entfernung nur wie Spielzeug aussahen. Fallners Balkon war so weit weg, dass er vom weißen Hai nur ein leises metallisches Klicken hörte – falls die überall da unten winselnden und nörgelnden Blechkisten mal für eine Sekunde die Schnauze hielten, was jedoch am frühen Morgen etwa so wahrscheinlich war wie der Überfall, den das Monster sich garantiert erträumte. Wenn man in einem Bahnhof neben den Dingern stand, musste jeder erkennen, dass es sich nicht um moderne Zugmaschinen handelte, sondern um gewalttätige Monster.

Es handle sich bei seiner Schwäche für Züge und Bahnhöfe um viel mehr als nur eine männertypische Marotte, meinte seine

Frau. Die vielen Stunden, die er vom Balkon aus auf das bescheuerte Schienennetz starre. Das sei ein massiver Defekt. Er sah keinen Grund, ihr zu widersprechen. Es war seit einiger Zeit der schwächste von einigen massiven Defekten.

Fallner konnte, wie seine geliebten Monstermaschinen, die Blechkisten, die sie verharmlosend Auto nannten, nicht ausstehen, und nicht mal als kleiner Junge, der zu jedem lebensgefährlichen Abenteuer bereit war, hatte er sich für ihre edelste Form, diesen Formel-1-Dreck, begeistern können. Autos gingen ihm auf die Nerven wie lallende Besoffene, denen Luftschlangen um den Hals hingen. Ihr endloses Tröten und Quietschen, kleine blöde Ratten, die der große Zug leider nur zerquetschen konnte, wenn sie auf seine Schienen kamen. Sie wieselten neben ihm auf der Straße und schienen kläffend an ihm hochzuspringen. Früher hatte es Waggons gegeben, hinter deren großen Schiebetoren Maschinengewehre mit drei Beinen postiert waren. Hätte man doch nicht abschaffen müssen.

Jaqueline kam aus dem Wohnzimmer und stellte sich neben ihn. Sie trug Uniform und hatte ihre Waffe noch nicht abgelegt. Sie trug im Dienst schon lange keine Uniform mehr und hatte also an einer großen offiziellen Aktion teilgenommen. Er selbst hatte zuletzt bei einer Beerdigung vor über einem Jahr Uniform getragen.

Neben dem Mann im roten Morgenmantel eine Polizistin in Uniform – irgendwo dort draußen war vielleicht ein Fernglas auf sie gerichtet und jemand war gespannt, wie es weitergehen würde. Er hätte zuerst auf irgendwas mit Korruption getippt. Wegen des Abstands zwischen den beiden. Sah nicht so aus, als würde sie die Uniform tragen, um Gefühle anzuheizen.

Er fragte sie, ob alles in Ordnung sei und warum sie die Uniform anhabe, aber sie antwortete nicht. War anscheinend nur damit beschäftigt, die Aussicht zu genießen – am Ende ihrer Welt strahlten die Berge. Wenn die Aussicht gut war, dann ließ sie einen für ein paar Sekunden alles andere vergessen. Wie ein Blick ins Jenseits, den man nur für besondere Verdienste gewährt bekam.

»Du siehst so aus, als würdest du's heute auf Teufel-komm-raus packen wollen«, sagte Jaqueline.

»Keine Ahnung.«

»Tu's nicht. Bleib zu Hause. Schau dir die Züge an. Geh brav zu deiner komischen Therapeutin. Aber fahr nicht da draußen in der Welt herum. Ich habe kein gutes Gefühl.«

»Geht mir genauso.«

»Du wirst wieder in was reingeraten. Aber du legst es auch drauf an, stimmt's? Irgendein Scheiß wird schon passieren, und wenn nicht, dann drehst du's eben so hin, dass was passiert.«

»Elftes Gebot: Du sollst nicht so wahnsinnig übertreiben.«

»Du kannst mich mal«, sagte sie. »Dann hau doch endlich ab und quatsch nicht immer nur.«

Drehte sich um und fiel ins Bett.

Außerirdische

Wer weiß denn so genau, ob seine Reise eine Flucht ist oder ein Ausflug, Urlaub oder Untertauchen, dumme Angewohnheit oder als Abenteuerlust verkleidete Langeweile, Bildung oder eingebildeter Anfang am echten Ende, Hab-ich-mir-doch-auch-mal-verdient oder Ihr-könnt-mich-mal-alle?

Fallner wusste es nicht. Er stand am Balkon des Cafés über den fünfunddreißig Gleisen des Hauptbahnhofs und es interessierte ihn nicht. Es war vollkommen egal, ob seine geplante Reise ein Abgang oder nur Zeit- und Geldverschwendung war. Wenn er damit ein paar Probleme beseitigen könnte, wäre es gut. Wenn es eine Zeitreise wäre, die ihn zehn Jahre zurückwarf, wäre es besser. Und wenn er es schaffen würde, jetzt einzusteigen und endlich wie seit Wochen geplant loszufahren, hätte er sein größtes Ziel schon erreicht.

Er brauchte keinen Scheißdoktor, um zu erkennen, dass die Chinesische Mauer so lang und breit war wie die Wand, vor der er stand. War keine wahnsinnige Leistung. War so einfach wie einen Tatort absperren. Er war noch nicht so verblödet, dass er den Kern seines Problems nicht selbst erkannte: Er konnte die Tür in der Wand nicht finden, durch die er auf die andere Seite kam.

Und der einzige Doktor auf der Welt, der ihm die Tür zeigen konnte, war natürlich gerade unbekannt verzogen. Es war mit ihnen wie mit den Bullen: Wenn man diese Doktors wirklich mal brauchte, um mit dem Kopf durch die Wand zu kommen, waren sie nicht da.

Während seine Psychotherapeutin der Meinung war, nicht die

Wand, an der er stehe, sei sein Problem, sondern allein der Weg sei das Ziel. Er selbst war jedoch der Meinung, dass der Weg der Weg war und sonst nichts. Und dass man sich von seinem Weg nichts Besseres wünschen konnte, als ihn begehen zu können, ohne dabei eine Kugel in den Kopf zu bekommen.

»Sie immer mit Ihren Polizeisprüchen, glauben Sie das wirklich im Ernst?«, hatte ihn Frau Dr. Vehring gefragt.

»Glauben Sie im Ernst, dass ich was anderes glauben sollte?«, hatte er geantwortet.

Er besuchte sie seit drei Monaten, hatte zwei Tage, nachdem er den Jungen erschossen hatte, den ersten Termin gehabt und sich inzwischen angewöhnt, möglichst viele ihrer Fragen mit Fragen zu beantworten. Das hatte ihm ein Bekannter geraten, der das Spiel zu spät durchschaut, zuletzt aber angeblich die Sache kapiert hatte.

»Meine Aufgabe ist es nicht, Ihnen zu sagen, was Sie glauben sollen, oder haben Sie etwa den Eindruck?«

»Muss ich drüber nachdenken. Aber mal ehrlich, Doc, meine eigentliche Frage ist die: Könnten Sie sich vorstellen, dass ich auf einen Beruf umschule, bei dem ich nur Fragen stellen muss, um dann das Vierfache von meinem Job zu verdienen, bei dem ich die ganze Zeit nur mit Arschgeigen zu tun habe, die nicht mal die Frage beantworten können, ob sie vielleicht mal die Klappe halten könnten? Ich meine, ich habe Abitur, ich habe studiert, vergessen Sie das nicht. Oder ist es das Fünffache? Jetzt packen Sie aus, Frau Doktor, sagen Sie mir doch endlich mal was Nettes.«

Sie hatte lachen müssen. Er versuchte, sie möglichst oft zum Lachen zu bringen, denn sie sah gut aus, wenn sie lachte. Sie spielte nicht den weisen Doktor, der gütig, aber mit undurchdringbarem Ernst auf seinen Patienten herabsieht. Sie unterhielten sich und sie stellte tausend Fragen pro Stunde; ob der Junge immer gleich aussah, wenn er in seine Träume einbrach und solche Sachen. Das Geständnis, dass sie keine Ahnung hätte, wie man ihn wieder in die Spur bringen könnte, schien ihr nichts auszumachen. Musste man herausfinden, das war der Job, und es gab keine Garantie, dass die berühmten kleinen Schritte irgendwohin führten. Er glaubte nicht, dass sie ihm helfen konnte – und genau das war typisch für Cops, erklärte sie ihm; nur die meisten weiblichen Cops sahen es anders, und damit war die Berufsgenossenschaft der Bullen nur ein Spiegel der Gesellschaft. Aber irgendwann fiel ihm auf, dass es ihm guttat, sie zu treffen, und dass er mit ihr mehr redete als mit irgendeinem anderen Menschen. Und wenn sie lachte, fühlte er sich besser, es fühlte sich an wie eine gute Tat.

Als seine Jaqueline ihn fragte, ob er sich wünschte, mit ihr Sex zu haben, sagte er: »Quatsch.«

»Wieso denn Quatsch – ich habe gelesen, dass das völlig normal ist, wenn der Patient von seinem Psycho irgendwann auch richtig gefickt werden will.«

»Im Kino gelesen oder wo sonst.«

»Sie saugt dir möglichst viele Worte raus, aber es hilft nichts, wie man sieht, also probiert sie eben mal was anderes aus, ist doch logisch.«

»Mann, sie ist einundsechzig.«

»Na dann, sogar ohne Gummi!«

Er stand auf dem Balkon über den Gleisen und überlegte, ob er sie anrufen sollte und fragen, ob sie nicht ihren gebildeten und mit einem Dr. ausgezeichneten Arsch zu ihm bewegen könnte, um ihn zum Zug zu bringen, ihn reinzubefördern und zu warten, bis die Türen geschlossen waren … In der wimmelnden Masse unter ihm auf dem Platz vor den Gleisen erregte eine viel jüngere Frau seine Aufmerksamkeit. Sie war im Getümmel stehen geblieben und beschwerte sich, ruderte mit den Armen und drehte sich hektisch, ohne dass ein Anlass oder Ansprechpartner zu erkennen war. Sofort gingen die Leute mit Abstand um sie herum, und sie stand in einem leeren Kreis, wie auf einer Bühne im Scheinwerferkegel, umgeben von eiligen Körpern. Fallner verstand kein Wort ihrer Anklage, aber passend zur Aktion hatte sie sich aufs rote Haar ein lila Hütchen gestellt, aus dem mehrere kleine Spitzen ragten, was aussah wie die Station, auf der die Außerirdischen landen und dann die Welt erobern würden. Er kontrollierte automatisch ihre weitere Umgebung, konnte jedoch kein Filmteam entdecken und auch keine Partner. Sie war klein, rund, fünfzig und hatte womöglich einen Schlag bekommen, weil jemand im Vorbeigehen Mach-mal-Platz-du-blöde-dralle-Maus gesagt hatte. Für Menschen mit dünner Haut war das hier die falsche Kreuzung. Auch viele jüngere Menschen hatten sichtbar Probleme, die Mitte des Hauptbahnhofs am späten Vormittag zu durchqueren, ohne von dem Gedanken gepackt zu werden, sie könnten am Ende der Rolltreppe in der nächsten Irrenanstalt rauskommen. Ging ihm nicht anders, machte ihn wahnsinnig, wenn er permanent bedrängt, angetatscht und herumgeschoben wurde. Seltsam, dass am Punkt mit der besten Aussicht nie Gedränge war – auf dem Balkon war der beste Platz im All. Deshalb schaffte er es nie, zum Zug zu kommen.

Der Balkon zu Hause und der Balkon im Bahnhof. Er hatte sich früher nie für irgendeinen verdammten Balkon interessiert. Plötzlich waren es die einzigen Plätze, an denen er leben wollte. Das sollte sein Doc mal interpretieren.

Falls die Freundin der Außerirdischen nur einfach mal von Bundespolizisten in den Arm genommen werden wollte, musste sie mehr bieten und noch eine Weile durchhalten. Oder Unterstützung von einem besoffenen Hooligan bekommen. Sie tat ihm leid, durchgedreht hilflos wie sie war und dabei so unheimlich, dass niemand bei ihr stehen blieb.

Es würde ihm gehen wie ihr – am Ende würde er wieder in Uniform und mit einem lila Hütchen an einer Straßenkreuzung stehen und die Namensschilder von Brummifahrern aufschreiben.

Das neue Lieblingswort

»Machen Sie das«, hatte seine Therapeutin gesagt, als er ihr von seinem Plan erzählte, sich mit einer langen Zugfahrt ins Blaue selbst heilen zu wollen.

Herr im Himmel – hatte er heilen gesagt?

Er glaubte sich zu erinnern, dass er was mit Perspektiven gesagt hatte, mit einer langen Zugfahrt äh ja neue äh Perspektiven oder so. Er redete eine Menge Schrott in letzter Zeit, wenn Erklärungen gefragt waren, wo es nicht viel zu erklären gab.

»Oder sind Sie unsicher, ob Sie das wirklich wollen?«

»Bin ich nicht. Ich will diese lange Zugfahrt machen, seit ich ein Kind war, ein Kindheitstraum, und jetzt gibt's nichts Besseres zu tun. Jetzt muss es sein. Ich habe den ganzen Scheiß satt, verstehen Sie?«

»Was genau meinen Sie mit dem ganzen Scheiß?«

Schwer zu sagen, ob sie sich dumm stellte. Ob Sich-dumm-Stellen ein wichtiges Instrument in ihrer Trickkiste war. Oder ein Charakterzug? Er hatte noch nicht herausgefunden, ob sie ihn für unterbelichtet hielt. Oder für einen Burnout-Krüppel. Oder für einen dieser Psychopathen, für die eine Uniform oder die Lizenz für Gewaltausübung die ideale Tarnung war.

Man musste davon ausgehen, dass mindestens zehn Prozent aller Polizisten Psychopathen waren. Das war nicht nur seine, sondern auch die Einschätzung von Leuten, die von weiter oben mehr Überblick hatten und das offiziell oder öffentlich niemals sagen würden. Fallner war sich sicher, dass sein gefährlich schlauer Doc diese Zahl kannte. Und vielleicht sogar Zahlen, die präziser als die berühmte Dunkelziffer waren und noch höher als diese wahnsinnigen zehn Prozent und in ihrem Safe schwelten und irgendwann beim geringsten Luftzug explodieren würden.

»Meinen Sie Ihren Beruf mit dem ganzen Scheiß? Oder Ihr ganzes Leben? Oder nur diesen Unfall?«

»Ich liebe Sie, Doc, wenn Sie Unfall sagen. Seit ich bei Ihnen im Training bin, ist Unfall mein neues Lieblingswort. Früher war Jazzbandtourneemanager mein Lieblingswort, ehrlich, wie es dazu kam, weiß ich im Moment nicht mehr, aber genau das war das Wort, das mich wie nichts faszinierte. Doc, was hören Sie eigentlich für Musik? Soll ich mal raten?«

Sein Chef gab ähnlich lebenswichtige Kommentare zu seinem Vorhaben ab: »Ich erwarte, dass Sie permanent zu erreichen sind, Tag und Nacht und egal, in welcher Situation Sie sich befinden.«

»Vollkommen klar. Spätestens zehn Stunden nach Ihrem Anruf bin ich hier, also spätestens. Wir leben ja in einem relativ kleinen Land, und wenn's sein muss, kann ich auch 'nen Flieger nehmen.«

»Für einen dienstunfähigen Mann haben Sie ganz schön große Pläne.«

»Das ist kein Urlaub, das ist eine Spezialtherapie, wenn Sie so wollen, um endlich wieder diensttauglich zu werden. Alles andere ist nicht so wichtig, das ist klar.«

»Ich erwarte, dass Sie dieses Ziel zeitnah im Auge behalten. Sie wissen, dass wir jeden guten Mann dringend brauchen.«

»Das garantiere ich Ihnen.«

Der Chef hatte seine Idee nicht für so gut befunden. Und er hatte irgendwo in seinem erfolgreichen Kopf einen kleinen Rest Misstrauen. Denn er war der Chef. Aber Fallner hatte in der Zeit nach dem Unfall zweimal guten Willen gezeigt, war zur Arbeit erschienen, um Aufgaben im Innendienst zu übernehmen, weil er bis zur Klärung seines Falls natürlich nicht draußen mit einer Waffe herumlaufen durfte. Beim ersten Versuch hatte er sich nach ein paar Stunden mit einem Kollegen so heftig gestritten, dass er das Kommando bekam, nach Hause zu gehen, um seinen Gesundungsprozess noch etwas arbeiten zu lassen; beim zweiten Versuch hatte er zwei Tage eisern durchgehalten, ehe er ohne erkennbaren Grund umgekippt war. Seine Therapeutin hatte ihn gewarnt, ihm abgeraten, aber ihm die Entscheidung überlassen. Er war wütend, dass er nicht fähig war, irgendeinen bescheuerten Dienst zu tun – dass ihm eine Sache, die er nicht orten konnte, von hinten in den Rücken trat, obwohl er wusste, dass er keine andere Wahl gehabt hatte, als auf den Jungen zu schießen. Mit dem Risiko, ihn zu töten.

Und der Chef hatte keine andere Wahl gehabt, als ihn wieder arbeitsfähig werden zu lassen – wie er das anstellte, war dem Chef egal, Hauptsache nichts Illegales, selbstverständlich, kein neuer Ärger, logisch. Wenn seine Therapeutin die Sache mit dieser Zugfahrt unterstützte, würde er dem Blödsinn auch eine Weile zusehen.

Zusehen mit Einschränkungen – »hier«, hatte der Chef gesagt, als Fallner schon aufgestanden war, und ihm einen schmalen Ordner hingeworfen.

»Sehen Sie sich das an. Wenn Sie schon durchs ganze Land fahren müssen. Die Kollegen sind informiert. Können jede Hilfe gebrauchen. Mobilität ist das Ungünstigste, was dir in so einem Fall passieren kann, sie vermuten einen Typ ohne Auto, das ist der Punkt. Sie glauben, der fährt mit dem Zug durch die Gegend, um seine Opfer zu finden. Sechs tote Frauen. Für mich ist die ganze Theorie Schwachsinn, aber egal, Sie sind jetzt eben auch mit Ihren Zügen unterwegs. Es geht nur darum, dass Sie die Augen offenhalten, das ist alles. Man hofft mal wieder auf den Zufall, also spielen Sie mit. Im Rahmen Ihrer Spezialtherapie, versteht sich.«

»Geht klar«, sagte er.

War Arbeit. Ganz klar. War ja sein Spezialgebiet: die Augen offenhalten; im Besonderen bei Theorien, die man als schwachsinnig einstufen konnte. Hatte er sogar Fernkurse an der Universität von East Los Angeles belegt und war seitdem der Nr.-1-Augen-offen-Halter in Deutschland. Er hielt die Augen noch offen, wenn man anderen schon die Münzen auf die Augen gelegt hatte, mit denen der Fährmann über den letzten Fluss bezahlt wurde.

Er war arbeitsunfähig, aber es gab immer was zu tun. Seine Augen hatte er automatisch offen, auch wenn er arbeitsunfähig war, und das hieß, dass er für diesen Spezialeinsatz absolut arbeitsfähig war – hatte es nicht jemand mal so formuliert, dass du die Chance nutzen musst, die du nicht hast?

Sah so aus, als wäre die Zeit gekommen herauszufinden, was das zu bedeuten hatte.

Sollte keiner denken, dass Bullen, die nicht im Dienst waren, nichts zu tun hatten – er passte auf, dass der netten Dame mit dem lila Hütchen niemand den Kopf abriss.

Er war draußen, aber er war nicht blöd – er wusste, wann er vom Chef einen Tritt in den Arsch bekam, der aussah wie eine freundliche Geste.

Fuck off, Albträume

Vor dreiundvierzig Jahren war er auf die Welt gekommen, vor zweiundzwanzig Jahren in die Stadt, vor acht Jahren zum ersten Mal in Jaqueline, vor drei Monaten hatte er bei einem Einsatz den achtzehnjährigen libanesischen Gangster Maarouf in der Wohnung seiner Eltern erschossen, und es musste geklärt werden, ob er in Notwehr gehandelt oder eine fahrlässige Tötung begangen hatte, vor einem Monat hatte er sich eine 2. Klasse-BahnCard 100 für viertausendneunzig Euro gekauft, und seitdem stand er fast jeden Tag am Balkon über den Gleisen des Münchner Hauptbahnhofs oder kurvte irgendwo dort unten herum mit Rollkoffer und Umhängetasche und dem festen Vorsatz, sich irgendeinen Zug von der Anzeigetafel zu picken und loszufahren. Ziel unbekannt. Dauer der Reise ungewiss.

Einschränkungen: Deutschland verlassen verboten; die Fahrkarte war nur ein Jahr gültig.

Die Details sollten die Götter des Zufalls und des Schicksals regeln, falls diese Märchenonkel die Güte hatten, sich ausnahmsweise um einen problembeladenen Gesetzeshüter zu kümmern. Er hatte sich nur vorgenommen, mit der Fahrt nach Hamburg zu starten. Ob er dort in den Zug nach Mückenkiller oder Rostock oder in den ICE Heimathafen stieg, würde sich ergeben.

Denn das war die Tür in der Wand vor ihm – er würde so lange fahren, umsteigen und weiterfahren, bis er seine Problemzone verlassen hatte. Ein Reinigungsritual: Heilung durch Bewegung, Perspektive durch Mobilität! Diese Dummheiten, die man aus einem Wartezimmer mitgenommen hatte, und dann war man zu schwach, um sie nicht mit Hoffnungen aufzutanken. Aber sein Instinkt sagte ihm, dass das seine Chance war. Und seine Albträume sagten, dass es seine einzige Chance war, und wenn er sie nicht nutzte, würde er nie wieder eine andere bekommen.

Fuck off, sagte er zu den Albträumen.

Fuck off mit deiner Schnapsidee, sagte Jaqueline.

Es war wie immer nicht ausgeschlossen, dass sie richtig lag. Denn seit einem Monat schaffte er es nicht loszugehen, einzusteigen, abzufahren und den guten Plan in Angriff zu nehmen, obwohl sie ihn sein halbes Leben trainiert hatten, Entscheidungen schnell zu treffen und umzusetzen. Er hatte die Sehnsucht, endlich loszufahren, den Glauben, dass es ihm guttun würde, und stand dann am Bahnsteig und schaffte es nicht. Wusste nicht, warum, und konnte mit niemandem darüber sprechen, außer mit dem Doc, dem nichts dazu einfiel, außer ihn zu fragen, warum er sich damit unter Druck setze.

In diesem Verlierermonat war die Wut auf sich selbst so groß geworden wie die Wut auf den Jungen, der ihn gezwungen hatte, auf ihn zu schießen. Der am Tisch gesessen hatte und seine Waffe ziehen wollte. Dämlich genug zu glauben, die Bullen hätten Schiss vor ihm.

Dieser kaputte Drecksack, ohne den die Welt besser geworden war, brach jederzeit in seine Tag- und Nachtträume ein. Lachte sich kaputt, weil die Bullen die Waffe, die er angeblich ziehen wollte, nicht finden konnten – »damit sieht das aber nicht so günstig aus für deine tolle Notwehr-Geschichte, Herr Superoberkommissar«, zischte Maarouf in Fallners Träumen –, und arbeitete daran, den Mann, der ihn erschossen hatte, ebenfalls aus der Welt zu schaffen.

Und jetzt hatte er es fast geschafft.

Heute, hatte sich Fallner auf seinem Balkon geschworen, nachdem ihn seine Ehefrau, Kriminalhauptkommissarin Jaqueline Hosnicz, siebenunddreißig, verhöhnt hatte, musste es endgültig losgehen oder er würde seinen Kindheitstraum abhaken und alles aufgeben – und jetzt stand er wieder seit einer Stunde auf diesem Bahnhofsbalkon oder saß am Tisch mit einer Tasse Kaffee. Kotzte sich selbst an und betrachtete den Tumult unten am zentralen Platz im Bahnhof, wo die von drei Eingängen und den Gleisen kommenden Ströme aufeinandertrafen, begleitet von den Durchsagen, die sie zu dirigieren schienen, die Männer, an denen Frau und Kind zerrten, während es um Sekunden ging, und die Mädchen, die immer kleiner und dünner wurden, während ein Junge endlos lange auf sie zukam. Dazwischen Gestalten, die wie zu ihrer Hinrichtung schlichen, und andere, die vor der Anzeigetafel verharrten, als stünden sie in tiefster Einsamkeit auf einem Berggipfel. Und dort zwei Männer, die inmitten des Getümmels Mund an Ohr diskutierten. Waren garantiert nicht hier, um einen Zug zu nehmen, so wie die diskutierten und dabei mit Suchscheinwerfern ihre Umgebung beobachteten. Sondern möglicherweise, um jemanden abzuholen, der noch nicht wusste, dass er abgeholt wurde. Ein Kindersportwagen fuhr an ihnen vorbei, aus dem ein brüllendes Kind zu klettern versuchte, was nicht klappen konnte, weil die Mutter den Wagen nach hinten kippte und das Kind zurückfiel, ohne zu bemerken, dass die beiden Männer seine Mutter und ihre blauen Hotpants und die hohen roten Cowboystiefel und die nackten Beine begutachteten, die an einem Koffer vorbeistolzierten, dessen Besitzer Fallner nicht ausmachen konnte und den er jetzt sofort bei den Kollegen melden sollte – ein unbeaufsichtigtes Gepäckstück.

Er sollte sofort losrennen. Jetzt.

Um als Erster das verdächtige Stück zu erreichen und mit fast durchgedrehter, nicht den geringsten Protest duldender Stimme den Passanten zu befehlen, die Umgebung sofort zu räumen. Hatte er gelernt, wie man das machte und oft genug vorgeführt. Diese Arschkriecher hätten vor ihm mehr Schiss als vor diesem Scheißkoffer. Mit etwas Glück würde sich sein Verdacht als berechtigt erweisen und er hätte sich einen Bonus verschafft, wenn diese Obermeister von der Internen Ermittlung endlich den Gang einlegten, um seinen Fall abzuschließen. Sein Chef und dessen Chef, über dem es keinen Chef mehr gab, der mit echter Polizeiarbeit zu tun hatte, würden ihnen mit leiser Stimme erklären, dass sie diesem Kollegen, der Hunderten von Bürgerinnen und Bürgern das Leben gerettet hatte, ohne an sein eigenes zu denken, nicht mal den Schatten eines Haars krümmen sollten, falls sie nicht den Rest ihres Berufslebens mit Personenschutz verbringen wollten. Nur einen Seitenblick und eine Sekunde später sah Fallner, dass der Koffer weg war und dass die beiden Männer, die die blauen Hotpants der Mutter mit dem Kindersportwagen so wie er bewundert hatten, im Gang zur Gepäckaufbewahrung verschwanden, während das Kind, das schon wieder im gekippten Kinderwagen zurückfiel und brüllte, fast die Treppe zur S-Bahn erreicht hatte – dieses unfassbare Wimmelbild, das in einer permanenten Hin-und-Her-Bewegung flimmerte und in Zeitlupe zersplitterte und sich wieder neu aufbaute, ehe es sich dann am späten Abend immer mehr auflöste und nur noch selten zu sehen war, hatte ihn schon im Kleinen, in seiner Andeutung, als Kind am Kleinstadtbahnhof fasziniert.

Er fragte sich, ob diese Faszination der wahre Grund war, dass er es nicht schaffte, wie geplant loszufahren. Warum sollte er losfahren, wenn es ihm Freude bereitete, im Bahnhof zu sein und den Betrieb zu beobachten?

War denn jener kein hoffnungsloser Dummkopf, der ins Nichts fuhr, obwohl er auf einem guten Posten stand?

Die interessantere Frage war, warum ihn die Kollegen an den Überwachungskameras seit einem Monat in Ruhe ließen, obwohl er gelegentlich sogar eine Zigarette rauchte. Konnte nur bedeuten, dass ihn dort jemand kannte und die anderen informiert hatte ... den Mann müsst ihr nicht, einer von uns, mit 'nem ganz großen Schatten, der Ihr-wisst-schon-wer-Typ.

Doch die eigentliche Frage, die ihn wie alle Verlierer beschäftigte, war, warum manche Menschen so leicht ihren Lebensunterhalt verdienten (und wann das Wort Lebensunterhalt endlich auf dem elektrischen Stuhl landete), während andere sich täglich die Finger schmutzig machen mussten. Er konnte sich, ohne die Fotos im Detail abzurufen, an einige Situationen erinnern, die er nur mit Glück überlebt hatte. Um sich danach anhören zu müssen, das gehöre eben zu seinem Job, falls die Bemerkung erlaubt sei. Die Bemerkung war eine verdammte Beleidigung – war er vielleicht einer dieser Idioten, denen das nicht klar war und die es erst dann kapierten, dass die Lebensgefahr zum Job gehörte, wenn ein Stahlgeschoss neben ihnen einschlug?

Im Bertls Eck, der Kneipe gegenüber seiner Wohnung, hatte ihm ein Held im Tarnanzug einmal geklagt, dass er bei seinem Dienst in Afghanistan immer wieder in Lebensgefahr sei. Ein Soldat, der sich freiwillig zum Einsatz dort gemeldet hatte – Jesus, Maria und Josef! Wenn die Sicherheit des Landes von derart intelligenten Helden abhing, sollte man es besser wieder teilen und dann verkaufen.

Er drehte sich um und ging ins Café an die Theke, um sich den nächsten Kaffee zu kaufen. Die junge Frau in der rotschwarzen Uniform lächelte ihn an. Sie waren schon fast alte Freunde. Er könnte langsam versuchen, sich nach Dienstschluss mit ihr zu verabreden. Sie würden sich in einem der Cafés an der Vorderseite des Bahnhofs treffen, er würde sie einladen, weil sie mies bezahlt wurde, und sie würde in ihrer Uniform zu ihm sagen, ja, schon richtig, sie könnte seine Tochter sein, aber sie könnte auch seine zukünftige Ex-Frau sein, der es dann bald zu langweilig mit ihm geworden war, weil's ihm beim Heavy-Metal-Konzert immer zu laut war und pipapo.

Er hatte in der Zeitung gelesen, dass Heavy Metal jetzt das neue Ding war, und dann seinen Chef gefragt, ob er den Fall übernehmen könnte, den alten Langhaarschrott aus dem Weg zu ballern. Aber sie sah nicht nach Metal aus, sondern strahlend gesund wie Milchwerbung. Und eine Sensation: keine Tätowierung. Ob sie an einer Ferse ein Hakenkreuz hatte, konnte er nicht sehen. Seit sie sich besser kannten, redeten sie viel miteinander.

»Zweisiebzig wärn's dann, bittschön.«

»Dann sag ich drei, wenn's Ihnen recht ist.«

»Aber wirklich nur, weil's Sie sand.«

Ja, sie sagte sand. Und Fallner gab sich alle Mühe, nirgendwo anders hinzusehen als in ihre Augen. Ihr Namensschild war allerdings nicht an den Augen befestigt.

»Das werde ich Ihnen nie vergessen, Frau Hallinger, Sie sand so ein Sonnenschein, ich schmelze dahin, einen wunderschönen Tag wünsch ich«, sagte er.

Jaqueline hatte er seit jener Nacht weder derartig angeflötet noch angemacht. Nur umarmt, so wie ein Wrack jemanden umarmte, um etwas Trost zu bekommen.

»Ach, und jetzt gehen Sie gleich wieder, das kann doch nichts werden!« Was hätte sie gesagt, wenn sie alles von ihm gewusst hätte?

Früher waren Leute so gut wie verheiratet, wenn sie so miteinander schäkerten – und in gewissen Gegenden so gut wie tot, wenn sie es bereits mit jemand anderem waren.

Die Anzeigetafel ratterte und plötzlich stach ihm Hamburg ins Auge, wie Neonbuchstaben nachts an einer einsamen Straßenkreuzung in einer schlafenden Stadt, die einen aufforderten hereinzukommen. Wenn das kein Zeichen war. Er hatte sich von Anfang an vorgenommen, mit Hamburg anzufangen. 6:42 Stunden Fahrt waren ein guter Absprung. Wenn er abends ankam, war es zu spät, um sofort wieder nach Hause zu fahren, falls ihn der Mut verließ. Ein klarer, logischer Plan, mit nur dem einen Haken, dass er seit Wochen nicht funktionierte.

Vielleicht waren, ohne an Verspätung zu denken, 6:42 Stunden zu viel für einen angeschlagenen Mann, dem seine Frau vorwarf, er habe sich schon zu lange darin gefallen, als »harter Kerl durch die Welt zu latschen, für jeden kommt der Tag, an dem er mal in aller Ruhe aus dem Fenster sehen sollte, das ist doch keine Schande, Mensch«, und das sage er doch selbst, dass in seinem Kopf etwas viel durcheinandergehe. Nein, das stimmte nicht – sie hatte gesagt: »Wenn du schon selber sagst, dass in deinem Kopf etwas viel durcheinandergeht, dann würde ich aber mal etwas aufpassen.«

Nicht ausgeschlossen, dass sie mal wieder richtig lag. Und es besser war, zuerst einen kleinen Trainingslauf zu absolvieren, um sich auf die lange Reise vorzubereiten. Der langsame Aufbau war wichtiger als der schnelle Start. Wie die einfachen Weisheiten die besten waren und die Vorsicht die Mutter des Motherfuckers.

Die Strecke, die eine Zeile über Hamburg angezeigt wurde, schlug ihm einen idealen Trainingslauf vor: Dachau – Ingolstadt – Treuchtlingen.

Sicher, das war nichts für schwache Nerven, diese Kleinstädte, die er nicht kannte (außer den Namen der einen, den jeder kannte), und die ihm viel weiter weg zu sein schienen als Hamburg. Er würde mit diesen Käffern den Ernstfall proben, an jedem Ort aussteigen und sich den Bahnhof und die Umgebung ansehen und spontan entscheiden, ob er sofort wieder abzischte und sie ihrem Schicksal überließ oder ein paar Stunden oder auch noch über Nacht blieb oder sogar mehrere Tage. Jeder der Orte hatte sicher was zu bieten. Sicher auch Sehenswürdigkeiten, die in keinem Führer verzeichnet waren. Er würde glitzernde Kleinigkeiten im Unbedeutenden finden. In einer dunklen Gasse in Dachau ein Taschenmesser, in dem sich der Geist von Captain Beefheart spiegelte und seinen *Dachau Blues* aufheulen ließ; alle dachten immer, dass Bullen keine Ahnung von diesen Dingen hatten und nur debile Halbnazis oder dumpfe Beamte waren, und das war ihm schon immer extrem auf die Eier gegangen. Und es waren immerhin Städte, die so nah waren, dass er schnell zu Hause sein konnte, wenn er von Gespenstern und anderen Notfällen gerufen wurde. Wenn das kein perfekter Plan war.

Er zündete sich eine Zigarette an und hielt sie in seinem leichten offenen Mantel halbwegs verdeckt.

Was für ein erbärmlicher Blödsinn war das denn, den er sich da zurechtbog. Was für eine erbärmliche Idee, die schon verblödet war, ehe er genauer drüber nachdachte – in der Nähe bleiben und zuerst einen Trainingslauf absolvieren! Ein Schwächeanfall, so feiges Gelaber, dass sich sogar die Hühner totlachten. Als hätten sie ihm nicht jahrelang die wichtigsten Regeln fürs Leben ins Gehirn gehämmert.

Wenn du einsteigen willst, steig ein.

Wenn du's wissen willst, dreh auf.

Wenn du schießen musst, musst du auch treffen.

Aber keine halben Sachen!

Niemals halbe Sachen, denn die halben Sachen sind der Tod –

darauf hatte ihn schon sein Vater vor dreißig Jahren vorbereitet, obwohl er keine Ahnung hatte. Eine Weisheit, die bis heute den meisten Jungs eingetrichtert wurde, selbst von den Papis, die in ihrem Leben noch keine halbe Sache hinbekommen hatten. Man konnte ein dumm gesoffener Nazi sein und in seiner Freizeit Päderast, aber bloß keine halben Sachen! Nicht mal im Schlaf war eine halbe Sache erlaubt und nicht mal in der Schlange vor dem Kiosk da unten – dieser Kiosk ... vor ein paar Nächten hatte er allein an diesem Kiosk angestanden.

Hatte sich gewundert, dass der Kiosk in tiefster Nacht geöffnet hatte.

Nirgendwo eine Person in Sicht ... tiefste Nacht ... trotzdem das Gefühl, beobachtet zu werden. Als würden sie, wenn er das erste Wort sagte, von allen Seiten brüllend auf ihn zulaufen. Er hatte drei Schritte zurück gemacht, dann wieder drei Schritte vor zum geöffneten Fenster, dann wieder drei zurück, und diese Bewegung immer wieder, als hätte ihn jemand aufgezogen, ein trommelnder Affe, der hin und her wackelte. Der dünne Kioskmann mit dem viel zu großen Spitzbauch wedelte sich mit einem Fächer Wind ins Gesicht, während er ihn anstarrte, als würde er durch ihn hindurchsehen. Er hatte eine gefährliche Ausstrahlung, was ihm, in Kombination mit seiner Gestalt, lächerlich vorkam, und er hatte gedacht, dass der Kioskmann sich diese Ausstrahlung viel zu billig gekauft hätte: im Sonderangebot nämlich. Das Wort war riesenhaft durch seinen Traum geschlingert. Und dann hatte er hinter dem Kioskmann das Schild mit der Aufschrift *Sonderangebot!* entdeckt, und dann hatte er Sonderangebot laut ausgesprochen und auf ihn gezeigt und musste laut lachen. Erst dann beugte sich der Verkäufer zu ihm vor und hob fragend das Kinn, ohne was zu sagen.

»Eine Makarow«, hatte Fallner gesagt.

»Mit oder ohne?«

Er wusste nicht, was er damit meinte, und sagte: »Mit. Einmal Makarow mit.«

»Mit ist aus. Nächste Woche wieder.«

»Dann eben ohne, kein Problem.«

»Zu spät. Gesagt ist gesagt.«

»Aber wir sind doch unter uns.«

»Unter uns ist niemand.«

»Aber wir alle sind doch unter dem gleichen Mond, das ist doch kein Problem.«

»Nehmen Sie Ihren Ausweis und verschwinden Sie, sonst rufe ich die Polizei.«

»Rufen Sie mich, mich hat noch nie jemand gerufen.«

»Machen Sie Platz.«

»Ich bin die Polizei und möchte auf der Stelle zu diesem Platz gerufen werden.«

»Sie werden gerufen werden.« Der Typ wirkte wie der Chef des ganzen Bahnhofs. Er spürte riesige Wut und wusste zugleich, dass er sie nicht zeigen durfte, weil dieses Kioskschwein am längeren Hebel saß.

»Packen Sie meine Makarow ein, mit mit oder ohne mit oder mit ohne.«

Er hatte das Gefühl gehabt, im nächsten Moment umzukippen, sich endlich umdrehen und verschwinden zu müssen, ehe was passierte. Aber er kam nicht von der Stelle.

»Gehen Sie jetzt, es gibt auch noch andere Menschen.«

Dass der Mann die Hand hob, als wollte er ihn berühren, hatte ihn aus seiner Starre befreit und er hatte sich umgedreht und die lange Schlange hinter ihm gesehen. Aufgetaucht aus tiefster, stiller Nacht. Niemand bewegte sich. Er ging die Schlange entlang und sah, dass der Junge, den er erschossen hatte, der Letzte in der Schlange war. Der Junge streckte ihm die offene Hand hin, als wollte er Frieden mit ihm schließen, aber plötzlich lag eine Makarow in der Hand des Jungen, obwohl er ihn nicht mit einer Makarow erschossen hatte, und er überlegte, ob es die Waffe des Jungen war, die sie nicht gefunden hatten, oder seine eigene Ersatzknarre, die ebenfalls niemand finden sollte. Als er sie ihm aus der Hand nehmen wollte, war Maarouf weg – und auch in der echten Schlange jetzt vor dem Kiosk konnte er ihn nicht entdecken. Tageslicht war nicht sein Lieblingsplatz. War es auch nicht, als er noch gelebt hatte. Etwas, das Fallner nicht störte, geschweige denn seinen Verdacht erregt hätte, obwohl er selbst anders eingestellt war, bereit, um acht Uhr morgens alles auf den Kopf zu stellen oder den Kopf einzuziehen, selbst wenn er zu dem Zeitpunkt nur eine Stunde geschlafen hatte.

Der Junge hatte seinen Job ähnlich ernst genommen. Erpressung, Nötigung, Dealen mit dem letzten Dreck, und er hatte allein oder mit Kumpels alles zusammengeschlagen und -getreten, egal, ob es ein Kind war oder sie eine tapfere Vier-gegen-einen-Nummer durchgezogen hatten. Fallner war über die Liste seiner Verdienstmedaillen informiert, als sie in jener Nacht die Wohnung seiner Eltern betraten, in der angeblich ein Schuss gefallen war.

Die Idee, seine illegale Makarow in die Reisetasche zu packen, hatte er jedoch schon vor dem Traum gehabt. Er hatte sie jeden Tag in der Tasche mit zum Bahnhof genommen. Das war keine Idee, sondern Gewohnheit. Er hatte seine Dienstwaffe in derselben Nacht abgeben müssen, hatte sie auf der Straße unaufgefordert sofort seinem Chef übergeben. Die Idee, er könnte unbewaffnet auf eine lange und unberechenbare Reise gehen, war absurd. So krank war er nicht.

Er sah unten in der flackernden Masse einen Hund stehen, um den sich, wie um die Frau mit dem außerirdischen lila Hut, die untergetaucht war, ohne dass er es bemerkt hätte, ein kleiner freier Platz gebildet hatte. Mittelgroß, kräftig, halblange goldbraune Haare. Der Hund schaute sich ruhig um, drehte dabei nur den Kopf – und glotzte ihm dann direkt in die Augen. Und bellte ihn an. Nicht unfreundlich, kam ihm vor.

»Schon gut«, sagte Fallner und nahm sein Gepäck.

»Wenn du nicht so ein verdammter Klugscheißer wärst, würde ich dich mitnehmen.«

Das 11. Gebot

Er ging den Bahnsteig runter Richtung Hamburg. Auf dem Weg vom Balkon zum Gleis wurde er gefühlte hundert Mal angerempelt. Er beherrschte sich mit aller Gewalt und schwitzte am ganzen Körper. Das war normal auf der Siegerstraße. Die Vorstellung vom Anblick großer Schiffe half ihm. Der Wind am Hafen würde seine Birne kühlen. Ein paar Linien von Johnny Griffins *The Way You Look Tonight* flatterten wie ein Schwarm panischer Vögel durch sein Hirn und ließen sich nicht verscheuchen. Ausgerechnet Fetzen eines Stücks, das selbst die Nerven einer Leiche anzünden konnte, flogen ihm durch den Kopf.

Er musste sich setzen, einen kleinen Bereich für sich allein haben. Alle Bänke waren voll belegt. Der ICE Klabautermann würde jedoch erst in siebenunddreißig Minuten abheben und war noch nicht mal eingelaufen. Zuerst konnte man sich ewig nicht entschließen, die Reise anzutreten, und dann stand man viel zu früh zwischen den ekelhaften Tauben auf dem Bahnsteig. Zu Hause damals, ein Nachbar hatte Tauben gezüchtet und manchmal hatte er, um ihn zu beeindrucken, eine Taube aufgeblasen, mit Mund-zu-Mund-Beatmung, unter dem Taubenkopf war ein Ballon herausgekommen … er musste gleich kotzen. Er beschloss, unter dem Stahldach bis zum Ende ins Freie zu gehen. War ein weiter Weg.

Fallner las auf der Anzeigetafel, dass am Gleis gegenüber am selben Bahnsteig in nur achtzehn Minuten der ICE Rosa Luxemburg nach Berlin fuhr. Er blieb stehen. Das war eine Menge Wartezeit weniger. Und außerdem würde ihm dieses Hamburg nicht weglaufen, während man das von Berlin nie so genau wissen konnte. Und außerdem hatte er den neuen Berliner Hauptbahnhof noch nicht gesehen, nur gehört und gelesen, es sei das tollste neue Bauwerk des Landes, ach was, der westlichen Welt. Und angeblich war es ein schöner Fußweg am Fluss zur nächsten Polizeikantine. Und außerdem hatte er seinem alten Studienfreund Telling schon lange einen Besuch versprochen. Und Telling hatte ihm am Telefon versprochen, ihm den Kopf zu waschen, Fallner müsste bei ihm auftauchen, ihm würde garantiert etwas einfallen. Fallner schwenkte nach rechts Richtung Berlin.

Blitzschnelle Entscheidung – manchmal zahlte es sich auch im privaten Alltag aus, dass er trainiert war, auf die kleinste Veränderung in seiner Umgebung schnell zu reagieren. Sofort fühlte er sich besser, sah wieder klar, würde schon schiefgehen mit dem ganzen Scheiß, der für seine Frau Doktor nur ein Nebel war. Und sie würden auch die Waffe finden …

Der Einsatz hatte damit begonnen, dass ein Schuss in einer Wohnung gemeldet wurde, aber am Ende hatten sie keine Waffe gefunden, weder bei dem Toten noch bei den anderen. Und nicht den kleinsten Hinweis. Sie wussten nicht, ob der Schuss, der einen Nachbarn alarmiert hatte, tatsächlich gefallen war. Und nur Fallner wusste, dass Maarouf die Pistole dann aus dem Gürtel ziehen wollte. Halb verdeckt von dem Tisch, an dem er saß. Er konnte sich an die Bewegung der Hand zum Griff der Waffe genau erinnern, aber nicht an die Umgebung und was in den Minuten davor und danach passiert war. Kein Hinweis in seinem Hirn, wie Maaroufs kleine Silberpistole, deren Fabrikat er nicht kannte, aus dem Zimmer geflogen sein könnte. Er konnte sich an das unglaubliche Schreien der Mutter des Jungen erinnern. Und daran, dass ihm plötzlich bewusst geworden war, dass sein Partner irgendwo hinter ihm vor Angst eingeschlafen war; jedenfalls nicht anwesend, keine Unterstützung. Und dann hatten diese Penner nachlässig durchsucht und die Waffe nicht gefunden.

Er musste sich konzentrieren, der Doc sagte, die Erinnerung sei nicht verschwunden, sondern nur an einer Stelle gelagert, an die er im Moment nicht rankam. Er würde die Sache neu angreifen, wenn er lange genug durchs Land gesurft war. Die Sache mit kühlem Kopf durcharbeiten. Er war nicht länger ein Gefangener von dem, was in seinem Kopf ablief, Amen.

Er könnte jeden Impuls aus seiner Umgebung sofort aufnehmen und darauf reagieren, absolut jeden – wenn die Durchsage kam, dass auf Gleis 13,33 in fünf Minuten der Zug zur Hölle abfuhr, würde er die Herausforderung begrüßen und sprinten und aufspringen. Gab's nicht auch in diesen Kinderfilmen ein geheimes Gleis, das nur für Superkinder erkennbar war? Seine Jaqueline hatte ihn in einen der Filme geschleppt und nur gekichert, als er sie fragte, ob das bedeutete, dass sie jetzt auch so 'n Kind haben wollte. Wie auch immer, er würde den Zug zur Hölle nehmen, denn er benötigte schnell wieder eine echte Herausforderung oder wenigstens Beschäftigung, hatte ihm seine Psychochefin erklärt, um eine neue und wieder belastbare Balance herzustellen, nicht nur zwischen Physis und Psyche, sondern auch zwischen Vergangenheit, Gegenwart und Zukunft.

»Ist diese lebenswichtige Balance gestört, steht man sozusagen auf wackligen Beinen in der Gegenwart, das heißt, bei jedem auch noch so geringen Problem können Sie massive Schwierigkeiten bekommen, die Kaffeemaschine funktioniert nicht, eine rote Ampel, die scheinbar nie wieder grün wird, kennen Sie das Problem?«

»Frau Dr. Vehring«, hatte er zu ihr gesagt, »kennen Sie eigentlich das 11. Gebot?«

»Habe ich schon mal gelesen«, sagte sie, »ich glaube: Du sollst beim Geschlechtsverkehr keinen Kaugummi kauen. Oder gibt es jetzt ein neues?«

»Sie überraschen mich immer wieder, Doc. Aber diesmal liegen Sie falsch, das weiß ich aus eigener Erfahrung, tut mir leid.«

»Was tut Ihnen leid, die eigene Erfahrung?«

»Nein, es war keine negative Erfahrung. Ich will allerdings nicht behaupten, dass der Kaugummi einen positiven Effekt auf die Sache gehabt hätte. Ist mir jedenfalls nicht aufgefallen, aber ich war ja auch etwas abgelenkt, wenn Sie wissen, was ich meine.«

»Sehr interessant. Und hätten Sie die Güte, mir dieses 11. Gebot zu verkünden?«

»Entschuldigung«, sagte er – fast wäre er in ein altes Paar gerannt, er stoppte nur Zentimeter vor ihnen. Mit sofort verzehnfachtem Herzschlag. Er hätte die klapprigen Leutchen zweifellos auf den Beton geschickt. Und wie seine Dinge zurzeit liefen, hätte sich der Opa dabei den Schädel gespalten.

»Nichts passiert«, sagte die alte Dame mit großen Augen. Sie hatte schon den Zusammenstoß gesehen. Während ihr Partner, der an ihrem Arm hing und nur stehen blieb, weil sie stehen blieb, offensichtlich nichts bemerkt hatte.

Er drehte den Kopf zu ihr und sagte: »Was ist denn jetzt schon wieder passiert!«

Er konnte kaum noch sehen und gehen, aber in seiner Stimme steckte eine wütende Energie, als würde er jeden Tag die Zugspitze rauf- und runterklettern und anschließend noch locker auf seine Seniorengymnastiklehrerin. War sicher nicht einfach für seine alte Dame.

Fallner lächelte sie an und machte den Weg frei. Er kannte das Problem mit Partnern, die nicht bemerkten, dass sie in Gefahr waren. Man schoss auf den Typen, der den Partner ins Visier genommen hatte, und der Partner glotzte verblüfft in die falsche

35

Richtung, hatte nichts mitbekommen und dachte, aha, schon wieder ein Dreckskerl mit 'nem kaputten Auspuff! Alles schon passiert. Und viel mehr. Er hatte Partner gehabt, die auf ihre Mutter geschossen hätten, weil sie eine neue Perücke aufhatte … Er musste die Erinnerungen finden, die ihm zeigten, wie sich sein Partner in jener Nacht verhalten hatte. Irgendwas stimmte mit ihm nicht. Und in der Zeit danach hatte der Maier ihn ein zweites Mal hängenlassen. Als wären sie nie Freunde gewesen.

Der ICE nach Berlin bestand aus zwei aneinandergehängten Zügen. Fallner ging den Bahnsteig weiter nach draußen bis zu der Zone, in der das Bordrestaurant des ersten Zugs halten würde. Je weiter man den Bahnsteig runterging, desto weniger Leute standen im Weg. Das war meistens so. Und wenn ein Zug ausgebucht war, hatte man im Waggon hinter der Zugmaschine die beste Chance, noch einen Platz zu finden, denn wenn der Zug gegen einen auf die Gleise gekippten Strommast prallte, hatte man im ersten Wagen die geringste Chance.

Jaqueline, geborene Hosnicz, verstand seine Leidenschaft für Bahnhöfe und Zugfahrten nicht. Im ICE passte ihr das Essen nicht, Regionalbahnen hasste sie. Quatschende Leute gingen ihr auf die Nerven und den Film vor dem Fenster fand sie langweilig. Das waren erhebliche Differenzen, ein Punkt, an den er bei einer Kinderdiskussion unbedingt denken musste.

Dass die Diskussion morgen losging, war unwahrscheinlich, denn die Vorstellung, auch nur ein paar Monate nicht arbeiten zu können, war ein Albtraum für Jaqueline. Sie konnte sich nicht als Hausfrau und Mutter sehen, sondern nur als Frau und Polizistin. Sie bekam einen hysterischen Kicheranfall, wenn sie im Fernsehen wieder eine Beamtin sah, die tagsüber den gefährlichen Gangster jagte und abends nach Hause kam, ihre Kanone neben dem Herd ablegte und mit ihren Kindern spielte.

»Was für ein fucking bullshit ist das denn! Wo sind denn diese Weiber, wieso kenne ich die nicht! Und diese ganzen süßen Halb-girlies, die da immer rumlaufen! Wieso sehe ich die bei uns nie?«

»Weil du blind bist. Blind, blond und bekloppt.«

Dass die Kinderdiskussion morgen losging, war unwahr-scheinlich. Nach den letzten drei Monaten. Fallner hatte den Ein-druck, dass sie mit dem Gedanken zu spielen anfing, ihn loswer-den zu wollen. Er konnte es verstehen. Es war kein Spaß, sich von einem Wrack nach unten ziehen zu lassen.

Internationaler Tag
der Kopfbedeckungen

Seit wann wurde der Speisewagen Bordrestaurant genannt? Sein Vater hatte vierzig Jahre bei der Bahn gearbeitet und nie einen Speisewagen von innen gesehen. Hatte als Rangierer auf oder zwischen Güterwaggons gearbeitet und wusste bis heute nichts von einem Bordrestaurant. Fallner wollte ihm beim nächsten Besuch davon erzählen, obwohl er nichts mehr verstand. Nachdem er sein Leben lang kaum mehr verstanden hatte, als seine Familie zu plagen.

Wenige Minuten vor Einfahrt des ICE war er eingekeilt im Gedränge. Hatte ihm noch nie gepasst, und jetzt konnte er es nicht mehr ertragen, die erste Stufe von Folter. Damit hatte er an einem Dienstagmittag nicht gerechnet. Was wollten die alle in Berlin? War's ein Feiertag, den er vergessen hatte? Fielen Pendler an einem Dienstag schon mittags über einen großen Zug her, flankiert von Frühbucherhorden? Bordrestaurantfrühbucher an der Borderline zur Bordpersonalsondereinheit – ordern Sie den günstigen Waterboardinghandytarif jetzt beim Bordrestaurant-Editor-in-Chiefcommander. Wann hatten anständige Zugfahrer wie er den Krieg gegen die Frühbucher verloren? Ging es nicht auf ihr Konto, dass Zugfahren so teuer war, wenn man nicht zu ihrem Verein gehörte? Und war das irgendwo hinter ihm nicht die Stimme seiner Ärztin? Und neben ihm wartete eine junge Frau, die lautlos weinte.

Er musste hier raus, ans Ende der wartenden Masse. Und neben der traurigen jungen Frau stand, mit dem Rücken zu ihm, anscheinend ihr Freund. Er trug einen dieser Hüte, die eigentlich nur zu alten Männern gehörten, die in einer anderen Zeit hängengeblieben waren, in den letzten Jahren jedoch von besonders schlauen Popjungs auch auf den Köpfen osteuropäischer Emigranten entdeckt und dann auf die eigenen gepflanzt worden waren – verdammt, sollte er nicht doch besser nach Hamburg als nach Berlin fahren? –, und das sah nun wahnsinnig witzig aus und sollte wohl eine problematische Flüchtlingsexistenz vortäuschen. Gebildete junge weiße Männer hatten bekanntlich gern eine Sehnsucht nach schwierigen Erfahrungen, die man sich mit einfachen Symbolen kaufen konnte, und sie glaubten, dass jeder Bulle ein pensionsberechtigter Spießer war, der von den Kicks, die um ihre Hüte kreisten, keine Ahnung hatte. Erst als der Hut sich zu ihm herumdrehte, erkannte er den Jungen.

Moment – es war Maarouf? Vor ihm stand wieder der Typ, den er vor einer üblen Zukunft bewahrt hatte? Er war es.

Und war er in den Internationalen Tag der dämlichen Kopfbedeckungen geraten? Nach dem lila Hütchen mit den Antennen nun der Alter-Mann-mit-geflickter-Strickjacke-Hut. Hier neben ihm. Der Junge, der ihn nach seinem Tod erledigen wollte. Als könnte ein verdammter Toter jemanden erledigen.

Wie er es nur immer schaffte. Latschte in seine Träume und Gedanken wie einer, der kassieren wollte. Starrte ihm mit ausgestreckter, schnell wackelnder Zunge ins Gesicht, wenn er seine Frau küsste. Sah aus wie ein Clown, der endlich mal jemanden töten wollte.

Der Junge grinste ihn an und sagte, Gott zum Gruße, Herr Oberhauptkommissar, und dabei legte er einen Finger an die Krempe von seinem bescheuerten Hut.

Was hast du hier zu suchen?

Ich suche nichts – doch ich finde immer was.

Hör auf mit deinem blöden Gequatsche, hast du 'nen Zenmeister ausgequetscht, bevor du ihn krankenhausreif geschlagen hast, oder was? Was willst du hier?

Fallner spürte das Zucken in seinem Gesicht – hoffte, dass er nicht laut vor sich hinredete, war sich sicher, dass er es nicht tat, war sich aber nicht ganz sicher, weil er so sehr auf den Arsch konzentriert war, nicht tausendprozentig sicher.

Ich will dich begleiten.

Auf keinen Fall, mein Freund. Nur über meine Leiche.

Oh großer, schießwütiger Held, was für 'n schönes Bild ist das denn, so gut würde sie aussehen, deine schöne Leiche, wir könnten dann doch Eintritt verlangen und machen eine Million, oder hast du deine kleine korrupte Zivilbullenmillion schon zusammen?

Zisch ab, Arschloch, geh in dein Scheißgrab.

Der Junge sah ihn nachdenklich an: Aber das geht nicht, ich muss doch auch mal raus hier. Ich bin im Leben nie rausgekommen, weißt du, was ich meine. Geht doch nicht, dass es wieder so weitergeht.

Du wirst dich wundern, was alles geht. Hast du das immer noch nicht kapiert?

Ehrlich, ich muss mal raus.

Tut mir leid, Bruder, aber du kommst hier nicht mehr raus.

»Du willst doch nur abhauen, von mir, von allem. Gib's doch wenigstens zu. Der ganze Mist ist doch nur ein Vorwand, stimmt doch, oder?«

Er sagte nichts dazu. Lag auf dem Wohnzimmersofa und fühlte sich schlecht. Ließ sich von Lee Morgans Trompete absichern und wegbringen und sagte nichts.

Sie brüllte: »Dann steig doch endlich in deinen Scheißzug nach Nirgendwo!«

Er hatte nichts dazu gesagt. Nur überlegt, von wem der Song war, der plötzlich aus seiner Kindheit geflogen kam, und sich gefragt, ob da was dran war, an dem Vorwand. Er war offen für alle Fragen. Das Problem war, dass er meistens nicht antworten konnte. Selbst wenn er, was jedoch selten vorkam, irgendeine Antwort wusste. Das war seltsam, er wusste Antworten, hatte jedoch keine Lust, etwas zu sagen. Das war neu, so hatte er sich früher nicht verhalten.

Aber jede Frage war eine gute Frage, das war klar.

Zum Beispiel: Warum hatte er drei Schüsse abgegeben? Und: Stimmte das wirklich, dass er drei Schüsse abgegeben hatte?

Er konnte es sich nicht vorstellen und sich nicht daran erinnern. Er war nicht der Typ, der in einer unklaren Situation leicht nervös wurde und dann auf jemanden schoss, der eine Handbewegung machte.

Er war eigentlich nicht der Typ.

Als er sich ans Ende des Pulks zurückgedrängt hatte, ohne eine ruhigere Zone zu erreichen, schaute er sich um und registrierte, dass der Zug nach Berlin inzwischen Verspätung hatte und der ICE nach Hamburg zuerst abfuhr. Es war ihm egal, ob er mit dem berüchtigten Bahnchaos konfrontiert war, er würde zurück auf seinen Balkon gehen und auf einen Zug warten, der nicht von Massen belagert wurde. Das Problem war nur, dass er den Weg bis zum Café-Balkon nicht überleben würde. Auch egal, er war flexibel, nahm er eben den nächstbesten Zug, der vor seinem starren Gesicht einfuhr, Hamburg also – wie er es von Anfang an geplant hatte. Der erste Plan war doch immer der beste. Diese alten Leute, die er fast umgerannt hätte, hatten ihn verwirrt. Er sah wieder klar und machte sich endlich, wie er es vorgehabt hatte, ehe ihm der Junge erschien, auf den Weg den Bahnsteig runter und raus ins Freie. Setzte sich dort auf eine freie Bank. Fühlte sich befreit. Es hatte zu regnen angefangen und niemand wollte im Freien warten und seine Gesundheit riskieren.

Er hatte einen Berg Anrufe von Jaqueline auf dem Telefon. Er hatte keine Lust, sie zurückzurufen, und las auch ihre Textnachrichten nicht. Er musste sich konzentrieren. Obwohl es vollkommen egal war, ob er nach Berlin oder Hamburg fuhr.

Als sich der Einstieg in den ersten Waggon öffnete, drehte er sich nochmal um – und sah, wie sie, in Uniform, suchend einen anderen Bahnsteig entlanglief. Sechs Gleise waren zwischen ihnen. Sie erregte Aufmerksamkeit, die rennende Bullentante mit den langen blonden Haaren, und sie brüllte, ohne vom Tempo runterzugehen, ein paar Jungs an, die dumm genug waren, sie anzuquatschen und nicht aus dem Weg zu gehen. Fallner verstand nicht, wer was zu wem sagte, aber die Wirkung war deutlich. Die Jungs hüpften im letzten Moment aus der Bahn, um nicht umgerannt zu werden, und einer fiel dabei hin und konnte seine Bierflasche nicht retten.

Fallner stieg ein und drehte sich oben im Einstieg nochmal um. Jaqueline hatte ihn entdeckt, stand da und schaute ihm in die Augen. Sie streckte die Hand aus, Daumen hoch und Zeigefinger direkt in sein Gesicht. Dann krümmte sie den Zeigefinger.

Er machte mit einer Hand das Telefon am Ohr und warf ihr mit der anderen einen Kuss rüber. Die Wirkung war deutlich.

Gleich null.

Nashville Pussy

Im Bordbistro wurde man schneller bedient als im Bordrestaurant. Er bekam sein Bier mit Jägermeister-Flachmann von der freundlichen Bistrofrau, während noch nicht mal alle in den Zug eingestiegen waren.

Es war die Art Bistro, die sie am besten ausgestattet hatten, mit Sitzecken und Stehtischen. Alles war frei. Am anderen Ende fing der Stau an sich aufzulösen, und in seinem Rücken tauchte schon der Mann auf, der den ersten Stehtisch an der Theke ebenfalls besonders gelungen fand und keinen anderen haben wollte. Es war der Mann, der sich niemals an einen leeren Tisch setzte, er brauchte immer jemanden, an den er hinsprechen konnte, und er hätte sich auch zu einer Bande keifender Junkies gesetzt, die nach einem Opfer gierten.

Er stellte stöhnend sein Gepäck ab und stöhnend sein Glas und sagte: »Geht doch nichts über ein fahrendes Gasthaus, sag ich immer, guten Tag und zum Wohle.«

»Danke, gleichfalls.«

»Was halten Sie davon, wenn man seine Frau bei einem Konzert von Donna Summer kennengelernt hat? Können Sie sich das vorstellen?«

»Könnte der Beginn einer kurzen Ehe gewesen sein.«

»Das können Sie aber laut sagen. Und ein Kumpel von mir hat seine bessere Hälfte in einem Boxclub auf der Reeperbahn aufgegabelt, ich kann Ihnen sagen, es gibt einfach nichts, was es nicht gibt, das mag abgeschmackt klingen, stimmt aber, glauben Sie mir, junger Mann.«

»Auch nicht schlecht.« Ohne den Blick vom Fenster abzuwenden.

»Da singt der Knabe noch heute ein Lied von. Und bei Ihnen? Ohne Ihnen nahetreten zu wollen, entschuldigen Sie bitte, ich weiß, ich rede zu viel, das hat schon meine selige Frau Mutter in den Wahnsinn getrieben, aber nicht mich, so wie's aussieht, aber da gibt's natürlich auch andere Meinungen. Lassen Sie mich raten, Sie sind mit dem Hund rausgegangen, nein, Moment, ich hab's, es war ein Autounfall.«

»So was Ähnliches. Auch ein Konzert. Nashville Pussy. War aber ein gutes Omen.«

»So was soll's ja bekanntlich auch mal geben. Aber glauben Sie mir, verlieben Sie sich niemals, unter keinen Umständen, in einem Boxclub. Ich weiß, wovon ich spreche, obwohl das vielleicht nicht so aussehn mag, aber man wird ja bekanntlich nicht jünger, kann ich Sie zu einem Bier einladen?«

»Nein, danke. Ich brauche dringend die berühmte Mütze Schlaf. Vielleicht später.«

Er trank aus und zog seinen Koffer wieder zurück in die 2. Klasse an die vorderste Front. Es war noch zu früh für interessante Gespräche, er war zu erschöpft, um sie ertragen zu können, auch wenn ihn der Anfang eines ewig dauernden Donna-Summer-Vortrags nicht umgebracht hatte. Was sich in einer Sekunde hätte ändern können. Er musste aufpassen, und er passte auf. Vor allem bei Leuten, die auf ihn losgingen und die er viel schneller verletzen konnte, als sie ihn – sie durften ihn gern verprügeln. Er würde sich nur die Hände vors Gesicht halten. Jeder da draußen hatte ein Dutzend Schläge frei, ehe er ihm die andere Wange hinhielt – ah, diese süßen Gedanken, die man sich so machte, wenn man nach dunklen Tagen endlich freie Sicht hatte! Und sofort die grandiose Idee hatte, in Zukunft nur noch freundlich zu allen Lebewesen zu sein … Kein schwarzes Wölkchen am Himmel bei schönem Fahrtwind und mit frisch geschärften Klingen freie Sicht bis zum Horizont … also Käptn, jetzt gehn se mal 'n langes Nickerchen machen, hier isses doch so ruhig wie in der Muschi meiner alten Dame zu Haus … Ja, jetzt erinnerte er sich – an dem Abend hatte er auch so eine gute Laune gehabt. Und ohne zu wissen, warum. Gute Laune machte einen leichtsinnig. Konnte sein, dass er das alles seiner guten Laune zu verdanken hatte. The good times are killing me, sagte die Weisheit in einem alten Blues. Oder hatte das auf dem T-Shirt dieser Drogenmaus gestanden, die er eines Nachts nach Hause gefahren hatte? Und er erinnerte sich an ein anderes Lied, in dem jemand, nur weil er gute Laune hatte, Lust bekam, jemanden umzubringen. Darauf hatte er keine Lust gehabt, diese Art von guter Laune hatte er noch nie gehabt. Auf jeden Fall konnte er sich nicht daran erinnern.

Er verteilte seine Sachen, damit es so aussah, als würden mindestens zwei Personen am Tisch sitzen und legte die Beine auf den Sitz gegenüber. War unfair, aber es war genug Platz im Schiff, und er dachte an den Mann, der ihn zum Bier einladen wollte.

Im Fenster waren immer noch die Randgebiete seiner Stadt zu sehen, als er die Augen langsam nicht mehr offen halten konnte. Er kämpfte weiter gegen den Schlaf an, weil er sich automatisch dagegen wehrte und es nicht kontrollieren konnte. Und freute sich, dass er den Kampf gegen den Schlaf bald verloren hatte. Und ohne allzu viel Stoff zu benötigen. Konnte er doch stolz drauf sein, dass er seinen besten Tag seit langem noch nicht mit Alkohol runtergespült hatte.

»Nach so einem Ereignis ist Schlaflosigkeit beziehungsweise ein verändertes Schlafverhalten völlig normal«, hatte ihm seine psychotherapeutische Anlageberaterin erklärt. »Schlafen Sie, wann immer Sie wollen, können Sie das?«

Er forderte sie auf, jetzt die Klappe zu halten. Seinen Kopf zu verlassen. Er sagte, er respektiere sie, aber sie solle sich um ihre anderen Kunden bemühen. Ehe sie die ersten Beschwerden über sich im Internet lesen könnte.

»Beachten Sie keine Uhrzeit, hören Sie auf niemanden, der Ihnen etwas anderes sagt. Oder macht Ihnen Ihre Frau Schwierigkeiten deswegen? Auch das ist leider völlig normal. Hat sie denn Verständnis für Ihre Situation, ich meine, ausreichend Verständnis?«

»Ich dachte immer, dass mir so was garantiert zuerst passiert«, sagte Jaqueline.

»Hätte mir doch auch passieren können«, sagte sein Bruder, der Ex-Polizist. »Aber dann hätten sie die Waffe von dem Arsch gefunden, das kann ich dir versprechen.«

Sein Bruder war am nächsten Tag mittags bei ihm zu Hause aufgetaucht und den ganzen Tag geblieben. In den nächsten Stunden waren seine Frau und die Kinder dazugekommen. Dass sein Bruder mit der ganzen Familie in seiner Wohnung saß, war seit Jahren nicht vorgekommen. Sie saßen herum, als wäre er todkrank, aber er war nur zugedröhnt in einem dichten Nebel, bekam kaum was mit und versuchte, normal zu wirken.

»Geil«, sagte die dreizehnjährige Tochter, »er hat jemand erschossen.«

»Zugzwang«, sagte der achtjährige Sohn.

»Streitet euch nicht«, sagte ihre Mutter, und Fallner hörte die Frau seines Bruders sprechen, während er im Halbschlaf versackte, und fragte sich, ob sie jemals was anderes zu den Kindern sagte, außer dass sie sich nicht streiten sollten. Verwirrend, dass er nie einen Draht zu ihr bekommen hatte, obwohl sie seiner Jaqueline ziemlich ähnlich war. Sogar im Aussehen, Mensch, das war echt verwirrend.

»Geil«, sagte seine dreizehnjährige Nichte, »wie im Fernsehen, das ist so was von geil.«

»Ich dachte immer, dass mir so was garantiert zuerst passiert«, sagte Jaqueline.

Weil sie eine interessante Beziehung zu Schusswaffen hatte … Bikini Girls with Machine Guns … die sie nicht immer verheimlichte. Er hatte dem Mann die Wahrheit gesagt, sie hatten sich bei Nashville Pussy kennengelernt, ohne zu wissen, dass sie beide Cops waren, und er hatte das höllische Dröhnen wieder in seinem Copkopf und erinnerte sich, wie sie dann erst mal über Berge von Tätowierungen klettern mussten, ehe sie mit ihren Ausweisen gezwungen waren, draußen, nach dem Konzert, es hatte Ärger gegeben und sie hatten sich kaputtgelacht, als sie beide plötzlich ihre Ausweise … weil keiner vom anderen gedacht hatte …

»Zugzwang«, sagte der Kleine.

Sie hatten irgendwas zusammen gespielt, nur er und sein Neffe. Und dann hatte den Kleinen etwas veranlasst, Zugzwang zu sagen. Er hatte etwas zu ihm gesagt und darauf hatte er Zugzwang gesagt, aber was hatte er gesagt?

Das Wort blinkte durch sein Gehirn, wurde auf- und abgeblendet, aber er konnte die Verbindung nicht finden.

Im Fenster zogen riesige grüne Flächen mit großen gelben Flecken vorbei. Das Gelb war so stark, dass er sich wünschte, darin unterzutauchen. Selbst ganz gelb zu sein. So wahnsinnig gelb, dass er unsichtbar wäre, wenn ihn die weißen Männer abholen kamen.

Prophezeiungen

Der Fahrbetrieb mit dem Stahlross sollte verboten werden, denn es besteht Lebensgefahr! Aufgrund der Schnelligkeit kommt es zu Gehirnkrankheiten! Warnte ein medizinisches Gutachten 1835. Allein schon der Anblick des vorbeifahrenden Zugwagens könnte das Hirn kaputt machen. Daher die Forderung, eine fünf Fuß hohe Bretterwand zu beiden Seiten des Bahnkörpers zu errichten.

Damals hatten sie die Mahnungen in den Wind geschossen. Es sollte mehr als hundertfünfzig Jahre dauern, ehe man die Prophezeiung, das Hirn würde vom Anblick des Zugs kaputtgehen, als wahr erkannte und viele Wände an Bahnkörper baute. Aber es war zu spät. Man musste sich nur umsehen. Inzwischen waren die Hirne vieler Menschen schwer angegriffen oder kaputt.

Die Information hatte er aus einem Buch mit Geschichten und Anekdoten über Bahnfahrten, das ihm seine liebe Frau Seelendoktor schenkte, nachdem er sie von seinen Zugplänen unterrichtet hatte. Am Anfang der Therapie hatte sie ihn gebeten, ein Heft zu führen. Da sollte er aufschreiben, was ihm zu seinem Fall einfiel. Oder was ihm sonst einfiel, egal was. Hatte er nicht gemacht. Kam sich dumm dabei vor, mit der Hand zu schreiben, mit der Hand in ein Schulheft zu schreiben. Jaqueline schenkte ihm ein edles Heft, ein dickes schwarzes Ding, das so stabil war, dass es den nächsten Krieg überstehen würde. Damit kam er sich noch dümmer vor. Aber als er anfing, die Zugpläne in seinem kaputten Hirn ernst zu nehmen, fand er das Heft plötzlich doch irgendwie interessant und fing an, ein paar Sätze aus dem Zugfahren-in-derguten-alten-Zeit-Buch aufzuschreiben. Schrieb die Gefahr von Gehirnkrankheiten auf die erste Seite, und es fühlte sich seltsamerweise nicht schlecht an, die Hand mit dem Schreiber zu bewegen.

»Und dann hielt das Auto da, wo alle bessern Geschichten anfangen: am Bahnhof.« Kurt Tucholsky.

Sympathischer Mann, der, fiel ihm nur durch das Aufschreiben wieder ein, Selbstmord begangen hatte. Um nicht mit Nazis »diskutieren« zu müssen – oder weil er krank war? Oder weil er krank war und keine Lust hatte, als kranker Mann auch noch mit Nazis diskutieren/»diskutieren« zu müssen?

Hatte es in den letzten Jahren Selbstmorde gegeben, weil es wieder so viele Nazis gab? Und wie viele Selbstmorde bei Bullen? (Wie geheim waren geheime Zahlen?)

Wie viele Selbstmorde nicht mithilfe von, sondern *in* Zügen?

Davon hatte er noch nie gehört. War das schon passiert? Wäre eine gute Sache für Zugfreaks wie ihn: man wollte es sich wenigstens beim Abtreten nochmal besonders schön machen und setzte sich in einen Zug und schaute zum Fenster raus …

He, Meister, könnten Sie bitte Ihren Schwachsinn leise in Ihr Scheißhandy labern! Man wird doch wohl noch in Ruhe abtreten dürfen!

Die ersten Zeilen, die er während der Fahrt auf eine neue Seite schrieb, lauteten: Er wollte in Hamburg bleiben, aber er blieb nur am Bahnsteig sitzen und nahm den nächsten Zug nach Berlin. Dort machte er es nicht anders und fuhr weiter nach München. Dort machte er nicht den Fehler, den Bahnsteig zu verlassen, obwohl er große Lust hatte, die nette Frau Hallinger im Café wiederzusehen. In den Zügen fühlte er sich gut, warum sollte er irgendwo aussteigen und sich irgendeinen Mist ansehen. Er machte einfach so weiter, fuhr den großen Kreis, er hatte Zeit. Auch dem Drecksack, der sein Problem war, schien das permanente Rumkurven zu gefallen, denn er hatte sich in diesen vier Tagen nur ein- oder zweimal blicken lassen. Ohne viel Ärger zu machen. Deshalb hatte er die Hoffnung, er würde langsam und bald endgültig auf der Strecke bleiben.

Er schrieb »er« statt »ich«, ohne dass er darüber nachgedacht hätte. Er würde den Doc fragen, ob das was zu bedeuten hatte. Und sie würde ihn garantiert fragen: Sind Sie dieser Er oder ist das ein anderer, mit dem Sie Ihr Ich verbinden? So was in der Art würde sie ihn garantiert fragen.

Er war seit zwanzig Jahren im staatlichen Schützenverein, aber er konnte sich nicht daran erinnern, jemals freundlichere Beamte, die gegen Kollegen ermittelten, getroffen zu haben. Die Freude darüber hielt sich in Grenzen.

»Wir fragen uns, ob es sein könnte, dass Sie bereits mit gezogener Waffe die Wohnung betreten haben«, sagte der eine.

»Unsinn, habe ich nicht.«

»Wieso wäre das denn Unsinn? Sie wurden zu einer Wohnung gerufen, in der angeblich ein Schuss gefallen war. Ist doch absolut verständlich.«

»Fragen Sie meinen Kollegen, wenn Sie mir nicht glauben.«

»Das haben wir. Aber er kann sich nicht erinnern.«

»Woran kann er sich nicht erinnern?«

»Ob Sie schon mit Ihrer Waffe in der Hand in diese Wohnung reingegangen sind.«

»Was soll das heißen?«

»Er kann es nicht bestätigen, er kann es nicht ausschließen.«

»Er hält es für möglich?«

»So verstehen wir's, wenn jemand was nicht ausschließen kann, sicher, wie sonst?«

Aber Fallner hatte sich eine Woche nach dem Unfall noch sehr gut an seinen Kollegen erinnert. Dass er in dieser Nacht so eine große Hilfe war wie ein totes Pferd.

Der Kollege Maier sagte aus, er hätte sich über Fallners Verhalten gewundert, in der Situation aber keine Möglichkeit gesehen, ihn daran zu hindern und dem Einsatz eine andere Richtung zu geben. Der Kollege Maier tat alles, um möglichst gut aus der Sache rauszukommen. Das war verständlich. Aber er schien zu glauben, dass er Fallner dafür möglichst stark belasten musste. Er konnte sich also nicht erinnern, ob er schon vor der Tür seine Waffe in der Hand gehabt hatte; konnte es nicht ausschließen. Aber Fallner konnte sich genau daran erinnern, dass sein Kollege, als es in der Wohnung plötzlich so aussah, als würde es gefährlich werden, nicht mal mehr wusste, wie sein Name lautete. Und damit hätte er bei seinem Kollegen nie gerechnet – eine harte Überraschung, auf die er sich in dieser Situation nicht konzentrieren durfte. Das hatte sein Gefühl verstärkt, in Gefahr zu sein, als ihm klar wurde, dass er auf sich allein gestellt war.

Aber davon sagte er den freundlichen Männern nichts. Unterm Strich hätte man auf die Idee kommen können, dass sein Partner ziemlich gut dazu beigetragen hatte, dass die Situation eskalierte.

Als er seinen Kollegen unmittelbar danach, auf der Straße, zwischen hundert aufgescheuchten Polizisten und Sanitätern, gefragt hatte, was mit ihm los gewesen sei, hatte er nichts gesagt. Er hatte nicht mehr wie ein Zombie gewirkt, sondern wie jemand, der nicht dabei gewesen war und glaubte, dass er, Fallner, ihm ein Märchen erzählte. Wie jemand, der glaubte, er hätte einen

Sprung in der Schüssel und überlegte, wie er mit ihm umgehen sollte. Hatte er in dem Moment als Schock interpretiert.

Und jetzt erzählte der Kollege Maier den freundlichen Männern immer noch nichts von seinem Blackout während der Aktion. Und er hatte geglaubt, der Kollege Maier wäre sein Freund. Wo doch jeder schon die Stiefel auf den Wohnzimmertisch des anderen gelegt hatte und Maier einen freundschaftlichen Ausdruck über die ansehnlichen Rundungen seiner Frau hatte riskieren dürfen, den Fallner freundschaftlich akzeptiert hatte. Nach Hause hatte er diesen Maier getragen. Ihm einmal ein Alibi gegeben. Auch noch die rechte Wange hätte er für ihn hingehalten. Denn er war sein Freund, und nicht erst seit gestern. Es war nicht nur so ein Kollegen-Schulterklopf-Gefühl.

Denn nicht jener ist dein Freund, der den Splitter aus deinem Auge entfernt, spricht der Herr, sondern der dich liebt um deiner Splitter willen.

Auch das gehörte zu dem ganzen Scheiß, von dem er seinem Doc noch lange nicht alles erzählt hatte. Sie war zur Verschwiegenheit verpflichtet. Sicher. Aber woher sollte er wissen, ob sie sich nicht jeden Sonntagnachmittag mit einem Innenministeriumsbeamten traf, dessen bester Freund sein Chef war? Oder ob der Chef einen Druck gegen sie ausüben konnte, dem sie nicht gewachsen war – das war extrem unwahrscheinlich. Dass sich sein Freund bei dem Einsatz so verhalten hatte, war zuvor jedoch nicht nur extrem unwahrscheinlich, sondern absolut undenkbar gewesen. Sie hatten also Diskussionsbedarf – genauer gesagt hatte Fallner nicht mehr als das Bedürfnis, ihm in den Schritt zu treten. Ob seine Eier danach immer noch diskussionsbedürftig waren, war ihm egal.

Das Gespräch mit den Sonderpolizisten hatte freundschaftlich geendet. Fallner sagte immer wieder, der Junge habe die Waffe eines ihm nicht bekannten Fabrikats, die von seinem Hemd verdeckt war, aus dem Gürtel ziehen wollen, und die Kollegen versicherten ihm mehrmals, es würde sich alles aufklären.

»Erst mal alles Gute für Ihre Therapie. Wir melden uns.«

Die Säcke dachten, er wäre in Therapie, weil ihn die Last der Schuldgefühle erdrückte, aufgrund einer Fata Morgana in einer Panikreaktion jemanden erschossen zu haben. Das sah er ihnen an.

Rekapitulation 1

Sie hatten das Pech gehabt, dass sie nur in die nächste Straße rechts einbiegen mussten, als sie um 23:40 Uhr den Funkspruch hörten. In der Wohnung neben dem Anrufer sei soeben während eines lauten Streits ein Schuss gefallen.

Maier fluchte und trat auf das Gaspedal. Sie waren müde und genervt von einer langen, sinnlosen Observation und schon so gut wie zu Hause. Es hatte mit ihrem Job nichts zu tun, in eine Wohnung zu gehen, in der irgendwas passiert war. Aber es klang nach einem Notfall.

Der Beamte am Funk betonte, dass auf Eigensicherung zu achten wäre. Und wiederholte es. In der Wohnung sei unter anderem Maarouf R. gemeldet, der wegen diverser Gewaltdelikte vorbestraft sei.

Fallner gab nur kurz durch, wer sie waren und dass sie bereits vor Ort ankamen.

Zwölf Stunden später hörten sie sich die Aufnahmen an, den Anruf und den Funkspruch. Der Anrufer hatte von einem lauten Knall gesprochen und wörtlich gesagt: »Wie ein Schuss, ja, vielleicht ein Schuss.« Der Beamte am Funk aber hatte die Unklarheit zur Klarheit gemacht: »Bewohner der Nachbarwohnung meldet einen Schuss im Verlauf eines lauten Streits.«

Der Funker kapierte nicht, dass das ein Unterschied war. Winkte ab, als Fallner es ihm erklärte. Tat Fallners Beschwerde, dass er bei der Weiterleitung der Information erheblichen Mist gebaut hätte, als Hirngespinst ab. Hatte sogar ein kleines Grinsen im Gesicht.

Fallner brüllte ihn an: »So dumm kann doch niemand sein! Du Arschloch!«

Er bekam jedoch keine Unterstützung. Von niemandem. Der Chef ermahnte ihn, sich zusammenzureißen. Er spürte die Hand von Maier auf seiner Schulter, er solle sich beruhigen.

Er brüllte ein paar Sätze hinterher, die locker weggesteckt wurden, und erkannte, dass alle dachten, er müsste nur Dampf ablassen und suchte nur jemanden, dem er ein paar Krümel anhängen konnte, um mit dem, was passiert war, nicht allein dazustehen.

Er erinnerte sich erst später, dass er nicht fassen konnte, dass in diesen Minuten alle gegen ihn waren. Ohne zu verstehen, warum.

Das hatte ihm, wenige Stunden nach der Tötung, den Rest gegeben.

Fressen

»Scheiß drauf.«

»Das sagst du so leicht.«

»Trotzdem.«

»Du hast ja keine Ahnung.«

»Trotzdem.«

»Acht Jahre sind's schon.«

»Und ich sag dir, scheiß drauf. Ich kann's dir gerne auch schriftlich geben.«

»Und morgen?«

»Was soll sein?«

»Frag ich dich.«

»Scheiß drauf.«

Es schien seit Stunden so dahinzureden. Und Fallner hatte sich nicht entschließen können, Kopfhörer aufzusetzen. War immer wieder für Minuten eingeschlafen, dann kam wieder der Sprachmüll. Er stand auf, um sich etwas die Beine zu vertreten. Die Männer hinter ihm waren Mitte dreißig und machten beide nicht viel her. Sie waren besser gekleidet, als ihn die Geräusche vermuten ließen, und mit ihren lässigen Anzügen und dezenten Turnschuhen auf dem Weg nach oben – knapp davor, dass ihnen die Firma 1. Klasse-Tickets zugestand. Wahrscheinlich schon zu lange knapp davor. Ein Knappdavor war genau das, was jeden tapferen Mann in den Wahnsinn trieb. Er kannte diese Marke, die Typen, die durchdrehten, wenn man zu ihnen sagte, sie sollten sich einfach nur einen Moment ruhig verhalten, bis man sich als Bulle einen Überblick verschafft hätte und sich ihre Anschuldigungen anhörte. Die vor Wut platzten, wenn sie merkten, dass ihre Drohung, ihre Anwälte würden einen durch den Fleischwolf drehen, nur ein kleines Lächeln bewirkte. Die Marke, die aus einer harmlosen Situation in einer Minute ein totales Chaos machen konnte, nur weil man sie bat, einen Moment die Klappe zu halten. Man sagte zu ihnen, sie sollten den Weg für die Sanitäter frei machen, und sie glaubten ihre Bürgerrechte bedroht. Sie hatten in ihrem Leben noch nie an irgendwessen Bürgerrechte gedacht, alles außer ihresgleichen war verdammter Müll. Mit ihnen zu spielen, machte den größten Spaß. In ihren Augen flimmerte Mordlust, wenn sie merkten, dass man ihnen ihr Ich-bin-ein-anständiger-Bürger-Getue keine Sekunde lang abkaufte.

Er setzte sich in die Toilette und rauchte, und als er sich wieder auf seinen Platz vor ihnen setzte, sagte einer: »Scheißraucher.« Der andere murrte Zustimmung.

Fallner war schockiert, dass seine Menschenkenntnis in letzter Zeit offensichtlich gelitten hatte. Er hätte gewettet, dass die beiden Raucher waren. Raucher, die mal eine rauchten, und Pilstrinker, die zum Barmann sagten, er solle mal die Luft aus ihrem Glas lassen.

»Für eine hirnlose Nutte, die grün wählt.«

»Seit neuestem.«

»Hau ihr mal eine rein, hau ihr richtig in die Fresse.«

»Stimmt ja, ich weiß. Aber du kommst mit.«

»Scheiß drauf. Schaffst du auch. Schau mich an, was soll's, Ende.«

»Ja, aber es ist doch …«

»Piss auf die dumme Scheißkuh. Polier ihr die grüne Fresse und schmeiß die hirnlose Scheißkuh raus.«

Zwei Männer in Anzügen, die gelegentlich bei einem Konzert mit stumpfer Rockmusik die Sau rausließen, an ihren Handys schnüffelten und ihren sorgfältig abgefüllten Praktikantinnen grölend mit dem Kugelschreiber was auf die Titten malten; wer sich's nicht gefallen lassen wollte, dem würden sie bei der Arbeit irgendwas reindrücken. Lustig hieß immer laut und zugleich böse.

Was für eine tolle Zugshow – völlig unverständlich, dass seine Jaqueline nicht verstehen wollte, warum er lieber Zug als Auto fuhr.

Jetzt noch lauter: »Sprich mir nach: Ich pisse auf die dumme Scheißkuh!«

Fallner stand mit einem heftigen Ruck auf, drehte sich um und glotzte sie an wie ein getürmter Irrer: »Ich bin seit dreiund-vierzig Jahren strenggläubiger Katholik und ich dulde nicht län-ger, dass ich gezwungen bin, mir derartige Ausdrücke anzu-hören.«

Sie fingen zu grinsen an.

»Halten Sie jetzt Ihre dummen Fressen oder ich stopfe sie Ihnen mit den dicken Brettern, die eine böse Macht vor Ihre hirnlosen Köpfe genagelt hat.«

Und als Fresse eins den Mund aufmachte, brüllte er: »Jetzt ist hier Ruhe!« Und als er aufstehen wollte, schlug er ihm nur mit der flachen Hand an die Schulter.

Um ihnen keine Chance zu geben, ihm etwas in die Ohren zu nörgeln, verstöpselte er sie sofort und drehte auf und drehte sich nicht nach ihnen um. Mehr Courage als winselndes Gemurre würde Gott ihnen nicht zuteilen.

Seit endlos vielen Tagen hatte er sich nicht annähernd so gut ge-fühlt, keine Sekunde auch nur ein Prozent so gut. Er sagte Halle-luja und dankte dem Herrn. An solche Worte wie Halleluja hatte er seit Jahren nicht gedacht. Er würde bald mal wieder eine Kirche aufsuchen. Warum auch nicht. Er war kein Ignorant, er würde da irgendwas auf sich einwirken lassen. War er doch auch einer unter der Sonne, die auf die Guten wie die Schlechten herabschien. War er doch keiner von den Bösen, die der Blitz traf, wenn sie eine Kirche betraten.

Also mich haste erschossen und mit diesen da redest du nur so ein bisschen, sagte der Junge, ich aber weise dich darauf hin, von größerem Übel sind diese als ich.

Ich habe mich nur von meinen Vorurteilen lenken lassen, sagte er zu ihm, wo diese doch nur in einer schlechten Stunde gefangen sind – ich habe gelernt aus Fehlern.

Und er sah, dass der Junge ihn auslachte.

Während er sich endlich von den letzten Aufnahmen Lee Morgans in eine andere Umlaufbahn schießen ließ – kurz bevor seine Frau Morgan erschossen hatte … und träumte von Billie Holiday, die vollkommen hinüber und nackt auf dem Bett lag, während er zu ihr flüsterte, dass er dereinst in seinem Leben nichts anderes zu tun gedenke, als Felle zu streicheln und Trommeln zu schlagen und Becken zum Klingen zu bringen, das schwöre er beim Leben seiner Mutter. Als sie wieder zu sich kam, sagte sie heiser, er sei nur ein süßer Lügner und ob er ihr inzwischen was besorgt habe. Trotz der Drogen sollte sie recht behalten, aus allem, was er geschworen hatte, war nichts geworden. Neben sich spürte er das Klacken von Stiefeln; der Hauch eines Parfüms; sündige Dinge, die ihn animierten, weiter in seiner Vergangenheit herumzuschnüffeln.

Außer Johanna hatte ihn lange Zeit niemand in die Welt von Lee Morgan begleitet. Alle hatten ihm nur den Finger gezeigt, denn erstens war Jazzmist krank und wirr und zweitens von gestern. Sie hielten Schmuse-Hits wie *Nightshift* für ideal, wenn man Mitte der Achtziger ein romantisches Treffen zum feucht-fröhlichen Abschluss bringen wollte, oder sogar tote Hosen generell für alles passend. Er hielt Waffenstillstand mit denen, die Public Image Ltd. hörten oder LL Cool J. Ein Kumpel, der jeden anspuckte, der behauptete, es gäbe noch etwas anderes als die Sex Pistols, nahm plötzlich *Frankenchrist* von den Dead Kennedys, um das Leben erträglich zu machen, und spuckte jeden an, der und so weiter – das war sein bester Freund. Weil sie sich als Außenseiter verbündet sahen, verloren, verachtet, verraten, verfolgt und verlacht. Tat gut, zu erfahren, dass man einen mögen konnte, der ziemlich anders war, und ihn so lassen. Fallner wurde von dem Freund zum ersten und letzten Mal angespuckt, als er ihm ein paar Jahre später erzählte, er würde nun doch nicht, wie hoch und heilig und beim Grab der Mutter geschworen, Jazzschlagzeuger werden, sondern ein guter Bulle, der sich nicht dafür interessierte, Punker und Kiffer einzubuchten, darauf könnte er sich verlassen.

Aber sein Freund sagte Scheißnazi zu ihm. Und dass er nur seinem Bruder, dem Scheißbullen, nachlaufe, weil er eine feige Sau sei.

Gegen die Beschimpfung als Bullenschwein hätte er sich nur wortreich verteidigt. Aber der nicht nur beiläufig ausgestoßene Scheißnazi war jenseits, und der, dessen Name ihm jetzt nicht mehr einfiel, musste sich sein von seiner großen Schwester vor vielen Jahren ausgemustertes *Stoppt Strauß*-T-Shirt mit einer Ladung Nasenblut versauen. Fallner hatte über ihm gestanden und war nahe dran, ihm noch eine reinzuschlagen. Sein Freund starrte voller Angst zu ihm auf.

Lee Morgan hatte er nur entdeckt, als er seinem sechs Jahre älteren Bruder nachschnüffelte, der die Platten längst nicht mehr für irgendwas benutzte, sondern sich immer ernsthafter auf ein ernstes Leben vorbereitete, in dem für Schallplatten anscheinend kein Platz mehr war. Als Johanna, die Nachbarstochter, zum ersten Mal mit ihm allein in seinem Zimmer war, ließ sie sich von

Lee Morgan nicht stören. Sie war vier oder fünf Jahre älter als er, achtzehn oder neunzehn. Er war sehr nervös, angesichts des Rätsels, was sie von ihm wollte, denn sie war keine schüchterne, sondern, wie die meisten in ihrem Viertel, eine schlagkräftige Frau. Sie klaute ihrem Alten die alte Pistole, um dann am Bahndamm Schießübungen zu veranstalten. Sie warteten, bis ein Zug vorbeifuhr, und ballerten los. Er war sehr nervös, weil er wusste, was sie wollte. Als *I'm A Fool To Want You* lief, hörten sie auf, sich zu unterhalten. Bis dahin hatten sie nichts gemacht. Jetzt lagen sie auf dem Bett und machten weiterhin nichts. Er hatte das Gefühl, dass er nie wieder die kleinste Bewegung machen könnte. Als das Stück vorbei war, stand sie vom Bett auf und setzte die Nadel an den Anfang. Dann legte sie sich wieder neben ihn.

Und dann sagte sie: »Du stehst aber auf ganz schön gefährliche Musik, mein Lieber.«

Dann machten sie alles.

Er drehte den Kopf zu spät, um einen Blick auf die Frau mit den klackenden Absätzen und dem Parfüm werfen zu können.

Sah nur im Fenster gegenüber ein dreckiges Grau. War das eine Wand oder eine Stadt?

Es war ein Felsen.

Dann stand sie auf und setzte die Nadel wieder an den Anfang der Platte und sie tranken ein Bier zusammen und fingen wieder an. Seine Erinnerung war bis heute exakt wie ein Mitschnitt; warum funktionierte seine Erinnerung in diesem Fall? Was genau vor sich gegangen war, hatte er nie verstanden, außer dass es sie reizte, unberührtes Terrain zu besteigen. Lee Morgan hatte er ebenfalls nie vergessen. Ihm war er seit damals näher und näher gekommen – Johanna sah er seit zwanzig Jahren immer nur an Weihnachten. Wenn sie sich trafen, dann heftig, und sie verstanden beide nicht, warum sie sich in der Zwischenzeit nicht trafen.

Es war eben so. Die letzte Meldung, die er über sie mitbekommen hatte, sagte, dass sie wieder mal allein war und jetzt allein in ihrem Elternhaus lebte. Das klang nicht gut. Er würde bald seinen Vater besuchen und über den Zaun springen.

Jetzt war Mitte September, bis Weihnachten würde er nicht warten. Behauptete er – bereit, in der nächsten Stunde wieder alles anders zu sehen. Er hatte schon am ersten Tag in Berlin bei seinem Freund Telling aufkreuzen wollen und war sich, als er in den Zug stieg, absolut sicher, es genau so durchzuziehen. Und hatte keinen Punkt seines Plans abgehakt. Dass Telling nicht an sein Telefon ging, als er ihn vom Bahnhof Berlin anrief, hatte dabei keine Rolle gespielt. Vorstellbar, dass er mit seiner großen Klappe aus Versehen sein Telefon verschluckt hatte, während er gleichzeitig einen Döner fraß und brüllend sein blaues Licht auf das Dach warf und singend auf die Überholspur zog.

Zwei schwarze oder dunkelblaue Limousinen, Kategorie achtzig Mille aufwärts, standen Schnauze an Schnauze an einem Feldweg, und genau in der Mitte ihrer Blechkübel zwei Männer, an denen er, in der einen Sekunde, Mantel und Trainingsanzug zu erkennen glaubte.

Sah aus wie ein Fall – aber kein Fall für ihn. Er hatte seinen Fall. Für einen dienstunfähigen Ermittler, dem sie nur seinen Dienstausweis gelassen hatten, war ein Fall genug, von dem keiner wusste, ob er in der Grauzone tatsächlich existierte. Oder nur aus sechs Teilen bestand, die miteinander so viel zu tun hatten wie er mit dem New Yorker Barmann, der an diesem Abend des Jahres 1972 im Slug's Dienst hatte, als Lee Morgan erschossen wurde.

Im Fenster eine von Hügelketten gerahmte Ebene, die bis zum Horizont reichte und von sich drehenden Windrädern überwacht wurde – und in dem Moment im Kopfhörer *Morgan, The Pirate*. Wenn er diese Szene je vergaß, war er gestorben.

Schlucht der Verdammten 1:
Stadt ohne Cops

Der weiße Hai bremste sein Tempo heftig runter. Auf beiden Seiten standen dichte Wälder. Der ICE bremste, man spürte die Sogwirkung, und sie fuhren weiter nach unten. Es schien viel zu steil nach unten zu gehen für den modernen Superzug, der nicht die Fähigkeiten einer kleinen Bergbahn hatte. Es sah gefährlich aus. Als hätte man den Express aus Versehen in die Wildnis umgeleitet. Oder entführt.

Bis er auf seiner Seite endlich zwischen den Bäumen in der Tiefe was erkennen konnte. Sie krochen in eine Schlucht. Die ersten krummen Hütten in Schrebergärten, dann die ersten Häuser, die in einen Spalt gebaut waren, der immer tiefer ging und nicht breiter war als zwei Häuserreihen mit einer Straße dazwischen. Wie eine sich windende Schlange zog sich die Häuserkette dahin, die nie viel Sonne zu sehen bekam.

Der Hypertechnozug musste vor der Landschaft kapitulieren und langsam und rüttelnd wie eine alte Mühle runter- und durchkurven. War früher ein Tempo für Überfälle. Wer hier absprang, landete in einem bösen Bergdorf, das jeden Fremden vor Angst erstarren ließ. Der Zug war vorsichtig, knirschte und ächzte so verhalten wie möglich – bloß keine schlafenden Räuber wecken, die in der Schlucht der Verdammten schliefen, bis sie wieder genug Kraft für neue Untaten gesammelt hatten.

Es fing zu regnen an.

Er sah unten sofort eine Frau aus einer Haustür in einen Garten zur aufgehängten Wäsche laufen und dabei einen Augenblick zu der langen weißen Raupe hochsehen, und im nächsten Moment auf der Straße eine Gestalt, die einen Schirm aufspannte.

Der Streckenabschnitt kam ihm etwa so lang und düster vor, wie er sich den Zubringer auf dem Weg zur Hölle vorstellte – war er wieder mal eingestiegen, ohne zu wissen, wohin? Gleis 6,66 zeigte sich nur dem, der es verdiente …

Er presste die Stirn ans Fenster des Bordrestaurants und ließ den Kaffee kalt werden, verrenkte sich und konnte nicht sehen, wie es vorn weiterging, nur wie's da unten aussah. Er wünschte sich, tausend Jahre vor ihrer Zeit hier zu sein. Lebte damals jemand in dieser gigantischen Schlucht? Ein Clan von Verdammten, die gepredigt hatten, dass die Welt dem Untergang in naher Zukunft geweiht war, wenn die Menschen nicht davon abließen, gekreuzte Holzteile zu verehren? Hatten sie Spuren hinterlassen in dieser unfreundlichen, geradezu menschenverachtenden Erdspalte, in der sich jetzt Nebelfetzen festsaugten?

Deswegen nahm er den Zug, um großes Kino direkt ins Gesicht zu bekommen … Programm heute: Der Pate V: Ein Bulle im Zug. Anfang: Irgendwo da unten hackte ein Mann mit nacktem Oberkörper Holz. Hinter ihm eine ärmliche Hütte, neben ihm ein Junge und ein Mädchen, die man bald in der Schule verspotten würde, weil sie abseits der Zivilisation in der Schlucht dumm bleiben mussten. Der Mann macht beim Hacken wilde Grimassen, weil die Kinder das lustig finden. Schnitt: ein Auto, das von oben langsam in die Schlucht hineinfährt. Das Auto ist viel zu groß für so einen kleinen, abgelegenen Ort. Und die Scheiben sind viel zu dunkel.

Der Bulle springt aus dem Zug, um dem Mann zu helfen, und sie werden tun, was Männer tun müssen, wenn es nicht anders geht …

»Diese ewigen Verspätungen machen mich nochmal wahnsinnig. Eine Unverschämtheit, dieses ewige Bahnchaos.«

Er entdeckte die Frau, die ihm gegenübersaß. Sie starrte genau geradeaus an ihm vorbei auf die Plastikwand hinter ihm. Etwa sein Alter, schmal, kurze schwarze Haare, rote Brille. Vom Leben derart beleidigt, dass sie nicht anders konnte, als Worte auszustoßen und den Eindruck zu erwecken, sie wolle ihn ansprechen.

»Falls wir hier lebend rauskommen, dann können Sie sich wahnsinnig freuen«, sagte er, »sehen Sie sich das mal an, das ist keine gute Strecke.«

Sie drehte nur den Kopf, sah aber nicht nach unten: »Jetzt fängt das auch noch zu regnen an.«

»Das ist nicht Regnen, das ist Schütten! Aber Sie müssen nach unten sehen, gute Frau, wissen Sie, was das ist? Das ist das Tor zur Hölle. Sie können ruhig lachen, aber das ist sogar wörtlich gemeint. Genau da unten haben wir es seit Jahren mit einem Serienkiller zu tun.«

Er holte seinen Dienstausweis raus und hielt ihn ihr hin.

»Also, Sie sehen, ich erzähle Ihnen kein Märchen. Ich soll die Sondereinheit unterstützen, paar frische Gedanken einbringen und so. Der Blick von außen. Man weiß kaum mehr über den Typen, als dass er sich dort unten bestens auskennt, vielleicht dort lebt, mal gelebt hat, von dort kommt. Und wissen Sie, wie er …«

Sie flüchtete. Hatte ihre technische Ausrüstung in eine Tasche gestopft, nachdem sie seinen Ausweis gelesen hatte, und haute einfach ab.

»Glauben Sie mir«, rief er ihr nach, »Sie müssen in diesen Abgrund sehen, um das Böse zu erkennen!«

Endlich endete die unheimliche Erdspalte, und auf einmal lag da eine nette kleine Stadt, rund ausgebreitet zwischen den Hügeln, in denen Wolken und Nebel hingen. Sah aus wie das fröhliche Baby der in die Schlucht geworfenen Siedlung, das vom Bösen in seiner Nähe nichts ahnte. Ein Sinnbild des Lebens, das man für den Preis einer simplen Fahrkarte als Bonus bekam.

Der Intercity-Express fuhr durch den Bahnhof. Er konnte den Namen der Stadt nicht lesen – so langsam war der Zug also doch nicht. Jesse James und Cole Younger, angeblich die Erfinder des Eisenbahnraubs, hätten den Absprung nicht überlebt, und wenn doch, dann hätte der Feigling und Verräter Robert Ford die schwer verletzt am Boden Liegenden, die geglaubt hatten, er wäre ihr Freund und Partner, abgeknallt.

Der erste echte Spielfilm der Geschichte erzählte vom Überfall auf einen Zug. Das sollte man nicht vergessen. Selbst wenn man mit Problemen beladen war, die ein einzelner Mann kaum zu tragen vermochte.

Der vom Dienst befreite Polizeibeamte Robert Fallner zahlte, was er zu zahlen hatte, und gab wie immer ein angemessenes Trinkgeld. Er nickte dem jungen Mann am Nebentisch wohlwollend zu, der die Szene beobachtet und nun schwer mit der Frage zu kämpfen hatte, ob er seinen Ausführungen Glauben schenken sollte.

»Keine Angst, wir schaffen das«, sagte der Polizist zu ihm, zerrte unauffällig kurz an seinem Gürtel und ging zufrieden in seinen Waggon zurück.

Anhand des Reisebegleiters ermittelte er ihre ungefähre Position. Er würde dem Höllenloch einen Besuch abstatten. Nicht sofort. Aber er würde sich um die Verdammten in der Schlucht kümmern. Bis zu den Hütten oben am Anfang der Schlucht würde er aufsteigen und den Friedhof schon am ersten Tag aufsuchen. Sie würden ihm scheu und stumm mit einigem Abstand folgen – Männer, Frauen und Kinder, die von Gott verlassen und ohne Internetzugang zu überleben versuchten.

Sie würden ihm zur Begrüßung ein halbes Schwein schenken, außerdem Eier, Brennholz und Wein in sein Haus bringen. Um ihn dazu zu bewegen, dass er bei ihnen blieb. Denn der Polizeiposten war seit einem Jahr verwaist. Das konnte selbst ein Blinder im Vorbeifahren von oben im Zug erkennen.

Es war ein Job, den schon viel zu lange niemand mehr machen wollte.

Der Hund
im Einkaufswagen

»Wo ist mein Hund?«, jammerte die Frau mit dem Einkaufswagen am Bahnsteig 2.

Ein leichter Wind strich über das Gelände, so ein Wind, der mit den Muskeln spielte. Er schien Kraft zu sammeln, um bald unfreundlich und kalt zu werden, und man spürte, dass er endlich loslegen wollte.

An den anderen Bahnsteigen, auf dem gesamten Bahngelände war sonst niemand zu sehen. Das Dutzend Gleise vor ihnen war leer, keine Waggons, kein Vogel, nichts. Das Bahnhofsgebäude am Gleis 1 sah aus, als hätten sie es letzte Woche für immer dichtgemacht und seine Aufgaben einem Automaten übergeben. Andere Häuser konnte er nirgendwo entdecken, das Gelände wurde von dichten Baumreihen abgeschirmt. Ihr Einkaufswagen war vollgepackt mit Tüten, Kleidung, Schuhen, einem Schlafsack. Oben am Griff war eine kleine Ablagefläche, von einem Gitter umgeben wie ein Stück Garten und ausgelegt mit einem dicken braunen Tuch.

»Da liegt er drin«, sagte die alte Frau mit Jammerstimme. »Mein Hund ist verschwunden, wo ist mein Hund?«

Er war vom Dienst suspendiert, aber es war ein Notfall und er ging auf Armlänge an sie ran: »Ist er hier am Bahnsteig rausgehüpft?« Keine Antwort. Er sprach laut und deutlich: »Wann haben Sie Ihren Hund denn zuletzt gesehen?« Keine Antwort.

Er hatte den Eindruck, dass sie ihn nicht verstanden hatte und sowieso nichts verstehen würde. Sie schaute auf die leeren Gleise, die vor ihnen lagen und von einer Baumreihe begrenzt wurden. Die Bahnsteige zwischen den Gleisen waren nicht hoch, selbst ein kleiner Hund würde rauf- und zu den Bäumen rüberkommen. Er fragte sich, wie sie es mit ihrem Wagen auf den Bahnsteig 2 geschafft hatte. Er selbst war eine Treppe runter, dann durch eine stinkende Unterführung und eine Treppe raufgegangen.

»Ist er über die Gleise abgehauen?«

»Wo ist mein Hund?«

»Ist er hier am Bahnhof verschwunden? Oder vielleicht schon vorher? Was ist es denn für 'n Hund, welche Rasse? Schäferhund, Dackel, jung oder alt? Kurze oder lange Haare? Können Sie sich erinnern, wann Sie ihn zuletzt lebend gesehen haben?«

»Immer hat er so viel Hunger.«

Zur Verzweiflung kam langsam ein bisschen Wut. Auf ihn. Es war etwas, um das er sich längst hätte kümmern müssen. Wieder ein Job, den er vermasselt hatte.

Er hörte die Stimme von einem seiner Ausbilder: Jeder, der nichts sagt, ist zu knacken, du musst nur den Punkt finden. Wenn du den Punkt nicht findest, dann heißt das, setz dich auf deinen Arsch und such ihn oder such dir einen anderen Job.

Er legte eine Hand fest auf die Schulter der Alten: »In welcher Beziehung stehen Sie zu dem Verschwundenen? Hat es zwischen Ihnen eine Auseinandersetzung gegeben?«

Dann war da eine Bewegung in ihrem Einkaufswagen, Klamotten verschoben sich, eine Hand kam raus, und dann saß da der Junge und grinste ihn an. Hatte Fallner wohl zuletzt damit gerechnet, dass er sich im Einkaufswagen versteckte. Der dumme Bulle hatte keine Ahnung, dass man sich überall verstecken konnte.

Oma, dieser Mann, sagte der Junge, der hat deinen Hund erschossen, nur weil er dachte, dass ihm grade so wahnsinnig langweilig ist, hat er ihn einfach abgeknallt. Du nimmst dir einen Anwalt, ich hab da einen Spitzenanwalt direkt an meiner Hand, der macht ihn platt.

Er sagte nichts dazu. Diesen unglaublichen Unsinn musste man nicht kommentieren, und die Oma würde ihm gleich eine runterhauen und ihn von ihrem Besitz verjagen.

Die runtergekommene Oma fing jedoch zu brüllen an. Was der Junge sagte, hatte sie plötzlich kapiert, und sie zeigte mit beiden Händen auf ihn, den Hundekiller, und brüllte wie eine Wahnsinnige. Zum Glück war nirgendwo ein Mensch zu sehen.

Dann raste ein langes weißes Monster an ihnen vorbei und machte jedes andere Geräusch nieder. Der Sog schob ihn einen Schritt zur Seite. Dann war es still. Die Gewalt des riesigen Zugs war immer noch zu spüren, und sie schien ihn weich zu machen, eine Ermahnung der gewaltigeren Macht, seine eigene behutsam einzusetzen.

»Und wie heißt es denn jetzt, dem Frauchen sein liebes Hundchen?«

Aber er stand allein am Bahnsteig. Nirgendwo eine Spur von der Frau und dem Einkaufswagen. Er stieß einen Schrei aus, bekam jedoch keine Reaktion. Warum stand er denn in diesem dummen Dreckskaff? Er war einem Irrtum aufgesessen. Hatte nicht durchgeblickt. Jetzt erkannte er die Sache: Eine Verabredung, die ihn von einem anderen Ort fernhalten sollte. Jemand hatte ihn aussteigen lassen. Er musste herausfinden, worum es eigentlich ging.

Er sah auf dem Fahrplan nach, wann ihn der nächste Zug von hier wegbringen würde. Die Schrift auf dem Plan war seltsam, hatte er noch nie gesehen. Der Plan kam ihm vor wie aus einem anderen Land und er konnte ihn kaum entziffern. Morgen früh, 5:55 Uhr. Und die Sonne war noch nicht untergegangen. Er musste hier fast zwölf Stunden durchkommen.

Es beschäftigte ihn wie ein Kind – kein Zug mehr raus, aber es ist doch hell, Mama! Er hörte sich mit längst vergangener Stimme sprechen. Es ist ja noch hell, was ist denn hier los! Mama? Was machen wir jetzt zwölf Stunden lang, Mama!

Seine Mutter war wie immer schweigsam. Völlig hilflos. Er würde sie zwölf Stunden am Leben halten müssen.

Er hörte Glocken läuten und ein aufkreischendes Moped. Sie hatten hier Glocken, ein Moped und eine Pennerin, die mit ihrem Hund in einem Einkaufswagen lebte. Nicht ausgeschlossen, dass sie auch ein Taxi hatten. Oder ein Zimmer frei. Er sah sich um, ob er jemanden fragen könnte.

Es war niemand zu sehen.

Über ihm plötzlich ein lautes scharfes Knistern. Er drehte sich erschrocken im Kreis, die Arme wie Sicheln ausgefahren, den Kopf in den Nacken geworfen, er rotierte, stolperte, versuchte sich an etwas, von dem er nicht wusste, ob es da war, festzuhalten, griff ins Leere, ruderte, stolperte, ging zu Boden, landete auf den Knien.

Aus dem Lautsprecher über ihm eine Stimme: »Was suchen Sie hier?«

Sicher

»Vor Gosse und Gefängnis ist niemand sicher.«

»Aber niemand.«

»Das ist sicher.«

»Ich glaube auch. Das ist ganz sicher.«

»Man darf sich nicht täuschen lassen.«

»Viele wissen es nicht mehr. Die glauben, dass immer alles bleibt, wie es ist.«

»Es geht ihnen gut, dann will man sonst nichts sehen.«

»Und dann wundern sie sich.«

»Mich wundert gar nichts mehr.«

»Wir sind zu alt.«

»Aber nicht für Gosse und Gefängnis.«

Hotel Jazzdreck

Vom Balkon des Hotelzimmers im zweiten Stock hatte er einen guten Blick auf den Bahnhofsvorplatz, an dem sich die üblichen Kandidaten versammelten. Am frühen Abend kam langsam Partystimmung auf – die Herbstsonne passte, und der Platz wurde nicht mehr von Pendlern und Konsumenten beherrscht. Zur Familie gehörten Punks, langhaarige Neohippies, drei oder vier Mädchen glaubte Fallner zu erkennen, ein paar Jungs, die sportlich aussahen, und mit ein wenig Abstand zu ihnen eine Gruppe von Älteren. Eine bunte Sache mit Basecaps, Hüten, Kapuzen.

Ebenfalls untypisch, dass aus ihrem Gerät Hiphop der älteren Schule bollerte. Tupacs Geist flog über den Platz und warf *I Wonder If Heaven Got A Ghetto* in die Diskussionen ein ... Fallner sah Fotos mit ihm und Telling. Sie waren die einzigen Bullenschüler damals, die sich manchmal aufführten wie in einer bedröhnten Hiphop-Parodie, in der vor allem Streifenwagen sich gegenseitig ausschalten. Sie wussten, dass Ice-T in *Cop Killer* nicht Bullen wie sie durchlöchern wollte (oder hofften es wenigstens), und bei Heldengesängen über Gangbang mit Teenagermädchen hätten sie die tapferen Sänger gern am Lauf ihrer Kanone schnüffeln lassen. Fallner erinnerte sich, dass Telling ihn einmal umgehauen hatte: mit der Frage, was er, Fallner, denn glaube, woher dieser unglaublich weit verbreitete, vollkommen wahnsinnige Hass auf Frauen komme? Fallner hatte ihn mit großer Bewunderung angesehen. Auch weil er so unberechenbar war. Die meisten hielten ihn für einen primitiven Krawalltypen ...

Hey, ihr verfickten fucking Fuckers!, hätte er am liebsten zur Party nach unten gerufen, glaubt nicht, dass es nur Cops gibt, die von nichts 'ne Ahnung haben! Er beneidete sie.

Als er seine Bierflasche zum Gruß hob, ohne jemand bestimmten damit grüßen zu wollen – außer Telling, der in Berlin angeblich auf ihn wartete –, wurde die freundschaftliche Bewegung registriert und einer mit langen Haaren schwenkte seine Flasche in seine Richtung und rief was, das er nicht verstand. Ein paar andere wurden auf ihn aufmerksam und grüßten ihn ebenfalls mit ihren Flaschen und Gebrüll. Er wurde aufgefordert runterzukommen und einzusteigen, aber er wusste, dass unten dann die Entfernung zwischen ihnen und ihm zu groß wäre.

Er war nicht in Stimmung für eine Lebensgeschichte, die ihnen gefallen würde. Und mit seiner echten brauchte er ihnen nicht zu kommen.

Auf der Fahrt von Hamburg nach Trier, falls er sich richtig erinnerte, hatte er im Speisewagen einem uniformierten Kollegen erzählt, dass er als Vertreter für eine Waffenfirma unterwegs sei und einem Schießverein die P30LS von Heckler und Koch vorzustellen habe, die beachtliche Neuerungen in der Griffschalentechnik vorweisen könne, was ihn doch sicher interessiere – jetzt kinderleicht auswechselbare Griffschalen! Das klinge erst mal banal, aber dadurch sei die Pistole schnell an jede Handgröße anzupassen, und, auf keinen Fall zu unterschätzen, das Modell biete eine optimierte Flexibilität, was die Ergänzung von taktischem Zusatzgerät betreffe.

»Sie kennen sicher unseren Slogan aus der Fernsehwerbung: Keine Kompromisse!«

Er trommelte lachend auf den Tisch. Der Uniformierte blieb stumm. Sah aus, als würde er nur in Uniform fahren, um für seine

Fahrkarte nichts bezahlen zu müssen, und befürchtete durch diesen plappernden Idioten aufzufliegen.

»Gut, den Slogan benutzen auch andere Produkte, aber wir meinen das ernst«, hatte Fallner mit einem Ich-hab-dich-drangekriegt-Grinsen hinzugefügt.

Er blieb bei seinem Vortrag permanent auf der Suche nach Möglichkeiten, die Zweifel des jungen Kollegen an seiner Person und Geschichte zu durchlöchern. Versuchte, locker rüberzukommen – und dabei unausgesprochen auch anzudeuten, dass ihm sehr wohl bewusst war, letztlich doch, wenn man es genau betrachtete, im Namen des Herrn unterwegs zu sein. Der Peacemaker. Er verkaufte Geräte, die einen Streit beenden konnten. Die unschuldige Leben retten konnten!

Der Mann blieb zurückhaltend, obwohl Fallner dezent redete. Er machte nicht den Vertretertyp, der einen Speisewagen unterhalten wollte, sondern verhielt sich der seriösen Sache angemessen. Das höchste Risiko ging er ein, als er offen zu überlegen anfing, ob er ihm – »Sie sind ja vom Fach sozusagen« – das aktuelle Modell mit den neuen Ergänzungen kurz zeigen könnte. Um dann nach sorgfältiger Abwägung die Idee doch nicht so gut zu finden, okay, Jesus, sie waren schließlich in einem Zug, und zufällige Beobachter könnten schockiert werden oder sogar Panik auslösen. Während er den Höhepunkt seiner Nummer in Worte kleidete, war er sich sicher, dass ihm dieser Held jetzt endlich übers Maul fahren würde. Aber nichts – huh, Hölle, hoho, er kam damit durch, es war doch nicht zu fassen.

»Ich hab meine Waffe noch nie außer im Training benutzt«, sagte der junge Polizist.

»Sie sind ein Glückspilz.«

Danach interessierten sie sich nur noch für Landschaft, Essen, Kaffee, und er überlegte, ob er selbst auf seinen mit wahren Details belegten, insgesamt jedoch kaum zu schlagenden Unsinn reinfallen würde – ausgeschlossen, vollkommen ausgeschlossen.

Er gab dem armen jungen Kollegen zum Abschied kräftig die Hand. Er wünschte ihm in Gedanken eine ordentliche Ausbildung, ehe er eines schönen Tages in echte Gefahr geriet.

Aber seine Geschichte vom Kanonenvertreter gefiel ihm, er würde sie öfter zum Einsatz bringen. Ausbauen. Was bei den Kameraden am Bahnhofsvorplatz nichts bringen würde, Heckler und Koch waren keine Kumpels von ihnen. Er schüttelte als Antwort auf ihre Einladung den Kopf, hob nochmal die Flasche, winkte ihnen zu und ging rein, legte sich aufs Bett, schrieb ein paar Sätze in sein Notizbuch.

»Es gibt nur eine Linie, und niemand weiß, wann der Zug kommt«, sagte einer der alten Männer, die am Tisch auf der anderen Seite des Gangs saßen.

Er hatte den Zusammenhang verschlafen und fragte sich, von welchem Land er erzählte. Zwei Uhr morgens, alles ruhig. Sie rochen umwerfend, kein Gestank, sondern eine Mischung aus Tier, Schweiß, Rauch, Küche. Dicke Strickjacken, braune alte Reisetaschen. Man traf sie eigentlich nur noch in den kleinen Zügen, die man früher Schienenbusse nannte.

Sie erinnerten ihn daran, wo er herkam.

Was machten sie dort, wo sie hinfuhren? Wollten sie ihre Weisheiten verkaufen?

Was sie zu hören bekamen: »Tut mir leid, Opa, das Zeug geht bei uns schon lange nicht mehr.«

Eine E-Mail fragte ihn, wie es ihm ginge. Er konnte die Frage immer noch nicht beantworten.

Eine E-Mail fragte ihn, warum er nicht an sein verdammtes Telefon ginge und ob wenigstens sein Schwanz Sehnsucht nach ihr habe. Er hätte antworten können, dass sie beide keine Lust hatten, aber er hatte keine Lust, ihr zu antworten.

Er ging auf ein Nachrichtenportal und folgte der Einladung, sich das Video einer sensationellen neuen Sängerin anzusehen. Als Teenager hätte er es sich zehnmal angesehen und sich jedes Mal hingerissen alle Gliedmaßen verknotet. Doch jetzt war er enttäuscht, dass ihm weder Frau noch Sängerin eine Sensation boten. Amy Winehouse im Vollsuff war besser. Wenn man seine Augen von den imposanten Kisten und Skateboards wegdrehte, war's doch ein träges Lied. Die Dame sah natürlich netter aus als die Frauen unten am Bahnhofsvorplatz, aber was sagte das schon, vielleicht würgte sie nur ihr Essen in die Schüssel, wenn die Kameras zur nächsten Station weiterfuhren. Er kam zu einer Seite, auf der Zugkatastrophen und -unfälle gesammelt wurden, ein Lexikon, das täglich anwuchs und kaum noch zu überblicken war. Nach einigen neuen Nachrichtenbildern klickte er einen tödlichen Unfall an. In einer indischen Großstadt hatte eine Frau versucht, einen anfahrenden Zug zu besteigen.

Der Film fing mit Werbung für den neuen Kia an. War ihm natürlich entgangen, dass es neue Käfige namens Kia gab. Der Zug fuhr los. Die Frau lief neben dem anfahrenden Zug her, packte einen Türgriff. Sie konnte das Tempo nicht mithalten, ließ jedoch den Griff nicht los und wurde in den Spalt zwischen Bahnsteig und Zug reingezogen. Aufgenommen von einer Bahnsteigkamera. Die Szene wurde im Video viermal wiederholt. Am Anfang mit flotter Trommelmusik, dann ein Nachrichtensprecher.

Sie sollte nächstes Mal besser ein Kamel benutzen, sagte ein Kommentar. Sie war einfach zu fett, sagte ein Kommentar. Es ist nicht gut, wenn man es zu eilig hat, sagte ein Kommentar. Die

Musik ist gut, ich hasse es, wenn sie zu traurigen Ereignissen traurige Musik spielen, sagte ein Kommentar. Verflucht seien alle blöden Kommentare, sagte ein Kommentar. In sechs Monaten hatten sich eineinhalb Millionen das Video angesehen.

Mitschnitte von tödlichen Unfällen waren die zeitgemäße Softversion von Snuffmovies. Könnte ein Dreh sein, die Typen, die die Aufnahmen weitergaben, ein wenig zu erschrecken, dachte er, Anklage wegen Verbreitung von gewaltverherrlichenden Filmen, Gefährdung der öffentlichen Ordnung. Und diese Kia-Autobauer sollte man schön in die Sache reinziehen …

»Papa, warum fahren wir ein Auto, das Werbung für böse Filme macht?«

»Weil Kia Soul ein wirklich sehr kinderfreundliches Modell ist! Frag deine Mutter.«

»Mama, warum heißt unser Kia Soul?«

»Ich glaube, weil er schon ab Werk einen so außergewöhnlich kinderfreundlichen CD-Player hat.«

»Mama, warum macht Kia Werbung für böse Filme?«

»Ach, das ist doch nur für Ausländer, damit sie wissen, wann sie aufpassen müssen.«

Auf die Art musste man versuchen, sie zu packen, an der Basis, bei ihren ekelhaften Kia-Autos. Sie glaubten alle, dass sie mit nichts was zu tun hatten, mit keinem Scheißdealer und Werbefilmkiller und keiner Waffenfirma und mit keinem Krieg in Afrika, aber sie täuschten sich, das war seine Meinung, und sie sollten ihm nicht dumm kommen. Er ging auf eine Pornoseite, aber nach einer Minute ging er wieder raus. Er verließ sein Heimkino und machte sich an die Arbeit, den Tatort Minibar sorgfältig zu untersuchen. Hörte Lee Morgan und wartete auf den Jungen, den er erschossen hatte. Er war nach Johnny Walker und zwei Bier bei Jack Daniels, als er kam.

Hey, Arschloch, hältste dich für 'nen klugen Mann, weil du so 'n klugen Jazzdreck hörst, ja?

Habe ich mir ehrlich gesagt noch nie überlegt, sagte er. Aber Tupac hat das auch gehört, falls dich das interessiert.

Finde ich aber schon gut, dass mich ein kluger Mann abgeschossen hat, verstehst du? Weil, meine Familie, die freut das, weil: große Ehre, von einem klugen Mann.

Der Junge stand am Fenster und schaute auf den Bahnhofsvorplatz. Schön, diese Lichter – also ich meine, meine Familie freut sich doch, sagte er leise. Traurig. In Gedanken verloren. Es kam selten vor, dass er Fallner so sanftmütig erschien.

Aber dann gehst du vielleicht auch zu den Punkipennern da unten, sagte er. Machte lange Pausen. Konnte ich nie leiden. Schien mit Morgan mitzuschwingen. Aber sind schon okay. Die meisten Bürger sind doch schon irgendwie okay. Er dachte nach.

Es ist wichtig, dass man seine Welt erkennt, weißt du, was ich meine? Es gibt die ganze Welt. Und es gibt die Welt, die zu jeder Person gehört. Hier die Welt meiner Eltern, hier meine Welt, hier deine Welt.

Er streckte beide Arme gerade nach oben: und wir alle in einer Welt.

Klingt großartig, gefällt mir, sagte Fallner, ehrlich.

Ich hatte für mich persönlich die Entscheidung getroffen, damit Schluss zu machen, ich habe schon Schluss gemacht, du kannst meine Zeugen befragen, ich habe gesagt, Schluss, hier ist das Gesetz, du wirst jetzt den Weg in eine andere Welt betreten, hier ist die Gerechtigkeit, weißt du vielleicht, was ich meine, du kluger Jazzarsch? Er strich mit allen Fingerspitzen sanft über die Scheibe, als würde er eine Frau streicheln.

Ich gehe auf meinen neuen Weg, habe ich gesagt. Ich mache Schluss mit dem alten Weg – und dann kommst du und schickst mir drei Kugeln. Er legte seine Stirn an die Scheibe und drehte den Kopf hin und her. Meine Überzeugung ist, dass ein Mann sein Leben ändern kann. Und ich denke, es ist Gerechtigkeit, dass der Bürger ihn nicht nach seinem alten Leben beurteilt, das er geführt hat, als er noch nicht viel über das Leben erfahren hatte.

Du bist ein echter Mann von achtzehn Jahren, sagte Fallner, und ich bin etwas zu alt für deine Märchenstunde. Das mit deinem Weg hast du mal im Müll von deiner Mutter gefunden, aber nichts kapiert. Du wolltest deine Wasserpistole aus dem Hemd zaubern und mich auf den anderen Weg schicken, stimmt's?

Ja, das stimmt, aber ich wollte dich nicht, also.

Von mir aus. Und warum haben sie sie nicht gefunden?

Er wurde wütend. Ich habe gesagt, Mann, von mir kriegst du keinen Stoff mehr! Kannst du jeden fragen!, schrie der Junge.

Ich hab dich was anderes gefragt.

Das kannst du jeden, kannst du das!

Tief in der Nacht wachte er auf, zuckte heftig zusammen und dachte für einen Moment, jemand würde an der Tür zum Balkon stehen.

Er schrieb auf die nächste Seite groß RUMGEHEIMNISSN hin, ohne einen Plan zu haben. Rumgeheimnissn war selbst ein Rumgeheimnissn. War ein Wort, das seine Frau gern in den Mund nahm, selbst wenn es nicht passte. Wenn sie mal kochte, war das für sie ein Rumgeheimnissn. Das ihnen jedoch allein durch den Ausdruck mehr Freude bereitete, als wenn sie es gekonnt hätte. Rumgeheimnissn konnte für was Nettes stehen oder wütend gebrüllt werden – weil er bald nicht mehr erzählte, wie es ihm mit dieser Sache ging, sollte er endlich mal mit diesem verdammten Rumgeheimnissn aufhören, brüllte sie ihn an; am Ende einer Serie von liebevollen Versuchen, ihm zu helfen, und entschuldigte sich sofort.

Er kam sich blöd dabei vor, als er Rumgeheimnissn auf die leere erste Seite oben hingeschrieben hatte, weil er nicht wusste, wie es weitergehen sollte. Plötzlich sah das Wort blöd aus, und er schaute herum, ob ihn jemand beobachtete. Also schrieb er mit Kinderschrift *ist doof!!!* dahinter. Gefiel ihm besser. Darunter malte er mit gummibärartigen Buchstaben *Stimmt nicht!* Krakelte eine Pistole daneben. Schrieb auf den Lauf der Pistole *Fuck You* und malte ein Tittensymbol auf den Griff. Schrieb groß STIMMT JA NIX DU SAU! unter das Ganze. Dann als sachlichen Diskussionsbeitrag in seiner eigenen Schrift: Betrunken Rumgeheimnissn bringt's manchmal aber schon. Krakelte einen hochgestreckten Daumen daneben, obwohl er kein Facebookmitglied war. Zog um alles einen Rahmen und schrieb darunter: Gute Laune auf der Reise!

Reise gefiel ihm nicht. Besser Trip, Abenteuer oder Ferien? Da lachten ja die Hühner. Einsatz. Das gefiel ihm. Stimmte aber nicht. Er war nicht im Einsatz, sondern, wenn man's genau nahm, im Aussatz (»Fallner, jetzt bist du immer noch im Aussatz, Mensch, du hast vielleicht ein Leben!«). Also: *Gute Laune auf dem Aussatz!* Falsches Wort, und dennoch besser als so ein Scheiß wie Auszeit. Profisportler, Bullen und Ehemänner konnten keine Auszeit nehmen. Egal, ob sie gesperrt waren oder verletzt, sie waren drinnen oder draußen.

Dabei wollte er in das Heft nur Ortsnamen und Worte wie Rumgeheimnissn oder Fundstücke aus der Zeitung wie »gesangsunkundige Pussy« reinschreiben. Und alles über die Nacht, als er den Jungen erschoss, an das er sich nicht erinnern konnte. Was ihm fehlte, war jedoch die Verpflichtung, einen Bericht zu schreiben, und er wollte nicht an Berichte denken, sondern an die Sachen, die er gut geschrieben fand.

Es wurde langsam langweilig, wie ein Gespenst durch die Welt zu wandeln. Darauf hatte ihn sein Gespenst hingewiesen – der Junge als Berater! Könnte ein Vorschlag vom Doc sein: Versuchen Sie, den Jungen als Berater zu betrachten, was halten Sie davon?

Wie so 'n beknacktes Scheißgespenst wandelst du auf der Erde, Mann, wie so 'n kleines Kind, das auf der Faschingsparty nur still in der Ecke rumsteht, hatte der Junge zu ihm gesagt.

Es gab zurzeit anscheinend oder scheinbar mehr Polizisten, die Bücher schrieben, als Polizisten, die das Ziel hatten, die Welt zu verbessern. Von der endlosen Arbeit an einer besseren Welt hatte er zurzeit einen schmerzhaften Muskelkater, und er dachte, es könnte interessanter sein, auch so ein Bullenbuch hinzubekommen. Denn es gab anscheinend oder scheinbar mehr Polizisten, die ein Buch schrieben, als Polizisten, die jemanden erschossen hatten.

Das Motiv musste er nicht suchen.

War nur eine fixe Idee. Was war das Problem mit fixen Ideen? Er hatte einige fixe Ideen überlebt und später darüber lachen können. Er war kein Ignorant und er war kein Idiot, der Kollegen vollquatschte, dass sie keinen Unsinn hören sollten, sondern Lee Morgan oder Superpunk, deren Mitglieder so alt waren wie er selbst und viele von ihnen, die keine Ahnung hatten, wie und warum und für wen die was sangen wie »Ich habe keinen Hass auf die Reichen, ich will ihnen nur ein wenig gleichen« in einem Lied über einen dilettantischen Geiselnehmer, der in einer Bank den Ansturm der Bullen erwartet.

Nicht selten hatte Fallner den Eindruck, dass die meisten Kollegen unmöglich im selben Land aufgewachsen waren und ähnliche Erfahrungen gemacht hatten. Punk war für die meisten nur etwas, das man von den Bahnhofsplätzen verscheuchen musste; nur die Drogenbullen konnten sogar die Fortsetzungen der Geschichte runterbeten und hatten immer genügend Mitarbeiter, die in jeder neuen Szene untertauchten; wenn Jaqueline morgen gekündigt wurde, konnte sie als Präsidentin des Internationalen Kurt-Cobain-Fanclubs kandidieren … In den letzten Wochen war ihm bewusst geworden, dass er immer nur am Rand der Truppe gestanden hatte. Aber vielleicht war das auch nur eine fixe Idee, geboren aus Unfähigkeit. Dazu passte jedoch, dass sich niemand mehr bei ihm meldete. Kein Alter-wie-ist-die-Lage-lass-uns-mal-einen-trinken. Keine Überraschung für den Doc: Sie hatten Angst vor ihm, er führte ihnen vor, was jedem jeden Tag passieren konnte, und sie befürchteten, dass das, was ihm passiert war, ansteckend war.

Er musste gestehen, dass er manchmal doch den Klugscheißer gespielt hatte. Zu jemandem sagte, man sollte sich vielleicht nicht immer nur den üblichen Comedyscheiß reinziehen, sondern zum Beispiel mal Jim Thompson lesen, um mehr über Gesellschaft, Menschen und Psychos zu erfahren (»Das Problem mit dem Töten ist, dass es so leichtfällt.«) und festzustellen, dass man nicht krank wird, wenn man über den Tellerrand schaut. Kam natürlich immer wahnsinnig gut an. Ich glaube, wir könnten einen Anhaltspunkt bei Charles Manson finden, hatte er tatsächlich in einer Besprechung eingeworfen – hey, Charles wer? War das dieser Beatles-Schlagzeuger, der's dann nicht gepackt hat?! Großes Gelächter. Jaqueline hatte mehr Erfolg, wenn sie ihrem Hobby nachging, Bullenwitze zu erzählen. Was macht ein Bulle mit einem zu kleinen Schwanz? Auf Arbeit Innendienst, zu Hause bei seiner Frau Außendienst.

Mein Jazzkiller hat schlechte Laune, freute sich sein kleiner Geist Maarouf.

Stimmt, sagte Fallner, dein Gerede von deinem neuen Weg ist schuld. Schlechte Laune, obwohl es in ihrem Scheißbetrieb kaum anders als in jedem anderen großen Scheißbetrieb war (außer dass in ihrem Scheißladen mehr Scheißtypen arbeiteten, die den lieben langen Tag mehr Scheißwörter sagten als die anderen Scheißtypen in den anderen Scheißläden, allerdings sagten sie viel seltener irgendwas mit Scheiß, als die in den anderen Betrieben von ihnen dachten). Sie waren ein normaler Verein. Mit einem Unterschied: Die anderen Vereine hatten keine kugelsicheren Westen.

»Statistisch gesehen«, hatte ein Bundeswehrsoldat im Partygeplärr zu ihm gesagt, »bin ich 'ne ganze Stange mehr gefährdet als du.«

»Von wann ist die Statistik, von 1942?«

»Keine Ahnung, aber ich wette, das stimmt.«

Seine rein private Frage war, ob er seit zwanzig Jahren auf dem falschen Dampfer war. Oder ob er auf dem richtigen angeheuert, irgendwann jedoch nicht bemerkt hatte, dass er unter falscher Flagge weiterfuhr. Und jetzt war er fast verbrannt und fast zu alt, um ein anderes Leben anzugreifen. Jetzt hatte er fast keine Eier mehr und war fast völlig verblödet. Packte ein fast, fast in jeden Satz.

Der Junge hätte ihn fast erwischt.

Der Junge hätte fast überlebt.

Er selbst war wieder fast vollkommen gesund.

Er schrieb aus dem Heft ein paar Zeilen in seinen Laptop. Nur ein Test. Fühlte sich etwas komisch an, aber nicht schlecht. Als hätte er irgendwas geschafft.

In dem Moment wollte er den Jungen tatsächlich erschießen – denn in diesem Moment sah es so aus, als würde er eine Waffe ziehen, eine Schusswaffe, aus seinem Gürtel. Natürlich wollte er ihn nicht töten, er wollte ihn nur effektiv daran hindern, auf ihn zu schießen. Aber in diesem Moment war es schwierig, so ruhig zu zielen wie im Training, und er musste ihnen gestehen, dass er einfach nur vage auf seinen Oberkörper gezielt hatte.

Er sagte zu ihnen, dass er in dem Moment nichts als Angst um sein Leben hatte.

Und dass er weit davon entfernt war, die Situation und seine Reaktion kontrollieren zu können. Wobei es keine unerhebliche Rolle gespielt hätte, dass die Person, die sie unter Umständen festnehmen sollten, bereits mit einer erheblichen Anzahl von Gewaltdelikten auffällig geworden war. Und sie zudem informiert worden waren, dass er mutmaßlich im Besitz einer Schusswaffe wäre. Dennoch hatte er in diesem Moment nicht das Ziel, ihn zu töten. Nein.

Zuletzt betonte er, dass er diesen Unglücksfall sehr bedauerte. Er sei allerdings auch der festen Überzeugung, sich dabei nicht falsch verhalten zu haben.

Der Junge stand hinter ihm und sagte nichts dazu.

Er fragte ihn: Nicht freundlich genug? Ich weiß, es klingt grauenhaft, aber findest du's falsch?

Durchdachtes Paket

»Sind das Ihre Sachen hier?«

Jemand bohrte seine Stimme tief in sein Ohr und rüttelte an seiner Schulter: »Verstehen Sie mich? Verstehen deutsch? Ihre Fahrkarte! Sind das Ihre Sachen?«

Er trug sein Ticket in einer durchsichtigen Hülle um den Hals, und manche Kontrollorgane waren so freundlich, es sich anzusehen, ohne ihn dabei zu wecken. Er schlug die tatschende Hand auf seiner Schulter weg, ehe er wusste, was hier los war. Er saß im Zug – aber er wusste nicht mehr, von welchem Bahnsteig er in den Zug gekommen war. Oder was er auf die Frage antwortete, was er hier zu suchen hatte. Seine Träume würden ihn eines Nachts umbringen, er würde in ein schwarzes Loch vor seinen Augen sehen und seine Pistole nicht ziehen können, weil er seinen Arm nicht bewegen konnte, und einen Gehirnschlag bekommen.

Die Frage, was er hier zu suchen hätte, dröhnte gern durch seinen Kopf.

Er zeigte sein Ticket und hörte die Anweisung, mit seinen Sachen nicht vier Plätze zu blockieren, die andere Fahrgäste benötigten. Der Beamte verschwand in seinem Rücken, dröhnte durch die Gegend, als müsste er Rekruten aufwecken. Fallner fühlte sich zerschlagen und verwirrt, als hätte er Tropfen bekommen und zwei Tage durchgeschlafen. Am Tisch gegenüber zwei alte Damen.

»Noch jemand zugestiegen?«, brüllte der Bahner.

»Sind Sie schon zugestiegen?«, kicherte eine der alte Damen ihre Gefährtin an, »oder sind Sie schon ausgestiegen?«

Die andere kapierte es nicht und sie wiederholte es deutlicher:

»Bist du schon eingestiegen? Oder bist du schon ausgestiegen?«
Der Funke sprang über, und sie kicherten beide. Sie hatten zwei
Gläser Wein vor sich und etwas, auf das sie sich freuten. Sie schauten zu ihm rüber. Er nickte grinsend, jawohl, war ein guter Gag,
und nein, sie waren nicht verhaltensauffällig. Er machte damit
einen Punkt bei ihnen.

Wenn er alte Damen beobachtete, dachte er zwangsläufig an
seine Mutter. Sie wäre jetzt in ihrem Alter, um die siebzig, und er
fragte sich, wie sie heute wäre. Manchmal redete er mit ihr – nicht
im Schlaf, nicht laut, nicht immer freundlich. Er hatte ihr nie ver-
ziehen, dass sie ihn so früh verlassen hatte. Warf ihr, seit er zehn
war, vor, sie hätte alles verhindern können. Hätte auf ihr Seelen-
heil achten können. Hätte dem alten Drecksack rechtzeitig von
hinten einen Prügel auf den verblödeten Schädel schlagen können.

Das gehörte auch zu dem Schrott, den seine Psychodomina aus
ihm rausholen wollte. Aber das waren intime Sachen, und so
lange kannten sie sich noch nicht.

Sein Telefon schien ihm seine Lebensgeschichte zu präsentieren. Nur die tote Mama fehlte – und der Alte, der nie zum Telefon
griff, wenn es nicht läutete. Zumindest hatte er es noch nie erlebt.
An dem Tag, an dem ihn sein Alter anrief, würde man ihn zu dem
ratternden schwarzen Apparat holen, der staubbedeckt in einer
dunklen Ecke in der Hölle stand.

So ziemlich alle, denen er je ein freundliches Wort geschenkt
hatte, klopften an, und ein paar mehr. Falls ihnen jemand gesagt
hatte, er würde jetzt Aufmerksamkeit brauchen, hatte er ihnen
Unsinn erzählt. Jaqueline wollte wenigstens seinen aktuellen Fahrplan wissen und er sollte versprechen, auf sich aufzupassen, wenn
er sich schon immer noch wie ein Idiot benehmen musste. Danach drei Sekunden Stille, dann ein leises Okay. Sie hatten zuerst
alle zwei bis drei Tage telefoniert und sich jedes Mal gestritten;

seit einer Woche hatte er nur ein paar Worte geschickt. Seine Therapeutin machte das, wofür sie bezahlt wurde, stellte Fragen, ob er den Verlauf seines Projekts positiv beurteilte und wann er sie wieder aufsuchen würde, möglichst bald, fände sie wichtig, und ob er denn inzwischen auch andere Pläne hätte? Das war ihre Lieblingsstandardfrage; wahrscheinlich hörte er ihren Beratungsautomaten, ohne es zu merken. Er war überrascht, dass sie mehrmals angerufen hatte, er würde sich alle ihre Fragen bei Gelegenheit anhören, vielleicht hatte sie gelacht.

Kollege Berkmann sagte, es gäbe etwas Neues wegen dieses Dings, aber das wäre nicht gut am Dings, und Jaqueline gefalle ihm gar nicht, Fallner sollte besser nach Hause kommen, und er selbst hätte auch etwas seeehr Persönliches mit ihm und so weiter. Was für ein Unsinn. Eine Breitseite war das – organisiert von Jaqueline. Fallner konnte sich nicht erinnern, dass man es privat jemals mit einem derart plumpen Manöver bei ihm versucht hatte. Außer vielleicht dieser unscheinbare kleine Mann damals, der eine Minute zuvor einen Supermarkt überfallen hatte und dann vor ihm stand und ihm erklärte, wohin der Täter geflüchtet war. Absolut ruhig und überzeugend. Hatte ihm leidgetan, dass er nicht damit durchkam. Seine Pistole schaute aus der Hose.

Außerdem zwei Nummern, die ihm keinen Namen meldeten und nicht das Gefühl, sie zu kennen. Egal, was sie ihm andrehen wollten, das Magazin der Deutschen Bahn hatte mehr zu bieten. Er sah der attraktiven Fernsehfrau mit den blauen Fingernägeln auf dem Cover eine Sekunde in die klaren, energiegeladenen Augen, klappte das Heft irgendwo auf und hörte, als er den Titel las, das Gelächter der Götter: »Fahrgäste werden selten Opfer von Straftaten.« Wo denn sonst hätte er das Heft aufschlagen können! Und damit in Bahnen und Bahnhöfen niemand Angst haben müsse, engagiere sich die Deutsche Bahn dafür, auch die gefühlte Sicherheit zu erhöhen. Er schüttelte fassungslos und nicht nur gefühlt fassungslos den gefühlten Kopf, dem er doch nur ein wenig friedlichen Auslauf verschaffen wollte. Aber ließ man ihn das in Ruhe tun? Man verfolgte ihn mit Ausdrücken wie gefühlte Sicherheit, und das war mehr als nur gefühlte Verfolgung … Das sei ein Phänomen des öffentlichen Raums, dass die Furcht oft größer sei als die Bedrohung, sagte der Chef der Konzernsicherheit, der außerdem, hey, wer hätte das denn vermutet, ein Professor war. Und der Zweiundsechzigjährige war nicht nur Professor, sondern Ex-Richter, Ex-Staatsanwalt und Ex-Stellvertretender Polizeichef von Berlin zehn Jahre lang, um dann der schon gefühlten Pensionierung in der Chefetage eines Konzerns entgegenzuspazieren – schlaue Sache von einem schlauen Beamten.

»Das könnten wir uns dann aber doch einmal etwas genauer ansehen«, hätte sein Chef gesagt, wenn er schlechte Laune hatte.

Der Blick auf nüchterne Fakten sei häufig verstellt, hatte der Professor dem Reporter geflüstert. Der Professor kannte sich aus.

Genau 992 Körperverletzungen habe die Sicherheitsabteilung im vergangenen Jahr registriert, das sei bei täglich 7,5 Millionen Kunden ein äußerst geringer Wert. Hatte es einen Sinn, wenn Fallner ihnen seine Bewerbung schickte? Als altgedienter Spezialist für gefühlte Grauzonen, Dunkelziffern und besoffene Fakten. Bei jährlich 160 Millionen Sicherheitskosten musste doch etwas Luft für Spontanbewerber sein, die den 3700 geschulten Fachkräften und bis zu 5000 Bundespolizisten, die rund um die Uhr bundesweit im Einsatz waren, behilflich sein wollten und das auch auf'm Kasten hatten. 8700 Kräfte bei 7,5 Millionen Kunden an 5500 Bahnhöfen – das war doch keine beruhigende Zahl. Man musste froh sein, wenn man irgendwo ankam, ohne Schaden genommen zu haben.

Sogar ein Sozialwissenschaftler der Technischen Universität war für den Artikel konsultiert worden, der das Verhalten im öffentlichen Raum erforschte. Er sagte: »Es ist nie eine einzige Maßnahme, die etwas bewirkt, sondern immer ein durchdachtes Paket.«

Er las es zweimal und hatte keinen Zweifel – er würde noch heute seine Doktorin anrufen und ihr berichten, dass es einen Doktor in Berlin gab, der ihre Weisheiten klaute und damit berühmt wurde.

Er wollte ihre Stimme hören, wenn sie sagte: »Mein Lieber, glauben Sie im Ernst, dass das eine Neuigkeit für mich ist? Haben Sie nichts anderes, womit Sie mich beeindrucken können? Was haben Sie denn zuletzt geträumt?«

»Was suchen Sie hier?«

»Was soll das heißen? Fragen Sie das mich?«

Zuerst musste er jedoch eine Sprachnachricht lesen, eine unbekannte Nummer, die nicht aufgegeben hatte. Es war ein Mann, mit dem er nie gerechnet hätte: »Hier Dirk vo Brtl, rufe glleich zurck.«

Dirk war ein Berufsfeuerwehrmann, mit dem er ein- bis viermal im Monat ein Gespräch an der Theke von ihrer Stammkneipe Bertls Eck führte. Meistens ging es dabei bald um die Lebensgefahr, die ihre Berufe mit sich brachten, und den damit verbundenen Zustand, den normale Menschen nicht verstehen konnten, was früher oder später zu Problemen mit normalen Menschen führen musste. Fallner hatte eigentlich keinen Draht zu ihm, aber er mochte ihn; Dirk kannte wahrscheinlich nicht einmal seinen Nachnamen, aber er war der Typ, der für einen Thekenkumpel vom Dach springen würde, um ihn zu retten. Man nannte diese Leute eine gute Haut, und sie wurden nur noch selten gebaut. Fallner hatte den Verdacht, dass er der Einzige war, mit dem Dirk so reden konnte. Wenn er genug getrunken hatte. Die Nachricht von ihm bedeutete, dass er um 19:38 frei hatte, an der Theke stand, um ein Bier für den Schlaf zu trinken, der nach egal welcher Schicht nie einfach zu haben war, weswegen es oft schnell drei wurden und so weiter – und die Nachricht bedeutete, dass Jaqueline in die Kneipe gegangen war, auf die sie meistens keine Lust hatte, und ihn angehauen hatte, seinem Kumpel eine Nachricht zu schicken. Dass sie so weit ging, hatte er nicht erwartet.

Nur sein Bruder verhielt sich wie immer vorbildlich. Er hatte bisher nur einmal angerufen, und sagte jetzt: »Ganz unter uns, tu, was du willst. Gute Idee, ich bleibe dabei. Aber weswegen ich anrufe: Ich könnte hier dringend deine Hilfe gebrauchen. Ist nur eine logistische Sache, du musst nicht auf die Straße. Aber genau was für dich. Dauert nicht lange, Woche, maximal, und gutes Geld, klar. Aber wie gesagt, ich könnte deine Unterstützung wirklich, also schau vorbei, hör's dir mal kurz an. Und mach bis dahin keinen allzu großen Scheiß, Brüderchen.«

Von Jaqueline hatte er sich nicht dazu überreden lassen. Das war ziemlich sicher. Doch bei seinem Bruder konnte man nie ganz sicher sein. Das war nicht nur gefühlt sicher. Das war ganz sicher.

Geht nichts
über Bullenwitze

»Ich kann's trotzdem echt nicht glauben.«

»Ist aber so, ganz echt.«

»Ich kann's mir einfach nicht vorstellen, ich krieg das nicht in' Kopf rein.«

Die Vorstellung, dass er Polizist war, machte sie munter. Es war nach zwei Uhr morgens und wie meistens, wenn es kein Wochenendkampftag war, um die Zeit in einem ICE, der die Nacht durchfuhr, in einigen Waggons ziemlich leer, friedlich, verschlafen. Sie saß am Tisch auf der anderen Seite und hatte ihn ausdauernd beobachtet, bis er seinen Whisky rausgeholt und sie eingeladen hatte. Er hatte sich im Behindertenklo eine halbe Stunde lang von oben bis unten gewaschen und machte einen frischen Eindruck. Sie freute sich über die Einladung.

»Sie sehen wirklich nicht – Sie wissen schon, das ist nicht böse gemeint ...«

»Kein Problem«, sagte er.

»Is' ja auch ganz egal, was soll's, also, jetzt aber mal, ich möchte mich revanchieren, kennen Sie den?«

»Wahrscheinlich nicht.«

»Aber der ist ziemlich doof. Ich erzähl ihn nur, wenn Sie wirklich Spaß verstehen, seien Sie ehrlich!«

»Kein Problem, schießen Sie los.«

»Also, eine Blondine fährt mit dem Auto auf der Landstraße und wird von einem Polizisten angehalten. Ihren Führerschein bitte, sagt der Polizist. Die Blondine fängt zu stottern an: Oh, äh,

Herr Wachtmeister, was issn das? Das sollten Sie aber schon wissen, sagt der Polizist, das ist so ein kleines quadratisches Teil, wo Ihr Foto drauf ist. Ach so, sagt die Blondine, schnappt sich ihre Handtasche und fängt zu suchen an.

Sie sucht und sucht.

Dann hält sie endlich dem Polizisten einen kleinen Taschenspiegel hin: Das meinen Sie doch, oder? Der Polizist nimmt den Taschenspiegel, schaut ihn prüfend an und sagt: Oh, das konnte ich ja nicht wissen, dass Sie auch von der Polizei sind! Na dann, gute Fahrt, Frau Kollegin! Ich hab Sie gewarnt, das müssen Sie jetzt aber echt zugeben.«

»Der ist nicht schlecht.«

»Ich kann mir eigentlich keine Witze merken.«

»Ich auch nicht. Aber ich hab auch einen.«

»Oh Gott, jetzt krieg ich's bestimmt zurück.«

»Eine ziemlich attraktive Polizistin steht an einer Kreuzung und regelt den Verkehr.«

»Aua, aua!«

»Alles ist in Ordnung, sie macht das nicht zum ersten Mal. Aber plötzlich bemerkt sie, dass sie ihre Tage bekommt. Und dummerweise hat sie nichts dabei, was man dann eben so braucht, und sie hat noch geschlagene fünf Stunden Dienst vor sich. Ein echtes Problem also. Sie überlegt hin und her. Gut, es gibt nur eine Möglichkeit: Sie funkt ihre Dienststelle an, um Hilfe anzufordern. Zum Glück kennt sie den Kollegen, der an der Funkstelle sitzt.

Benni, sagt sie, du musst mir bitte unbedingt einen Gefallen tun, ich hab hier ein Riesenproblem! Jeden, sagt Benni, was ist denn los? Ich merke grade, dass ich meine Tage bekomme und ich hab hier noch fünf Stunden Dienst und überhaupt nichts dabei. Bitte bring mir meine Tampons, die sind oben rechts in meinem

Schreibtisch, und Benni, bitte mach schnell! Bin schon unterwegs, ruft Benni.

Die attraktive Polizistin regelt den Verkehr weiter. Es vergehen zwei Stunden, es vergeht nochmal eine Stunde, das darf doch alles nicht wahr sein!

Vier Stunden sind vergangen, als Benni mit seinem Motorrad endlich neben ihr hält. Du verdammtes Arschloch, sagt die Polizistin wütend, vor vier Stunden hab ich gesagt, du musst dich beeilen! Es tut mir wahnsinnig leid, aber es ging echt nicht schneller, sagt Benni, als die anderen gehört haben, dass du deine Tage hast, hat Willi eine Flasche Sekt ausgegeben, Peter einen Kasten Bier, Heinrich eine Flasche Schnaps und der Chef einen freien Tag für alle.«

»Nein, wie eklig. Aber jetzt ist das absolut klar, ich glaub echt, Sie sind gar kein Polizist.«

»Geht mir manchmal genauso.«

»Und dass Sie einfach so rumfahren, stimmt das wenigstens?«

»Alles, was ich Ihnen erzählt habe, ist absolut korrekt, ich schwör's beim Grab meiner Mutter.«

»Und Sie wissen echt nicht, wo Sie heute Nacht bleiben können?«

»In irgendeinem Zug geht's ja immer. Ich steige einfach um in einen ICE, der spät losfährt, und 'ne lange Strecke natürlich. So wie jetzt.«

»Ich will auch so 'ne Karte haben.«

»Und dann?«

»Wie, und dann? Dann fahr ich mit Ihnen rum!«

»Tolle Idee.«

»Sie können ja schon mal 'ne Flasche Sekt ausgeben.«

Die unglaubliche Erholung, die er sich nach drei Wochen in Zügen verschafft hatte, war dahin, als er sich fast eine halbe Stunde durch die Massen pressen musste, um vom Gleis bis zum Bahnhofsvorplatz zu kommen. Es war ein Merkmal von Zombies, dass es sie fertigmachte, wenn sie in menschlicher Masse eingepresst waren – er war ein Zombie geworden, aber von den Vorteilen der neuen Existenzform hatte er noch nichts mitbekommen. Er schwitzte von den Haaren bis zu den Fußsohlen; das war für ihn nicht normal, sondern Panik, und er überlegte schon wieder, umzudrehen und das nächste bequeme Dampfschiff zu nehmen. Wie er sich in den letzten Tagen immer verhalten hatte – im Angesicht der Masse zurück in den Bauch des Hais, in dem er auch zurechtkam, selbst wenn es voll war.

Ehe er sich entscheiden konnte, war er durch die großen Schwingtüren im Freien – es war der Wind, der über den Vorplatz fegte, der ihn an seinem Plan festhalten ließ, eine Nacht in einem Zimmer zu verbringen. Er war nicht oft in Hotels; er hatte den Gedanken gehabt, die permanente Bewegung, das meistens unmenschliche Tempo könnte ihn süchtig machen, und er würde nie wieder rauskommen und draußen bleiben können.

Der Mann, der nur noch in Zügen lebte – klang doch bescheuert, nach einem dieser Typen, die ein Jahr auf einer zehn Meter hohen Stange sitzen, um ins *Guinness-Buch der Rekorde* zu kommen. War vielleicht besser, als jemandem das Leben zu nehmen. Aber so weit war er noch nicht. Soweit er es beurteilen konnte.

Sicher war, dass es leicht regnete, Wind und Regen. Es schien die Eile der Pendler, die den Platz vor dem Bahnhof vollmachten, und das Flirren des Wimmelbilds zu verstärken. Für ihn war das gutes Wetter. Er stellte sich an einen Stehtisch vor den Eingang eines der hässlichen weißen Zelte, die aussahen, als würde man am Frankfurter Bahnhof medizinisch durchleuchtet, ehe man abhauen durfte. Bewacht von den kolossalen Türmen der Banken – if in doubt consult your dealer. Diese Dealer sahen gut aus – hieß es nicht, dass die Dealer immer gewinnen? Erst mal ein 19:13-Bier im Nieselregen.

Er beobachtete die Gruppen von Männern, die sich wie er am Rand des Wimmelbilds aufhielten, um die eifrigen Ameisen zu beobachten. Außerdem zwei Trupps von Jugendlichen, zu denen Mädchen gehörten, und eine Pennerversammlung. Er mochte die echten Bahnhöfe, die von den traditionellen Parteien besucht und belagert wurden.

Seine Theorie war, dass sie sich dort trafen, weil sie a) davon träumten, etwas Großartiges würde ankommen und das Glück in ihr Leben bringen, oder b) davon träumten, in großes Glück abzufahren. Bis dahin war es kein Schaden, dass eine Menge Leute hier unterwegs waren, durchzischten, einkauften, sich eine Weile aufhielten.

In seiner Nähe fünf Männer, die er als Russen einschätzte, starke Kaliber in T-Shirts und Kapuzenshirts, Ex-Soldaten. Sie hatten ihn sofort gerastert. So was Ähnliches wie Soldaten-erkennen-Soldaten war abgelaufen. So wie er nach den Zivilbullen auf dem Platz gesucht hatte – sie standen dumm herum, und wenn er ihr Vorgesetzter wäre, hätte er sie sofort in ein Fortbildungslager abkommandiert. Sie standen herum, dann spazierten sie in den Bahnhof, ein paar Minuten später formierten sie sich wieder zu einem Mahnmal des unauffälligen Zivilpolizisten. Eine Frau, die aussah wie sechzehn und als würde sie hier auf den Disco-

Shuttlebus warten, und ein Mann um die vierzig, der als Busfahrer durchging, waren als Paar immer eine sichere Bank. Leider für alle. Hätte ihn interessiert, was die Russen redeten, was sie arbeiteten oder warum nichts.

Er machte sich auf den Weg, den er sich auf dem iPhone angesehen hatte. Eine schmale Straße neben dem Hauptgebäude, am Anfang beschützt von der Zentrale der Bundespolizei.

Hundert Meter weiter fing am linken Straßenrand die Reihe geparkter Autos an, dahinter sofort Büsche, kein Gehweg. Hinter den Büschen ein mindestens drei Meter hoher Drahtzaun, dahinter die üblichen Lagerhallen und Container in der Nähe von Bahnhöfen. Auf der rechten Seite hohe Wohn- und Büroblocks. Es war keine Durchgangsstraße – wenig Verkehr, kaum Passanten um 20:08 Uhr. Kein Weg, den die Menschenschlangen vom Bahnhof gingen. Ab dem späteren Abend war hier noch weniger los, keine Kneipe in Sicht, alle Angestellten weg. Ruhe und viel Schatten. Am Arsch der großen Bahnhöfe eine typische Szenerie. Sah gut aus, wenn man eine fiese Lagerschuppen-Container-Wohnblock-Drogenfilm-Szenerie interessanter fand als ein Häuschen vor grünen Hügeln. Am Arsch vom Bahnhof konnte man sich immer vorstellen, dass alles Mögliche passieren konnte.

An der Stelle, wo man die Leiche der Frau gefunden hatte, bog die Straße in einem Neunzig-Grad-Winkel nach rechts, war auf der linken Seite weiter begrenzt von Autos, Gebüsch, Zaun. Fallner zwängte sich mit Rollkoffer und Umhängetasche durch bis zur Ecke am Zaun. Sah erst jetzt, dass zwischen Büschen und Zaun ein freier Streifen war, den man begehen konnte oder der für eine Kamera war, aber im Bericht stand nichts von Kameraergebnissen. In dieser Ecke ein kleiner freier Platz, etwa so groß, dass ein Stricher und sein Kunde im Stehen ihre Geschäftsbeziehung eingehen konnten, ohne vom Gebüsch gestört zu werden.

Auch von den obersten Etagen der gegenüberliegenden Blocks konnte man nicht reinsehen. Zwischen den Containern, die nah am Zaun standen, war etwa fünfzig Zentimeter Luft, durch die etwas Licht hereinkam. Fallner stellte sich an die Lücke und krallte sich mit beiden Händen in den Zaun – auf der anderen Seite des Geländes wurde an einer Verladerampe noch gearbeitet, aber es war zu weit weg, um von dort etwas erkennen zu können. Hierher hatte er die Frau geschleift und erwürgt. Erst drei Tage später hatte ein Hund die Leiche gemeldet.

Wenn die These des Kollegen aus Leipzig stimmte, war sie Opfer Nr. 4 von sechs Opfern eines einzigen Täters, der seit drei Jahren in vier Bundesländern aktiv war. Wenn der Kollege richtig lag, war hier in Frankfurt eine Menge Zufall im Spiel, allerdings kein Risiko, wie es aussah. Dass er in sieben Minuten, also schnell wieder am Bahnhof war und zufrieden innerhalb weniger Minuten zu neuen Abenteuern aufbrechen konnte, war kein Zufall, sondern eines der verbindenden Elemente der Morde.

Der Irre latschte am späten Abend durch die wenig belebte Umgebung eines Verkehrsknotenpunktbahnhofs und hoffte, eine Frau ohne Begleitung zu treffen. Die Plätze waren so gut, dass er vielleicht mehrmals die Gegend erkundet hatte – oder er hatte eben das Glück gehabt, schon beim ersten Spaziergang ein Opfer zu treffen und zu wissen, dass der Ort gut war.

Ein Irrer, der was von guten Orten verstand. Und wie man es anstellte, keine guten Spuren zu hinterlassen.

War er ein Monster?

Oder ein lieber Kerl, der allein mit seiner Mutter in einer Reihenhaussiedlung lebte?

War er beruflich mit der Bahn unterwegs? Oder nur, wenn ihm seine reiche Frau, von der er total abhängig war, mal wieder die Autoschlüssel nicht gab?

Arbeitete er bei der Bahn? Warum kannte er sich so gut darin aus, keine Spuren zu hinterlassen? War er ein Bulle, der bei der Spurensicherung tätig war und mit seiner Mutter allein in einer Reihenhaussiedlung lebte, und wenn sie ihm manchmal, um ihn zu bestrafen, die Autoschlüssel nicht gab, drehte er durch und tigerte mit dem Zug durchs Land, bis ihm eine Stimme befahl, er solle aussteigen und dem lieben Gott eine frische Schlampe besorgen, der zum Dank ein gutes Wort bei seiner Mutter für ihn einlegen würde?

Glaubte sein Chef, dass er auf sein Ablenkungsmanöver, ihn mit etwas anderem zu beschäftigen, hereingefallen war? Warum sollte er sich für diesen Sonderfall interessieren, wenn er seinen persönlichen im Nacken hatte?

Die Chefs in Leipzig wussten nicht, ob sie aus den Einzelfällen eine Serie machen sollten. Die einzelnen Morde machten nicht viel Wind – die Behauptung, es wäre eine Serie, würde voll einschlagen und die Medien in Höchststimmung bringen. Aber das Risiko war hoch, dass ein Chef am Ende nicht mehr davon hatte, als eine extrem lange Aufwandsliste und einen Finger im eigenen Arsch, den er sich dann in den Zeitungen ansehen konnte. Ein guter Chef war ein vorsichtiger Chef, und würde, ehe er mit diesem Monsterfall rauskam, zuerst klären, wie viele ehemals hohe Politiker oder Richter und Ex-Staatsanwälte, die auch viele Jahre Vizepolizeipräsident gewesen waren, zur Zeit bei der Deutschen Bahn arbeiteten – denn wer mit nicht mehr als ein paar gut begründeten Vermutungen behauptete, dass ein Serienmörder mit der Bahn durch die Republik fuhr, um in der Nähe großer Bahnhöfe Frauen zu ermorden, weil es dort eine für ihn sichere Sache war, würde eine Menge Prügel beziehen.

Bis dahin schickte man den Fall durch die Gegend, und Fallners Chef gab ihnen ein positives Signal zurück, das ihn nichts kostete:

Kein Geringerer als sein bester Mann war grade frei, und im Sinne guter Zusammenarbeit über die Ländergrenzen hinweg, äh, also sozusagen schon auf den Bahnstrecken unterwegs, um den Typen zu erledigen … Er konnte das Gelächter der Kollegen bis hierher an den Zaun hören.

Noch etwas war ganz sicher: Wenn es diesem Kollegen gelang, mit seiner Serienthese durchzukommen, würde er den Fall nicht unbeschadet überstehen. Am Ende blieb er auf der größten Rechnung sitzen. Wenn er die Sache aufklären konnte, würde er dumm in der Ecke stehen, während sich die Helden aus den Etagen über ihm die Schultern drückten. Wenn er es nicht schaffte, würden ihn die Frauen jede Nacht besuchen und mit ihren Fingern in sein Fleisch bohren. Und das würden sie auch tun, wenn er ihren Mörder ermitteln konnte.

Fallner hatte es selbst erlebt. Deshalb redete sein Doc auch von einer Kette, an die jetzt ein Glied zu viel angehängt worden war.

Moslemkeks

Mit Jogginganzug und langen Haaren wäre er in der Kneipe nicht aufgefallen. Aber er trug selbst beim Eigenjogging keinen Jogginganzug, und die Jogginganzüge dieser Männer sahen aus, als wären sie noch nie ordentlich durchgejoggt worden. Lange Haare und diese dämlichen Schlafanzüge als Vereinssymbol – er hatte gedacht, dass sie außerhalb der Sportzone nicht mehr in Gebrauch waren.

Die Tische waren frei. Die Männer standen an der Theke und musterten den unbekannten Fremden offen. Laufkundschaft hatten sie hier abgeschafft – wer war der Vogel, was wollte er? Warum war er zu blöd, einen Jogginganzug zu tragen? Konnte er fliegen, und wenn ja, wie weit? Er tippte, dass das Schwergewicht in diesem halben Dutzend der Vorsitzende war – wie die Braut war er als Einziger ganz in Weiß und tänzelte in ihrer Mitte. Mit neonroten Sportschuhen.

Mit dem Rücken zur Wand machte Fallner den Geschäftsmann, hatte Zeitung und Papiere auf dem Tisch ausgebreitet und tat immer wieder geschäftig mit dem Handy rum. Er war eingelaufen, weil es nicht weit zum Bahnhof war. Falls er kein Zimmer in der Nähe fand, würde er mit einem späten Zug wieder weiterfahren. Er fühlte sich nie unwohl in den Restaurants dieser Klasse, ein Wunder, dass sie noch nicht ausgerottet waren, und er bestellte Bier und Wodka und zu essen, was es gab, Frikadellen mit Senf und Brot. Er fühlte sich wie zu Hause an den sauber gewischten Holztischen, die mit vielen Schnitzereien verziert waren, er konnte hier ein Fuck entziffern, einen Schwanz mit Eiern, einen Totenschädel mit Knochen, dessen Anfertigung seine Zeit gebraucht hatte, und zwei Hakenkreuze, denen er natürlich, wie es in seinem Verein gute Sitte war, keine politischen Hintergründe unterstellen wollte, aber was denn sonst? Dreh doch deinem Pipi-papi-Milieu endlich mal den Hals um, sagte Jaqueline, ich weiß, wovon ich rede, du bist doch schon lange ganz woanders, du Halluzinationalist oder wie man das nennt. Ein Trugschluss – es sah hier nur oberflächlich aus wie etwas, das ihm romantische Gefühle besorgte. In seinem Milieu hatte man Jogginganzüge nicht gekannt und als Abendgarderobe sowieso nicht. Er reimte sich zusammen, dass draußen Billignutten unterwegs waren und hier ein solider Treffpunkt für Betreuer, Mitarbeiter und Nahestehende.

Als Teststrecke war es gut: Wenn diese Sportskanonen ihn nicht als Bullen erkannten, dann war er auch keiner mehr.

Als er mit seinem Menü fertig war, machte er sich, passend zu seiner Erscheinung, mit der Serviette umständlich sauber und kippte den Klaren. Es war ein höfliches Gasthaus – man hatte ihn sein Mahl beenden lassen, ehe ihn die vereinsführende Braut besuchen kam. Sie rammte beide Hände in seinen Tisch und zeigte ihm alles, was sie hatte. Es waren nicht nur große gefährliche Augen und ein riesiger Schnurrbart, der an den Seiten exakt bis zur scharfen Kinnkante herabstieß.

»Wie sieht das denn jetzt aus, du Kackoberförster«, sagte er so laut, dass es seine Freunde mitbekamen, »ein Fremder zahlt hier eine Lokalrunde, bevor er heim zu seiner Muttermuschi geht.«

»Es sieht beschissen aus, wenn du's genau wissen willst«, sagte Fallner, »wir suchen einen Serienkiller, und es geht buchstäblich nichts weiter, absolut gar nichts, verstehst du? Eine der Frauen hat er hier am Hauptbahnhof getötet.«

Er fing an, die Fotos der Leichen vor ihm auszubreiten, aber die

Braut drehte sich um und ging zurück zu ihren Männern. Packte einen von ihnen im Nacken, drückte ihn runter und brüllte: »Was habe ich gesagt! Was hast du gesagt, was habe ich euch gesagt!« Er klatschte in die Hände, baute sich auf und sprach zu ihnen: »Hört meine Worte, spricht der Herr!«

Die Mannschaft kicherte ein bisschen. Er ließ den falschen Propheten los und verkündete, beide Hände zu Fallner gestreckt: »Einer von uns ist der Serienkiller!«

Er nahm das Foto der Frankfurter Leiche und ging zu ihnen. Hielt sich auch hier an die Gesetze und fragte, ob er sie zu einem Wodka einladen könnte. Der Barmann bewegte die Messer, die auf seine Oberarme tätowiert waren, und stellte Gläser bereit. Der Vorsitzende nahm das Foto, das ihm Fallner hinhielt. Er beschrieb ihnen die genaue Position am Bahnhof. Es waren nur fünfzehn Minuten zu Fuß von hier. Sie hatten von dem Mord gehört, aber die Frau, die zweimal täglich am Bahnhof unterwegs gewesen war, nie gesehen. Er gab ihnen das Profil: »Mann, um die vierzig, beruflich mit der Bahn unterwegs in ganz Deutschland.« Sie stießen an. »Mindestens sechs gehen auf sein Konto, Frauen zwischen vierundzwanzig und einundfünfzig, kein Muster erkennbar, also Rothaarige oder Nutten oder was auch immer. Immer in der Nähe von großen Bahnhöfen, Güter- und Lagerbereich und so, zwischen zwanzig und dreiundzwanzig Uhr. Immer gute Orte, wenig los, kein Flutlicht; er hinterlässt keine Spuren. Aber dann doch – wir gehen, mal abgesehen von den Tatorten und seinem speziellen Bahnhofsding, von einer Serie aus, weil alle Frauen erwürgt wurden, mit so einer Plastikschlinge, zieht sich leicht zusammen, rastet so zahnradmäßig ein.« Sie waren aufmerksam wie Volkshochschulschüler. »Alle Frauen haben Röcke getragen, das könnte das Ding sein, bei dem es Klick bei ihm macht …«

»Ist aber jetzt nichts so ganz Besonderes, würde ich mal ganz frech behaupten.«

»... er zieht die Schlinge zu, schiebt den Rock hoch oder reißt eine Bluse auf oder beides. Vergewaltigt sie aber nicht. Er baut sozusagen die Szene komplett dafür auf, aber er macht's nicht. Holt sich vielleicht einen runter und benutzt ein Kondom, wir haben keine Ahnung, absolut nichts gefunden, ein paar Fussel, mit denen kannst du nur vielleicht was anfangen, wenn du ihn hast.«

»Angst vor'm Ficken, und die Schlampen sind schuld.«

»Oder dass er sich was holt. Außerdem ist Ficken das Ding, bei dem du immer 'ne Spur hinterlässt, hab ich gelesen, dass du keine Chance hast, dass da nichts ist, stimmt das?«

»Das stimmt absolut, und das kann absolut der Grund sein, Angst und Vorsicht. Der hat nicht mehr Kontakt als absolut nötig. Unser Profiler glaubt, dass der Arsch in einem Job arbeitet oder gearbeitet hat, der Sorgfalt und Disziplin verlangt, könnte was Bürokratisches sein, vielleicht ein Soldat, Töten ist nichts, was ihn komplett austicken lässt, vielleicht ein Bulle, wir rechnen mit allem. Ich glaube, wir haben uns noch eine Runde verdient.«

»Die perverse Sau vergewaltigt die Mädels nicht mal – weißt du, was ich meine?«

»Der will nur mit dem Tod ficken.«

»Da kenn ich einige, aber so was, nee.«

»Halt die Klappe, du kapierst doch gar nix.«

Sie gingen mit ihm an seinen Tisch, um sich alle Fotos anzusehen. Aufnahmen von Gesicht und Körper der Leichen und Fotos von den Lebenden. In dieser Menge machte es sie doch etwas nachdenklich. Eine Kampfsituation, an deren Ende ein paar Leute liegen blieben, hätten sie verstanden – für das Ballaballa eines Geistesgestörten hatten sie kein Verständnis. Einer meinte, die Mädels hätten doch was gemeinsam, sie hätten rundliche Gesichter, sähen alle ganz passabel aus, gesund, keine Drogenschlampen, außerdem alle deutsch, irgendwie normale deutsche Frauen.

Fallner starrte ihn an, grinste, sagte, Mann, er habe völlig recht und so habe das bisher niemand gesehen. Seine Freunde klatschten ihn ab und nannten ihn Kommissar und Derrick.

»Endlich mal 'n ehrbarer Job«, sagte er und alle lachten.

Der Anführer im weißen Jogginganzug sagte, er solle jetzt bloß kein Bulle werden: »Kümmer dich lieber um die Mädels, Dicker, du siehst ja, was passieren kann. Das ist so 'n Moslemkeks, ich sag's euch. Wer hat gesagt, dass unser Oberförster hier ein Scheißbulle ist und sonst niemand? Ihr werdet noch an mich denken – das ist so ein kranker Moslemkeks, der zu blöd ist, seinen Schwanz reinzustecken und sie dann laufen zu lassen.«

Alle erkannten die Logik und nickten. Die Braut schlug dem Dicken auf den Bauch, der die Lösung vorbereitet hatte.

»Wie sieht das denn mit der Belohnung aus, du Wachtmeister?«

»Du weißt, dass ich das nicht bestimmen kann, aber wenn was dabei rauskommt, werde ich mich einsetzen, das ist klar.«

Er gab ihm seine Karte und sagte, falls einer von ihnen jemals irgendwas hörte, vermutete, sich zusammenreimte oder vorstellen konnte, sollten sie ihn anrufen. Nahm ihm die Karte wieder aus der Hand und schrieb seine Mobilnummer dazu. Die Braut in Weiß wollte deswegen noch lange nicht seine Freundin werden. Sie misstraute ihm, weil sie allen Bullen grundsätzlich misstraute, sie waren der Feind, wollten Bräute wie ihn immer nur flachlegen, durch den Dreck ziehen und einbuchten. Ihr strahlend weißer Joggingstrampelanzug schien die Feindschaft dick zu unterstreichen. Eine Art Stoppschild. Mit einem großen Stauraum vor dem Bauch, in dem man beide dicken Unterarme begraben konnte und weiß Gott was noch, falls man schnell irgendwas in die Hand nehmen musste. Fallner setzte sich wieder an seinen alten Platz, um den Tisch zwischen sie beide zu bringen. Fummelte mit den ausgebreiteten Papieren herum.

»Weißt du«, sagte der Boss und blieb stehen, »ich habe auch Gefühle, auch wenn das hier vielleicht nicht so aussieht für deine Begriffe.«

Er sah stolz über sein kleines Reich, während Fallner sich weiterhin fragte, ob der Mann hinter der Theke, der nichts gesagt und an nichts teilgenommen hatte, in dieser Abteilung der oberste Chef war und die Braut packte, wenn er es für richtig hielt.

»Und ich habe das Gefühl, dass bei dir irgendwas nicht stimmt. Vielleicht kannste mir mal behilflich sein.«

Plötzlich sah Fallner den Jungen neben ihm stehen, er grinste und machte den Daumen hoch – was meinte er damit, zwei verblödete Säcke, die sich gefunden hatten?

»Was nicht stimmt, ja, du hast völlig recht. Irgendwann fangen sie an, dich zu fressen, und lassen dich nicht mehr los«, sagte er und zeigte auf die Papiere und Fotos auf dem Tisch. »Sie gehen nachts in deine Träume rein und kotzen auf dich. Sie fressen dich auf, sie gehen auf deine Frau los, falls du dir das vorstellen kannst. Was hast du gedacht, dass ich wegen euch hier bin? Bei allem Respekt, Chef, aber was die mir an den Hals gehängt haben, ist kein Spaziergang. Es ist eine Art Bewährungsstrafe für mich, wenn du es genau wissen willst.« Er hatte zum Glück Erfahrung darin, sich durchzuquatschen. »Mein Problem im Moment ist, dass ich etwas spät dran bin, meinst du, es gibt hier um die Ecke ein Zimmer für mich?«

Die Antwort der Braut: Er drehte sich um und ging zur Theke, an der jetzt niemand mehr stand. Eine dünne Frau torkelte herein, kippte an den ersten Tisch und ließ den Kopf hängen. Er brüllte was in ihre Richtung, aber es schien ihr nicht zu helfen. Aus den Boxen kam, wie seit einer Ewigkeit, Queen oder ähnlicher Glitzermüll. Schien ihr aber ebenfalls nicht zu helfen.

Fallner packte zusammen. Der nächste Zug war wieder das Beste, was ihm passieren konnte, und wenn er zu lange auf sich warten ließ, bekam er immerhin einen Sitz in einer verglasten Kabine und schlechte Träume, die von Bundescops unterbrochen wurden, die von einem Job in einer Sondereinheit träumten.

Als er an der Theke bezahlt hatte, sagte er zu den beiden Herrschern über ein paar Huren, die eigentlich auf dem Weg ins Krankenhaus waren: »Ich dachte, ihr hört wenigstens Lemmy und nicht so Schwulenschlager wie Queen, aber was soll's, mir gefällt's hier, könnte meine Stammkneipe sein, wenn ich hier wohnen würde, ohne Scheiß jetzt.«

Der Chef lächelte müde und machte zum Abschied drei kleine Gläser voll, wie es das Gesetz befahl, wenn einer wenigstens eine Runde ausgegeben hatte; falls er Lust hatte, das Gesetz zu befolgen. Sie stießen an, hauten es weg und Fallner merkte, dass er an der Grenze war – die Braut würde ihn um die Ecke trinken und auf sein Grab spucken. Ihr Problem war, dass sie sich so großartig vorkam, auf die Muskeln vertraute, die zu viel Alkohol und so weiter abbekommen hatten, keine Schnelligkeit einkalkulierte, zu viel redete, zu wenig beobachtete, mit ihrem kleinen Reich zufrieden war, weil sie den Schrottplatz für bedeutend hielt und Fallner unterschätzte. Er fühlte sich sicher, obwohl er an der Grenze war, er würde mit ihrem Blut chinesische Schriftzeichen auf ihren weißen Jogginganzug malen, bevor ihm dann der Thekenmann den Schädel einschlug. Aber er würde beim Sterben noch seine Makarow aus der Reisetasche zerren und ihn mitnehmen. Zu dumm, dass die Tante am Tisch seine Heldentaten nicht besingen, sondern nur unsinnigen Drogentran erzählen würde.

»Man wird irgendwie paranoid, kann ich euch sagen«, sagte er traurig.

»Arme Sau«, sagte die Braut. »Pass mal auf, Kojak, kennste den? Ich glaube, der gefällt dir, ich will dir nur was Gutes tun, also echt jetzt, also, eine Blondine fährt mit dem Auto auf der Landstraße und wird von einem Bullen angehalten. Ihren Führerschein, bitte. Ohäh, sagt die Blondine, was soll denn das sein? Na ja, sagt der Bulle, so ein kleines Teil, wo Ihr Foto drauf ist. Die Blondine sucht in ihrer Handtasche rum, Frauen und Handtasche, kennste ja, das dauert, stört aber den Wachtmeister nicht, weil es an ihren dicken Dingern genug zu sehen gibt. Endlich findet sie was und hält dem Bullen einen Taschenspiegel hin: Das haben Sie gemeint, oder? O.k., sagt der Bulle, ich wusste ja nicht, dass Sie auch 'n Bulle sind.«

Die beiden amüsierten sich, schlugen auf die Theke, Fallner haute sich mit beiden Händen auf den Kopf. Ein Bullenwitz einem Bullen, ein Wahnsinn.

»Immer wieder gut«, sagte er und griff nach seinen Sachen, um zu gehen. »Aber meine Frau ist a) Polizistin und steht b) auf Bullenwitze. Ich bin abgehärtet. Dankt dem lieben Gott, dass ihr gute Arbeit habt, mehr kann ich euch nicht sagen, meine Freunde, es war mir ein Vergnügen.«

»Rechts drei Häuser weiter«, sagte die Braut, »wenn er sagt, er hat nichts frei, sagst du schönen Gruß von Ralf. Dreißig Euro. Mit Frühstück. Kannst du aber vergessen.«

Fallner legte die Hand salutierend an den Kopf, ohne sich umzudrehen.

Ringende Blondinen

Am Eingang der Bar nebenan war ein Schild aufgestellt: *180 %
Abfahrt Vollgas mit DJ Superkiller!*

Halb verdeckt von diesen Versprechungen hockte eine furcht-
bar dünne Frau am Boden. Die Junkiehuren hier waren dünn wie
Models. Sie hatte einen imposanten blonden Haarberg auf dem
Kopf, dreckige Glitzerjeans an und sah nicht schlecht aus.

Sie stieß einen Laut aus und hielt ihm eine nicht angezündete
Zigarette entgegen. Er gab ihr Feuer – ihr Gesicht war viele Jahre
älter als ihr Körper, die Augen schienen zu kreischen und um sich
zu treten. Kostete sie alle Kraft, verständlich und verführerisch zu
sprechen: »Kann ich sonst noch was für dich tun, hm?«

Er wollte sich nicht vorstellen, was sie damit meinte, und ging
weiter. Bekam von einem alten Herrn mit weißen Haaren und
grauem Anzug bei sehr schlechter Beleuchtung einen Schlüssel,
ohne Ralf die Zuhälterbraut erwähnen zu müssen. Eine fast singende, eklige Kinderstimme sagte, er müsse das Zimmer bis elf
Uhr geräumt haben.

Der Flur im ersten Stock sah nach einem Messerstich in den
Rücken aus. Altbau, die Decke oben am Ende der Welt, riesige
alte Türen, Schlösser, die aufgingen, wenn man kräftig pustete.
Am Boden dreckige, stinkende Läufer mit Löchern und Falten.

Das Zimmer dem Preis angemessen, aber mit Waschbecken
und einem harten Handtuch. Es war so billig, weil hier der welt-
weit einzigartige Versuch unternommen wurde, Tote aufzuwecken. Wesentlicher Bestandteil der Versuchsanordnung war, wie
er bald herausgefunden hatte, dass alle dreißig Minuten zwei + x

Frauen schrien wie die Hölle und sich beschimpften, nicht selten auch Morddrohungen ausstießen (»Ich bring dich um, du dreckige Sau« oder »Ich stech dich ab«). Viele der sprachlichen Äußerungen waren nicht oder kaum verständlich. Dazwischen waren gelegentlich Männerstimmen zu hören, die jedoch nicht Teil des Experiments zu sein schienen.

Er lag in voller Montur auf dem Bett, rauchte und hörte Lee Morgan, der ebenfalls in so einer Puff-und-Drogen-Kreuzung erschossen worden war. Für den Fall, dass einer der Toten aus Versehen in seinem Zimmer erschien, hatte er seine Kalaschnikow neben sich gelegt. Er schlief immer wieder für ein paar Minuten ein.

Er dachte, dass sie irgendwann, vielleicht so um drei, Ruhe geben würden, wenn draußen kein Kunde mehr war, den sie für das Experiment einfangen konnten, aber er täuschte sich. Der Junge erhob seine Stimme in seinem Kopf – er solle das Beste aus der Situation machen und sich eines der Weiber ins Zimmer holen, denn mit dem Mund, falls er es noch nicht mitbekommen habe, könne er sich ja nichts einfangen, und er habe es doch nötig, aber der Junge täuschte sich ebenfalls.

Um 03:57 Uhr kam es zu einer Intensivierung des Versuchs. Ein Kampf um alles direkt vor seiner Tür, und im Nebenzimmer jetzt ein Mann, der die Frauen zu übertönen und den Tumult zu beenden versuchte. Er nannte sie verkackte Scheißnutten und so weiter, aber die Wirkung war gleich null, und er schien keine Lust zu haben, deswegen das Bett zu verlassen.

Fallner ging bewaffnet zur Tür, sperrte auf, drückte die Klinke runter, legte sich auf den Boden, ohne die Tür zu blockieren, und spähte durch einen Spalt raus.

Jetzt sah er den blonden Haarberg der dünnen Frau, der er auf der Straße Feuer gegeben hatte, von hinten. Sie war nackt und prügelte sich mit einer fetten Blonden, die nur mit hohen schwarzen Stiefeln bekleidet war. Sie schien gegen die Fleischberge der Fetten mit den langen Locken keine Chance zu haben, aber sie waren beide dicht. Sie schlugen, kratzten, traten oder versuchten es wenigstens, klammerten, torkelten, fielen hin und schrien mit so irrsinniger Kraft, dass es selbst einem Bullen, der schon einige Leute schreien gehört hatte, bis in den hintersten Nerv schmerzte.

Durch die offene Tür hin und wieder ein besoffenes Grölkommando des Mannes im Zimmer. Er verstand nicht, worum es hier ging – wahrscheinlich das Übliche.

Sie standen da wie eingefroren für eine Sekunde, atmeten heftig, die Arme auf die Knie gestützt. Lallten sich mit irgendwas an, das er nicht verstehen konnte.

Vor diesen Frauen
zittern die Männer

Machte ihn die Überschrift in einem verlassenen, brutal zerknitterten und liegen gebliebenen Magazin für die moderne Frau an, und er fand fünfzig Dinge, die Männer an Frauen einschüchterten. Die Titelbuchstaben waren über zwei Seiten ausgebreitet und sie kamen ihm größer vor als sein einsatzbereites Geschlechtsorgan. Mit großer Dankbarkeit nahm er das unmöglich abzulehnende Angebot an.

Bist ja einer, der immer was dazulernen will, sagte der Junge.

Auch das verbindet uns, sagte er, dann lass uns mal aufpassen, also los geht's mit der Liste der Frauen, vor denen du dich in Acht nehmen solltest, wenn du noch leben würdest: wenn sie zu viel Temperament besitzt. Wenn sie mit Sekretärinnen-Brille vor ihm steht. Wenn sie schlauer ist als er und ihn im Schach schlägt. Wenn sie eine Ausbildung zur KFZ-Mechanikerin macht.

Fallner war sich nicht sicher, ob sie das ernst meinten, sicher war jedoch, dass die Fotoredaktion die Gelegenheit ergriffen hatte, zu jeder Erkenntnis möglichst viel Titte zu zeigen, gut gemacht, Buddy.

Wenn sie mit stahlharten Muskelbergen angeben kann. Wenn sie ihre ganze Clique im Schlepptau hat. Wenn sie von ihrem starken und gut aussehenden Ex erzählt. Wenn sie ein Zwilling ist. Wenn sie die glorreichen Geschichten über ihren Vater auspackt. Wenn sie böse Intrigen im Kreis der Kollegen spinnt. Wenn sie mit ihm in Babysprache spricht.

Oder wenn sie ihn mit Kanakendeutsch anlallt, sagte der Junge.

Wenn sie ihren Dekowahn in seiner Wohnung auslebt. Wenn sie mit Unmengen von Tattoos und Piercings geschmückt ist. Wenn sie mit vollem Körpereinsatz flirtet. Wenn sie dreckige Witze reißt. Wenn sie offen und ohne Umschweife über Sex redet. Wenn sie mehr Geld verdient als der Mann. Wenn sie ihre sexy Kurven bewusst in Szene setzt. Wenn sie sagt: Bei mir tickt die biologische Uhr!

Kannst du nicht beurteilen, sagte Fallner, aber da ist jetzt 'n bisschen was Wahres dran.

Wenn sie ihre beste Freundin mitbringt.

Wenn sie ihre beste Nazifreundin mit dem Arsch auf sein Gesicht setzt, kicherte der Junge.

Was hat denn ein Typ wie du gegen Nazis, bitte, sagte Fallner.

Mach weiter, Mann, der du nichts kapiert hast, sagte Maarouf.

Wenn sie einen besten heterosexuellen Freund hat. Wenn sie einen besten schwulen Freund hat. Wenn ihr Kater keine anderen Männer neben sich duldet. Wenn sie Erfahrungen mit anderen Frauen gesammelt hat. Wenn sie mehr verträgt als der Mann. Wenn sie Flüche auspackt, die jeden Knastbruder rot werden lassen.

Oh, welche Freude, so lange hatte er ihn nicht getroffen, seinen Freund, den Knastbruder! Der Knastbruder und sein Busenfreund, der Tippelbruder. Wie viel ärmer wäre die Welt ohne diese lustigen Gesellen. Eines schönen Tages machen sich der Knastbruder und der Tippelbruder auf den Weg, ihre gute Freundin, die rassige Rockröhre, wieder einmal zu besuchen …

Wenn sie die Abseitsregel besser als der Mann kennt. Wenn sie schneller laufen, weiter werfen oder höher springen kann. Wenn sie eine ausgeprägte Vorliebe für Sadomaso an den Tag legt. Wenn sie sich mit einer anderen Frau prügelt. Wenn sie ihren Sexappeal als Karrieresprungbrett nutzt. Wenn sie andauernd aufgesetzt und übertrieben laut lacht. Wenn sie ihm gezielt und ohne zu blinzeln in die Augen sehen kann. Wenn sie keift, schreit und die Beherrschung verliert. Wenn sie Zigarren raucht. Wenn sie schlecht gelaunt ist, weil sie eine Diät macht. Wenn sie die Nummer seiner Mutter im Telefonbuch gespeichert hat, noch bevor er sie ihr gegeben hat. Wenn sie einen Dreier mit einem anderen Mann will. Wenn sie ihn nach dem ersten Date mit Anrufen bombardiert. Wenn sie eine eigene Werkstatt hat. Wenn sie täglich ins Fitnessstudio rennt. Wenn sie genau weiß, was sie will. Wenn sie die Getränkekisten selber schleppt.

Ich bin langsam extrem gespannt auf die Nr. 50 der Liste, sagte Fallner, auf der nächsten Seite kriegen wir endlich den Superknaller, der sogar Scheißtote wie dich aufwecken wird, wenn du weißt, was ich meine, also pass auf:

46 Wenn sie in der Erotikbranche gearbeitet hat.

47 Wenn sie ein Kicker-Abo hat.

48 Wenn sie ihm zu Weihnachten Socken strickt.

49 Wenn sie heimlich sein Auto tuned.

Wir sind am absoluten Höhepunkt angekommen, junger Freund, hinter der nächsten Seite geht's ab, mein Tipp ist Folgendes: Wenn sie nicht kochen kann und einen Tobsuchtsanfall bekommt, wenn man sie zartfühlend darauf aufmerksam macht. Was ist dein Tipp?

Wenn sie Bin Laden einen geblasen hat.

Du bist echt ein mieser Angeber, Maarouf, aber ich gestehe, du hast den Sieg verdient.

Fallners Tipp war von der Wahrheit weiter weg war als sein Hammer jemals von Madonnas Pipimaus. Von der er in jungen Jahren doch hin und wieder geträumt hatte, genauer gesagt natürlich davon, mit ihr ein wenig spielen zu dürfen. Als er es einmal einer Freundin gestanden hatte, nutzte sie das Wissen schamlos

aus und verlangte von ihm, dass er sich zu *Like A Virgin* einen aus-
quetschte, während sie grinsend vor ihm stand und ihm ein Un-
terwäschefoto von Madonna hinhielt – ja, das waren die guten alten Zeiten.

Der Junge war mit seinem Tipp viel näher dran. Und die Frau,
die sich die Liste ausgedacht hatte (er hatte keinen Zweifel, dass
es eine Frau war), war ein Genie. Wenn auch garantiert in Behandlung bei einem Doc wie seinem. Der unfassbare Hammer
lautete:

50   Wenn sie zur Gothic-Szene gehört.

Versteh ich jetzt überhaupt nicht, sagte der Junge. Dass der
deutsche Mann da am meisten zittert.

Ich auch nicht, sagte Fallner, aber weißt du was, wir werden
demnächst im Gefängniscamp der lesbischen Gothicschlampen
aussteigen, wie findest du das?

Du bist echt ein mieser Angeber.

Die Makarow,
mit der Lee Morgan
erschossen wurde

Er hatte Sehnsucht nach der Zeit, als alles gut war, oder zumindest alles, was nötig war, damit es gut war, und erinnerte sich an ihre letzte glückliche Begegnung.

Aus den Boxen war seit einer Minute *High and Flighty* mit zärtlicher Lautstärke geflogen, als Jaqueline ins Zimmer gekommen war. Sie kam nur einen Schritt weit rein.

Es war dunkel, und er beobachtete durch die offene Balkontür den Nachtverkehr auf dem Bahngelände und rauchte eine nach der anderen. Er hatte zehn Jahre nicht mehr geraucht und vor zwei Stunden wieder Lust bekommen. Er hatte seit Wochen Lust gehabt und gewusst, dass er bald aufgeben würde.

Er solle sich seinen Gefühlen ruhig stellen, sagte die Psychologin, wer oder was spreche dagegen? Er hatte beschlossen, auf sie zu hören.

Seine Beine lagen auf einem Schemel, der in der Balkontür stand, und in seinem Schoß lagen ein Fernglas und eine Makarow. Von draußen kam genug Licht, dass sie sofort alles erkennen konnte und er die Angst in ihrem Gesicht.

Die russische, in einem DDR-Werk hergestellte 9mm-Pistole, von der sie nicht wusste, dass er sie hatte, lag auf seinem Schoß und seine rechte Hand lag so auf ihr, als müsste er sie jeden Moment benutzen. In der linken hatte er ein Glas Schnaps. War sicher kein schöner Anblick, wenn man vom Treffen mit Freundinnen kam.

»Was ist los?«, sagte sie vorsichtig.

»High and Flighty mit Lee Morgan und Hank Mobley, mehr ist grade nicht los, glaube ich, aber mehr kann auch nicht los sein, wenn du mich fragst.«

»Sehr schön«, sagte sie vorsichtig.

»Ja, Lee und Hank, Dick und Doof, ich und mich. Freunde treffen sich, weißt ja, wie das ist, geht hoch her, aber alles ganz locker, kein Stress, Mann, bloß kein Stress.«

»Sehr schön«, sagte sie sehr vorsichtig.

Ihre Hand blieb auf der Türklinke liegen. Ihre Beine standen so, wie sie es für gewisse Situationen gelernt hatten – entweder du stehst bequem oder du bist schnell, wenn's unbequem wird.

Sie war so vorsichtig, dass er selbst Angst bekam. Und sich fragte, ob sie dabei an sich oder an ihn dachte. Oder an die Methode, die vielen Männern gefiel: erst sie, dann er. Beliebte Methode, weil man als verantwortungsbewusster Mann auf keinen Fall zulassen konnte, dass die Frau in Zukunft allein der bösen Welt ausgesetzt wäre, wenn man ohne sie über den Jordan ging, und schon bald so verzweifelt wäre, dass sie für jeden miesen Typen die Beine breit machte, der ihr ein Stück Zucker zum Kaffee versprach – nein, das durfte ein Ehrenmann, der diese schwere Entscheidung getroffen hatte, nicht zulassen!

War es möglich, dass sie ihn dessen für fähig hielt? Sah ganz danach aus. Sah sogar ganz beschissen danach aus. Allein der Gedanke schlug ihm die Faust ins Gesicht. Er hatte sich daran gewöhnt, eine Menge einzustecken, aber das war ein Schlag, den er bisher nicht bekommen hatte. Dass sie Angst vor ihm hatte.

Er hob die Zigarette und verkündete, er hätte die klügste Entscheidung seit langer Zeit getroffen und sei dabei sogar dem Rat seiner Psychologin …

»Schon okay.«

Ihre Lüge war so groß wie der Güterzug, der vor dem Fenster durch die Nacht wummerte.

»Jetzt aber mal ernsthaft: Wie viele Trompeter musst du am Start haben, um einen Grill anzuwerfen?«

»Einen. Wenn ihm drei Schlagzeuger helfen.«

»Ah, Mann, ich fass es nicht, Mensch, ich liebe dich einfach, ehrlich, was soll ich sagen.«

Endlich rutschte ihre Hand von der Türklinke. Sie schob einen Sessel neben seinen und setzte sich. Aber sie achtete darauf, nicht in seine Reichweite zu kommen.

»Ich liebe dich auch«, sagte sie, »High and Flighty, du und ich. Und weißt du was, mein Lieber, ich hab eine Idee, so was wie 'ne begleitende Spezialtherapie.« Sie sah ihn liebevoll an. Oder nur wohlwollend mit einer Spur Mitleid. Glasklar jedoch mit großer Vorsicht. »Ich halte es für angebracht, dir jetzt einen zu blasen – machen Sie sich mal bitte etwas frei untenrum für die liebe Frau Doktor.«

Er musste lachen. Obwohl sie nun doch fies wurde. Sie traute ihm also tatsächlich zu, dass er eine üble Nummer im Sinn hatte mit der in seinem Schoß scheinbar zum Einsatz bereiten Makarow. Und außerdem hielt sie ihn auch noch für einen Bullen, der zu blöd war, eins und eins zusammenzuzählen und zu kapieren, dass sie ihn mit dem tollen Angebot ablenken und ihm die Pistole dabei abnehmen würde – oder erwartete sie, dass er das Ding in seinem Schoß aus dem Fenster warf, damit sie freie Bahn hatte?

Aber es stimmte eben nicht mehr zwischen ihnen, seit er den Jungen erschossen hatte, obwohl sie wie er der Überzeugung war, dass es nicht seine Schuld war. Oder schon länger, schwer zu sagen.

»Du wirst es nicht glauben, ich glaube, ich würd's selber auch nicht glauben, aber Tatsache, ich schwör's dir beim Grab meiner Mutter …«

Er kippte einen kleinen Schluck runter und zerrte eine Zigarette aus der Packung, um Zeit zu gewinnen. Mit einer komplizierten Geschichte kam man nur durch, wenn man sie einfach erzählte.

»… mit diesem Ding hier wurde Lee Morgan erschossen, mit genau dieser dämlichen Knarre, Wahnsinn, oder? Gibt's doch nicht, oder? Hab ich vor zwei Wochen im Netz entdeckt, ganz klar, totaler Blödsinn, ganz klar, dachte ich auch, irgendso 'n irrer Ami natürlich, aber ich hab dann alle Angaben geprüft, soweit möglich, alle Informationen verglichen, alles, was geht, aber ein Mann in New York hat mir geholfen, wir war'n mal kurz in Verbindung, nur kurz, aber er hat sich sofort an mich erinnert, echt guter Mann, wir sollten ihn mal, also, und der Knabe hat natürlich die Möglichkeit, mehr zu überprüfen als ich, viel mehr, logisch, er ist in New York, Tatort New York, Verkäufer New York. Und wo kommt 'n die Maschine plötzlich her, bitte?! Die berühmte Asservatenkammer? Wahrscheinlich. Kurzer Sinn: Neunneunzig Prozent, das ist haargenau die verdammte Drecksknarre, mit der, okay, ich weiß, neunneunzig Prozent ist nicht todsicher, ich weiß es doch, aber wie nennste das, wenn's neunneunzig Prozent sind, ich nenn das so sicher wie das Amen in der Kirche, am neunzehnten Februar zwoundsiebzig, als er im Slug's grade auf die Bühne wollte, um das letzte Set – Moment, ich weiß, was du sagen willst, hat aber nicht so viel gekostet wie du denkst, ganz weit davon entfernt, du wirst es nicht glauben, wir konnten das ja selber nicht glauben, also zuerst, mein Kontaktmann, der Bob, Bad Bob, logisch, New York, hat mir sofort das Doppelte geboten, ich glaub, ich mach's, ehrlich, ich verkauf ihm die Makarowski, er freut sich, ich freu mich, Halleluja! Is' ja auch vernünftig, Mensch, das Doppelte. Ich wollte das Ding nur mal haben, verstehst du? Nur mal ansehen, ich glaube, die funktioniert eh nicht mehr, schau dir diesen Makkaronischeiß doch mal an. Okay, sie kann weg, ich bin zufrieden, ich schwöre dir, das war's.«

»Gib mir auch bitte einen Schluck.«

Er schenkte ihr einen ein und sie stießen an. Er sah, dass sie Tränen in den Augen hatte.

»Und soll ich dir vielleicht mal verraten, wer den guten Lee-Melancho-Lee erschossen hat? Oder hab ich schon zehnmal, sorry, ich weiß es jetzt nicht mehr.«

Sie sagte nichts.

Er wartete, aber sie sagte nichts.

Er überlegte, was er sagen sollte, und wartete.

Er holte Luft, um etwas zu sagen, aber er sagte nichts.

Hoplophobie

Den Blick in die Weite mögen – aber nicht in der Weite draußen sein wollen. Die Weite nur mögen, das heißt, ihren Anblick ertragen können, wenn man sich in einem relativ kleinen Raum befindet, der in Bewegung ist und durch die Weite fährt. Damit sie dich nicht verschlingen kann.

Zugleich den kleinen Raum, in dem man sich befindet, nur ertragen können, wenn er sich bewegt und einen Blick in die Weite gewährt, wodurch sich das Gefühl von Beengtheit verliert, die in einem fremden kleinen Raum entsteht. Damit er dich nicht zerquetschen kann.

Das war also Zugfahren – der Zug schoss zwischen den ekelhaften Phobien Agoraphobie und Klaustrophobie hindurch und machte beide erträglich. Schaltete die eine Phobie mit der anderen aus. Der Express als Heilanstalt. Dabei war wichtig, dass man sich im Zug, anders als im Auto, selbst bewegen konnte, zumindest ein wenig: Gehen, stehen, pissen, essen. Beide Phobien waren mit der Angst verbunden, keine Fluchtmöglichkeit zu haben. War die Frage, ob der Zug die Illusion bot, hier eine zu haben.

Nur in den eigenen vier Wänden wurde man von der Phobie nicht gepackt. Das Problem waren andere Menschen, daher war der Zug als Heilanstalt nur bedingt tauglich. Noch stärker als im Flugverkehr musste man Begegnungen einkalkulieren. Allein der Anblick – der Schock, dass es tatsächlich außerhalb des Fernsehers noch völlig andere Menschen gab, konnte den Kranken umhauen. Deshalb liebte er sein Auto, es war die Fortsetzung der vier Wände. So lief er nicht Gefahr, sich anderer Leute Probleme anhören oder sie sonst wie wahrnehmen zu müssen, womöglich angequatscht zu werden.

Blödsinn also, den Zug als Heilanstalt zu sehen. Aber das war er für ihn persönlich. Agoraphobie und Klaustrophobie – wahrscheinlich hatte er beides. Mindestens war er extrem gefährdet. Sein Zug schoss durch beide Krisengebiete hindurch und war der erträglichste Ort, den er sich vorstellen konnte. Der Junge, der sich nicht abschütteln ließ, war in den Zügen erträglicher als in Hotels, und selbst wenn er es nur scheinbar war, war es eine erhebliche Verbesserung.

Die Vollendung, die ultimative Steigerung und Perfektion seiner Phobien, war dann eine neue, die er immer wieder massiv spürte: Trainstopphobie. Die panische Angst davor, dass der Zug hält.

»Endstation, bitte alle aussteigen!«

»Aber wo soll ich denn hin!?!!«

Gute Frage, wenn man auch noch unter Coulrophobie litt, der Angst vor Clowns. Dann hatte man kaum eine Überlebenschance, egal, wo man war und zu welcher Uhrzeit. Selbst am einsamsten kleinen Bahnhof um Mitternacht hörte man plötzlich Schritte und dann stand er vor einem und lächelte, weil der letzte Zug längst abgefahren war – »Entschuldigung, aber ich hätte da mal 'ne Frage, wenn Sie vielleicht eine Sekunde Zeit hätten, ich meine, man wird ja wohl noch fragen dürfen.«

Der Clown, wie auch immer er aussah, war der Typ, der auf Messer stand. Echte Handarbeit, Wertarbeit, nah am Mitarbeiter sozusagen – wir halten Kontakt zum Kunden! Außerdem konnte man sich die Fingernägel damit säubern oder überprüfen, ob vom Lippenstift noch was an den Lippen hing.

Er erinnerte sich an die Predigt eines Ausbilders, dass Messertypen die gefährlichsten waren und dass ein Messer (das nicht wie ein Messer aussah, mit dem man Butter auf Brot verschmierte) die abschreckendste Waffe war; die Bedrohung mit einer Pistole wurde weniger ernst genommen, solange sie nicht benutzt wurde. Beim Anblick einer Pistole fragte sich jeder unwillkürlich, ob sie wirklich echt sei oder nur so aussah, bei einem Messer fragte man sich das nicht. Messertypen waren die brutalsten, die bis zum Letzten Entschlossenen, mehr durchgetickt konnte niemand sein. Ein Amokläufer, der die Anweisung bekommen hatte, seinen Job von einem Hausdach aus zu erledigen, war eher sportlich orientiert.

Der Messertyp wollte die Vibrationen durch die Hand in seinen Körper leiten, auch wenn er sich dessen nicht bewusst war, er wollte Blut sehen und spüren und den ganzen Scheiß, der dazugehörte. Der Messertyp, den Fallner am Anfang seiner Berufslaufbahn erschossen hatte, war ihm später nur selten im Traum oder in Gedanken erschienen, und dann immer nur so, wie er ihm damals begegnet war – ein Wesen, das auf ihn zukam und bemerkte, dass er einen Schuss nach dem anderen darauf abgab. Dieser miese Muttificker hatte in einer gut besuchten Kirche (wenn auch nicht während der Messe) geglaubt, Jesus zu sein und alle Sünder aus der Welt schaffen zu müssen. Sobald Fallner eine Kirche betrat, tauchte er auf.

Das ist eine gute Idee, sagte er zu dem Jungen, um ihn anzulocken, ich muss dir diesen Typen vorführen, wir werden demnächst eine Kirche besuchen.

Und es gab eine Phobie, von der er erwartet hatte, dass sie ihn jetzt angreifen würde, weil er geschwächt war. Aber die Zeit dafür schien noch nicht gekommen zu sein.

Hoplophobie: Angst vor Schusswaffen. Genauer gesagt, die Angst, dass Gegenstände, speziell Waffen, einen eigenen, sozusagen gegen ihren Besitzer handelnden Willen haben beziehungsweise unter gewissen Umständen entwickeln können. Etwas von der Angst hatte Jaqueline überfallen, als sie ihn besoffen mit seiner Makarow im Schoß ertappt hatte, obwohl sie keine Abneigung, sondern eher eine zu starke Zuneigung für Schusswaffen hatte, das heißt, sie hatte sich vorstellen können, dass er sich oder sie beide erschießen könnte, ohne es eigentlich zu wollen, nur weil er das Ding in der Hand hielt und ihn plötzlich ein unheimlicher Sog erfasste, den er nicht kontrollieren konnte. Genau das war eine beliebte Erklärung von anständigen Familienvätern, die ihre Truppe ausgelöscht hatten, weil die Mutter entschlossen war, sich in Zukunft lieber von einem anderen Familienvater verprügeln zu lassen.

Es funktionierte, den Jungen damit anzulocken, und er sagte: In deiner bescheuerten Scheißkirche kannste dir auch allein einen runterholen.

Ich hatte dich schon vermisst, sagte er.

Russenzüge

Der Zug, der die Sportler in die nächste Stadt bringen sollte, fuhr spätnachts ab. Es war Winter, der Bahnhof im Nebel, und der alte Zug stieß Dampfwolken aus, ein echtes Stahlross aus dem Märchen.

Die Jungs und Mädchen, Leichtathleten aus den Vereinigten Staaten, machten eine Wettkampftournee durch Russland. Sie hatten zuvor gegen die Regeln verstoßen, ihr Hotel verlassen und in Diskotheken gesoffen. Deshalb hatten sie den geplanten Zug verpasst und mussten dieses nächtliche Stahlross nehmen, und es bestand die Gefahr, dass die Mannschaft nicht rechtzeitig beim nächsten Wettkampf antanzen konnte. Der Trainer war verdammt wütend.

Die Truppe, die was unternommen hatte, saß verkatert und schlecht gelaunt im Abteil. Eine mit langen blonden Haaren machte sich auf den Weg, was zu trinken zu besorgen. Sie fragte einen Schaffner mit einer brutalen Fresse nach dem Speisewagen, während vor den Fenstern ein Schneesturm tobte, der Dr. Frankenstein verängstigt hätte.

Der Schaffner unterhielt sich dann flüsternd mit einem anderen Bahntypen, ein kleiner Dünner, der ebenfalls fies aus der russischen Wäsche glotzte. Sie gafften sabbernd dem Hintern der blonden Sportlerin nach. Schließlich landete sie im dunklen Gepäckwagen. Sie ging langsam weiter, es sah nicht so aus, als würde noch so was wie ein Speisewagen kommen, und es gefiel ihr hier generell nicht gut.

Plötzlich wurde die Tür vor der attraktiven Blondine aufgerissen und ein Monsterkerl stürzte sich auf sie, und ehe sie reagieren konnte, packte er sie und schleppte sie auf der Schulter davon. Sie strampelte und ihr Rock rutschte hoch bis zum kleinen roten Slip.

»Echt geil«, sagte der zehn-, höchstens zwölfjährige Musterknabe in der roten Trainingsjacke beiläufig zu seinem Kumpelchen vom ähnlichen Baujahr. Die beiden saßen vor Fallner und schauten sich den Film auf ihrem Laptop an und bemerkten nicht, dass er das Abenteuer gut mitverfolgen konnte.

»Yep«, sagte das Kumpelchen zum roten Trainingsjäckchen.

Das jetzt mit seinem Zeigefinger am Curser spielte – plötzlich wurde die Tür vor der attraktiven Blondine aufgerissen und ein Monsterkerl stürzte sich auf sie, und ehe sie reagieren konnte, packte er sie und schleppte sie auf der Schulter davon. Sie strampelte und ihr Rock rutschte hoch bis zum kleinen roten Slip – sie strampelte und ihr Rock rutschte hoch bis zum kleinen roten Slip – sie strampelte und ihr Rock rutschte hoch bis zum kleinen roten Slip.

»Echt so geil«, sagte der Junge in der roten Trainingsjacke – und sie strampelte und ihr Rock rutschte hoch bis zum kleinen roten Slip.

»Schlampenfleisch«, sagte sein Kumpel, der aussah, als hätte er noch nicht herausgefunden, ob er zwei oder drei Eier hatte.

»Jamjam – Schlampenfleisch!« Und schmatzte.

Draußen weiterhin heftiger Schneesturm, der mit jeder Minute schlimmer zu werden schien. Ihre amerikanischen Freunde fragten sich inzwischen, wo sie abgeblieben war, hätte doch längst zurück sein müssen, und einer sagte, er würde jetzt nach ihr suchen.

Der russische Monsterkerl warf sie gerade auf einen Tisch mit Metallplatte und schnallte sie fest. Sie zerrte an den Gurten und schrie. Eine Frau in einem weißen Kittel kam herein. Sie holte Instrumente aus ihrer großen Handtasche, zog eine Spritze auf und jagte sie der kreischenden Amerikanerin in den Arm. Hielt ihr den Mund zu, bis sie endlich still wurde. Nahm ein Skalpell und fing an, sie aufzuschlitzen.

Der Schaffner mit der brutalen Fresse kam rein und sagte, dass sie schon nach dem Mädchen suchten. Sie sagte mit ihrem übertrieben russischen Akzent, er sollte den Waggon versperren. Aber er blieb abwartend neben ihr stehen, um zuzusehen, wie sie vorsichtig ein Organ aus dem Mädchen holte. Sie legte das Organ behutsam in einen Metallbehälter, aus dem Dampfwolken waberten.

Schnitt: auf das riesige, unheimliche russische alte Stahlross, das riesige Dampfwolken in die Nacht spuckte.

»So geil, diese Russenzüge«, sagte der Trainingsjackenscheißer.

»Jamjam – Schlampenfleisch!«, sagte sein kleiner Freund.

Auf der anderen Seite ihres Tisches saßen die Erziehungsberechtigten von einem oder beiden. Dünne Pullover in matten Farben, gepflegt, gesittet, der Papa konnte ein Klinikchef sein – etwa die Marke, die die Schule verklagte, wenn ihre Knaben zu blöd waren, Russland richtig zu schreiben.

Fallner stand auf und hielt ihm seinen Ausweis vor die Nase: »Ihre netten kleinen Jungs haben einen Splatterfilm auf ihrem Gerät, der ab achtzehn ist, wie kommt das denn? Sind da auch Kinderpornos drauf, sammeln Sie das Zeug? Darf ich mal nachsehen?«

Wunderbarer Anblick. Vier Gesichter, die umkippten. Unbezahlbar. Medizin, von der sein Doc nichts wusste. Und draußen ging die Sonne unter.

Und er hatte zum Glück seinen Anzug an, in dem er ähnlich seriös wirkte wie das Familienoberhaupt. Der Anzug schien seine Sätze zu verstärken.

Endlich keifte die Mutter: »Ich muss doch sehr bitten!«

»Was müssen Sie denn bitten?«

»Das wird Folgen haben!«

»Das will ich doch schwer hoffen. Wenn ich zu dem Zweck um Ihre Personalien bitten dürfte.«

Führte zu nichts, aber Fallner hatte eine gute Zeit und man würde ihn eine Weile in Erinnerung behalten.

Der russische Zug erinnerte ihn an die Züge seiner Kindheit – diese unheimlichen, langen Güterzüge, die dunklen Waggons, schmutzig, mit Kreide beschrieben, Zahlen-Buchstaben-Kombinationen, deren Sinn man nicht erkennen konnte. Man wusste nicht, was sie geladen hatten. Fast nie war jemand zu sehen. Manchmal ein Mann mit Helm und riesigen Handschuhen, der zwischen zwei Waggons stand und sich an einer Stange festhielt und vielleicht nickte, wenn Kinder winkten. Die Rangierer, zu denen sein Vater gehörte.

Geisterzüge, die schwerfällig vorbeizogen mit diesem massiven, trägen Hämmern – Ta-wamm-pa-damm. So klang es heute noch. Eine Horde von Elefanten, die durch nichts aufzuhalten war. Sie unterbrachen jedes Spiel und schauten ihnen ehrfürchtig zu. Standen regungslos da, als müssten sie strammstehen, salutieren. Güterzüge (und selbst Personenzüge) hatten eine völlig andere Wirkung als eine Autoschlange, und das nicht nur wegen ihrer Wucht und Größe und weil sie aneinanderhingen wie Sträflinge in alten Filmen.

Manchmal schleuderte jemand einen Stein gegen einen Waggon, und dann jubelten sie, als hätten sie damit den Zug besiegt. Der Schlaueste von ihnen wusste, dass es in England einmal einen unfassbar riesigen Zugraub gegeben hatte. Maskierte Männer hatten in der Nacht einen riesigen Postzug angehalten und ausgeraubt. Das war doch Blödsinn! Er wurde ausgelacht. Was wollten die denn mit all der Post!

Die Siedlung, in der sie aufwuchsen, erklärte Fallner dem Jungen, lag nur hundert Meter von der Bahnlinie entfernt, und hinter dem Gleis ging sofort der Wald steil nach oben. Nah am Gleis, von den ersten Bäumen verdeckt, machten sie Schießübungen, wenn der Güterzug vorbeifuhr. Die Siedlung am Stadtrand war schlecht angesehen, die Straße, die hineinführte, war nicht mal geteert. Da wohnte traditionell die Schicht, auf die die anderen Schichten heruntersahen, einige Rangierer und andere Bahnhilfsarbeiter, nach dem Krieg kamen Polen und Russen dazu. Um die kleinen alten Häuser, die mit Kohlen und Holz beheizt wurden, wucherten Schuppen und Verschläge, kleine Ställe und Käfige.

Zwischen der Siedlung und dem Bahndamm lagen die hauptsächlich von diesen Bewohnern genutzten Schrebergärten. Der Rand der Siedlung mit dem Haus seines Vaters und dem Haus, aus dem Johanna kam, die die Kanone organisierte, mit der sie schießen lernten, sah heute kaum anders aus.

Mein Killer ist also ein Kind des Abschaums, sagte der Junge, und er will mir damit sagen, dass er nichts gegen mich und den anderen Abschaum hat, weil es der Ort seiner Herkunft ist, an dem sein Herz immer noch hängt.

Wenn du mit dem Zug durch den Stadtrand fährst, kannst du oft die Überreste von solchen Siedlungen erkennen, paar krumme Häuser und Hütten an den Schrebergärten am Bahndamm, die sie noch nicht zu Schrebergartensiedlungen ausgebaut haben, mit irgendeiner dämlichen Fahne in der Mitte. Mal ein Wohnwagen oder eine Schrottkarre. Das siehst du immer am Arsch der Stadt, wo der Zug reinfährt.

Mir kommen die Tränen, sagte der Junge.

Deswegen erzähl ich's dir doch, sagte er zu ihm.

Irre, sagte Maarouf, dass dann zwei Bullen aus diesem Loch gekommen sind.

Nur einer, von heute aus betrachtet, sagte er, mein Bruder ist nur noch Ex-Bulle, falls es dich interessiert.

Und du bist auch bald nur noch ein Ex-Bulle, falls es dich interessiert.

Es gab die alten braunen Waggons immer noch, neben den modernen, glänzenden, mit farbigen dicken Firmenlogos. Aber damals hatte es auch noch viel ältere gegeben, mit Bretterwänden, und manche der Bretter waren halb verfault. Schien ihm so in seiner Erinnerung. Einige davon standen auf dem Bahnhofsgelände auf Abstellgleisen. Der ganze Güterverkehr war so gut wie eingestellt.

Es gab Waggons mit Tieren drin. Herausquellender Gestank. Die Tiere brüllten. Brüllende, stinkende Waggons mit halb verfaulten Bretterwänden. Güterzüge faszinierten ihn immer noch. Wie die Anfänge von Horrorfilmen. Wenn man noch nicht wusste, was aus der Dunkelheit kommen würde ... Wenn Stimmen aus der Dunkelheit kamen ...

»Was suchen Sie hier auf dem Gelände?«

»Oh, nichts. Absolut nichts. Ich meine, Insekten, ich suche hier nur nach seltenen Insekten, sonst nichts.«

»Sonst nichts, ja?«

»Sonst nichts.«

»Na, dann kommen Sie doch mal mit, ich möchte Ihnen was zeigen.«

Ein Container
wird ausgeraubt

Blick aus dem Fenster: Da war der Himmel, der so blau war, als wollte er die Erde einsaugen. Sah krank aus und animierte Fallner, über Ex-Bullen nachzudenken. Auf der Liste seiner Zukunftspläne stand an erster Stelle immer noch, dass er in der Firma bleiben wollte. Hatte er jedoch nur aus Prinzip als oberstes Ziel aufgeschrieben. Im Kampf gegen die Feigheit. Und um den Job von sich fernzuhalten, der ihm drohte: in der Sicherheitsfirma seines Bruders einzusteigen – der Ex-Cop-Bruder bohrte solide, und seine Chancen, ihn zu kriegen, waren zweifellos gestiegen.

Wenn er nüchtern war, kam er nie auf die Idee, ein Ex-Polizist werden zu wollen. Aber wenn er was getrunken hatte, erinnerte er sich, dass er seit einigen Jahren die Ahnung hatte, ein Ex-Polizist werden zu müssen.

Ein guter Mann wird ein guter Ex-Mann – aber ein guter Polizist wird ein böser Ex-Polizist!

War Jaquelines Meinung, und es war schwer, ihr das Gegenteil zu beweisen. Sie konnte sich nicht vorstellen, mit einem Ex-Bullen zusammenzuleben. Sie wollte es sich nicht einmal vorstellen können. Hatte sie selbst gesagt. In fast allen Lebenslagen, von uniformiert bis heftig. Am Herd, hinterm Steuer. Und einmal sogar mit ihrer Pistole in der Hand, nüchtern und nackt. Das sah gut aus, und einen besseren Grund, im Dienst zu bleiben, konnte es nicht geben.

Sie war wütend, weil er sich nach dem Unfall gehen ließ und

kein wirklich gutes Programm dagegen entwickelte und absolvierte, obwohl er behauptete, keinen Fehler gemacht zu haben.

»Was würdest du denn von jemandem halten, der kein Idiot ist und sich nach achtzehn Dienstjahren, die er keineswegs bei der Hundestaffel verbracht hat, überlegt auszusteigen«, sagte sie, »und der übrigens im Besitz einer illegalen Waffe ist.«

»Ein kompliziertes Fragengebäude, das nicht leicht zu analysieren ist. Was sollte zum Beispiel meine kleine Makarow damit zu tun haben? Mein Ergebnis lautet: Ich weiß es nicht.«

»Siehst du.«

»Glaubst du, ich will mir die Samstagskasse vom Bertl holen, mit Skimütze und so und einem Kissen am Bauch, damit er mich nicht erkennt?«

»Sicher nicht.«

»Siehst du.«

»Was gibt's denn da zu sehen? Du warst auch nicht damit zufrieden, Penner aus der Fußgängerzone zu verjagen. Weil es dir zu blöd war. Und jetzt? Willst du für deinen geliebten Bruder Promi-Arschgeigen beschützen, wenn sie sich irgendwelche Idiotenpreise abholen?«

Er dachte nach. Stand inzwischen in der Ecke und wurde mit Bemerkungen eingedeckt, die er für fragwürdig oder unverständlich hielt, was das Nachdenken über die Punkte, die ihm klar waren, erschwerte.

»Wie heißt 'n dieser Film? Wo dieser Undercoversupermann überläuft und nur seine Frau bekommt's mit, obwohl er sich so viel Mühe gibt, damit sie mal wieder gar nichts mitbekommt.«

»Du meinst, wir sollten das nachspielen?«

»Warum nicht – er gibt ihr nämlich die Kugel, während er ihn drin hat.«

»Oh, oh. War das der ab sechzehn?«

»Während er kommt. Aah, aah, ahh – peng! Und dann sagt er noch, ich liebe dich, und dann weint er.«

»Jetzt weiß ich wieder, was ich toll fand. Seine Kanone war größer als unsere Wohnung, aber es gab keine Sauerei. Für technische Wunder kann ich mich immer begeistern. Er hat ihr nämlich ein Kissen aufs Gesicht gelegt. So ein kleines Kissen wirkt Wunder, das glaubt man ja nicht. Der Trick, den nur die Besten kennen. Schon mal gehört?«

»Ich will jedenfalls kein Kissen aufs Gesicht.«

»Weil du's noch nie ausprobiert hast.«

»Okay, ich mach's. Aber nur, wenn du meine Frage beantwortest, und ohne irgendwelchen Scheiß.«

»Was war jetzt die Frage?«

»Weißt du ganz genau.«

»Also gut, von mir aus. Aber erst, wenn wir eine größere Wohnung gefunden haben.«

»Du hast gesagt, du wirst niemals in eine andere Wohnung gehen, nicht in dieser Stadt.«

»Ein Mann muss seine Meinung ändern können.«

Es hatte sich so dahingequält, und es war nur eine von vielen quälenden Auseinandersetzungen, und es war eine der angenehmen. Sein Doc sagte, ihr Verhalten wäre normal. Weil er durch den Unfall sich selbst und seinen Beruf in Frage stellte, fühle auch sie sich in Frage gestellt, weil sie denselben Beruf wie er ausübte und überzeugt war, damit etwas Gutes zu tun, etwas, das ihre volle Überzeugung hatte. Sie empfand es als Bedrohung, wenn er von der Überzeugung, die er mit ihr geteilt hatte, abfiel.

»Aber wenn ich den Beruf nicht mehr ausüben kann, muss ich ihn deshalb doch nicht verachten, oder?«, fragte er den Doc.

»Fragen Sie sie doch, woher soll ich das wissen?«

Blick aus dem Fenster: die Rückseite eines großen Supermarkts. Jemand wühlte in einem Container, ein Mann, der in dem Moment den Kopf rauszog und sich umsah. Er hatte einen kleinen schwarzen Hut auf. Neben ihm ein Handwagen, wie ihn vor allem alte Frauen zum Einkaufen benutzten. Der weiße Hai glitt so langsam dahin, dass er sein Gesicht erkennen konnte. Der Mann hatte Angst.

Nicht vor dem Hai, der ruhig auf seiner Bahn dahinzog. Sondern vor den anderen Haien da draußen, die ihm ihre leeren Flaschen und das abgelaufene Fressen nicht gönnten. Selbst wenn er versuchte, nur ihren Müll einzusacken, würden sie versuchen, ihn wegen Diebstahls zu verklagen und einzusperren.

Denn wer heute damit durchkam, wenn er ihr nicht mehr verkaufbares Fressen klaute, würde es morgen mit ihren mühsam erarbeiteten geliebten Eingangsprodukten versuchen. Und dann übermorgen an ihrer Haustür klingeln. Sich an ihren Tisch setzen und dann auf die Ehefrau und schließlich ins Auto.

Rauchen

In Würzburg um 15:32 Uhr standen vor der Tür des ersten Waggons nur zwei Raucher und niemand bedrängte sie. Erst weiter unten am Bahnsteig in der Mitte des ICE staute sich eine kleine Masse.

»Ich muss echt aufpassen«, sagte die Rockröhre. So sah sie aus, so klang ihre Stimme.

Sie wollte damit erklären, warum sie beim Rauchen etwas komisch aussah, extrem angespannt, mit einem Stiefel auf der ersten Stufe in der Tür und sich mit der freien Hand an die Metallstange an der Seite klammernd. Als müsste sie den Zug kapern und dürfte gleichzeitig im Kampf mit ihrer Zigarette keinen Punkt abgeben.

»Kein Problem«, sagte Fallner, »aber es ist genug Zeit. Also für eine jedenfalls.«

»Aber mein Kind ist drin.«

»Oh, verstehe.«

»Ist mir nämlich schon passiert. Sechs Minuten Aufenthalt und dann fährt der Arsch nach zwo Minuten los. Kann einem Nichtraucher nicht passieren, da ist was Wahres dran.«

»Hat wahrscheinlich viel Ärger gegeben.«

Sie schnaubte, winkte ab und knallte mit dem Absatz weiter auf die Stufe. Sie erinnerte ihn an Courtney Love, die schrille Rockröhre, die Kurt Cobain beerbt hatte – hier war Courtney, die ihre Verbannung in die deutsche Provinz endgültig satthatte, nachdem nun auch noch ihr Tätowierer, den sie aus L.A. hatte einfliegen lassen, totalen Mist in ihre Haut gestochen hatte.

»Wie alt ist denn Ihr Kind?«

»Amelie, drei. Wir besuchen mal wieder den lieben Papa in Hannover.«

»Da freut er sich bestimmt.«

»Und wie. Der Sack will nämlich nichts bezahlen, obwohl er genug Geld hat. Ganz toll. Das macht richtig Spaß. Aber jetzt ist mal Ende mit dem Spaß. Der wird sich wundern, und seine Angetraute wird sich noch mehr wundern. Den mach ich jetzt richtig fertig, mir steht's nämlich bis hier.«

Sie stopfte Feuerzeug und Schachtel – das wurde ihm in dem Moment zum ersten Mal nach all den Jahren klar: Bestimmte Leute behielten beim Rauchen Feuerzeug und Packung in der Hand, obwohl sie sie wegstecken könnten; ein Persönlichkeitsprofil, das ihm bisher nie auffällig vorgekommen war, obwohl er es oft gesehen hatte – in die Tasche ihrer grauen Herrenanzugjacke.

»Und, haste auch 'n Kind, für das du nix hinblättern willst? Du siehst 'n bisschen so aus.«

»Überhaupt nicht, ich schwör's dir, ich würde mich gern um ein Kind kümmern, das kannst du mir glauben, ich kann gut mit Kindern.«

Zum Jackett trug sie ein weißes T-Shirt und Blue Jeans. Sie hatte sich Mühe gegeben, nach irgendwessen Vorstellungen, die nicht ihre waren, ordentlich auszusehen und auch den Berg brauner Haare oben auf dem Kopf festgezurrt und festgetackert. Aber sie hatte nicht an ihre fetten grünen Stiefel gedacht, die eine sehr starke Ausstrahlung hatten. Ein Blinder wäre zusammengezuckt und hätte ängstlich mit der Nase geschnüffelt, um rauszukriegen, was da in seiner Umgebung für Aufregung sorgte.

»Schwören! Auf euer Rumschwören geb ich gar nix – wenn du wüsstest, was man mir schon alles geschworen hat!« Sie kippte den Kopf nach hinten und lachte laut. Mit dieser Lache hatte sie viele beeindruckt, gefangen und rausgeworfen.

Knallgrün – und wenn man genauer hinsah, knallgrün mit unregelmäßig verteilten blassroten Flecken. Wie alte Blutspritzer von einem geschlachteten Schwein. Typ Barfrau in einer Rock-Diskothek auf dem Land. Die Pferde, die man mit ihr stehlen konnte, hatte sie ohne Sattel selbst zugeritten, und am Ende schlachtete sie sie mit einem einfachen Taschenmesser und trank ein Glas von ihrem warmen Blut. Genau der Typ, auf den er immer wieder hereinfiel, obwohl er ihn seit tausend Jahren nicht mehr interessierte … Jaqueline damals im Nashville-Pussy-Konzert, bei dem sie sich kennenlernten: wie sie einen Typ zur Seite rammte, der sie von ihrem Platz an der Theke verdrängen wollte.

»Dann bis zum nächsten Mal«, sagte Courtney Love und enterte den Zug, als würde sie nur einsteigen, um eine Handgranate in den Großraumwagen zu werfen.

Der Mann in Hannover würde den Tag verfluchen, an dem er etwas Spaß mit ihr gehabt hatte. Falls er irgendeinen gehabt hatte, an den er sich erinnern konnte. Fallner stellte sich eine hektische Viertelstunde vor, die einem später wie ein schwarzes Loch im eigenen Leben vorkam. Wie diese Mütter, die ihre eigenen Kinder über den Jordan warfen. Wenn man sie fragte, was geschehen war, wussten sie nicht, wovon man sprach. Warum sollten sie etwas beantworten können, was eine andere Person getan hatte?

Er gab ihr ein paar Schritte Vorsprung. Setzte sich nicht sofort an seinen Platz, sondern sah ihr so lange wie möglich nach. Und schickte Gebete an alle guten und bösen Mächte, es möge viel länger dauern. Weil er etwas spürte, was er seit Wochen nicht gespürt hatte. Und Jaqueline hatte ihm viel mehr gezeigt als nur einen Arsch in der Hose, der von ihm wegging. Er wäre schon zufrieden, wenn er ihr nur auf den Hintern in der Jeans spritzen dürfte. Oder von vorn auf ihr T-Shirt und sie grinste ihn an dabei und rauchte. Und fragte dann, ob das schon alles gewesen sei, hey, nicht mal genug, um das T-Shirt in die Wäsche werfen zu müssen!

Biste denn jetzt schon so verblödet, du Polizeimeister, sagte der Junge, dass du nicht mehr weißt, wie man eine Frau ganz normal fickt, sodass die vielleicht einen ganz normalen Spaß haben kann?

Davon verstehst du nichts, du Penner, sagte er zu dem Jungen, ohne ihn weiter zu beachten.

Hatte er doch immer gesagt, dass ihm dieses Zugfahren guttun würde, er fuhr mit dem Zug durch die Gegend und sein Schwanz reagierte. Warum glaubte man ihm nicht, dass er dabei gesund wurde? In diesem Fall glaubte man ihm nicht und in jenem nicht, wo sie glaubten, er hätte eine Halluzination mit drei Schüssen beantwortet.

»Und was ist der Grund?«, würde sein Doc fragen.

»Was meinen Sie? Warum nichts mehr ging oder warum plötzlich wieder was gehen könnte? Oder warum ich dachte, sie könnte gerne ihre Jeans dabei anbehalten? Ich weiß, das ist pervers, aber ich wollte ihr sozusagen nicht zu nahe treten, Mensch, Doc, ich weiß doch nicht, warum ich das plötzlich so gesehen habe.«

»Würden Sie bitte alles beantworten?«

»Ich fühle mich überfordert. Ich möchte jetzt meinen Anwalt sprechen!«

Sein Anwalt sagte, er solle sofort seinen Laptop aus der Reisetasche holen und sich mit irgendeinem Computerspiel, in dem man keine gut gebauten Bikinimädchen abschießen müsse, aus der Affäre ziehen, und das machte er. Das Spiel war für menschenähnliche Wesen ab vier konzipiert, aber in der schwierigen Version schaffte er es nicht ins zweite Level, es war zum Wahnsinnigwerden, und er war immer so knapp davor, dass er sich ganz sicher war, dass er's ihnen beim nächsten Mal garantiert zeigen würde!

Die Wirkung verlief wie geplant, und nach zehn Minuten fühlte er sich etwa so wie damals, wenn sie im Transporter saßen und nicht wussten, ob sie in der nächsten Sekunde oder in fünf Stunden losstürmen sollten, um ein Haus oder einen Typen – denn es handelte sich ausnahmslos um Männer – zu zerlegen. Es war ein Gefühl, von dem man selbst zerlegt wurde. Was einerseits verboten, andererseits unvermeidlich war. Man versuchte sich gegen das Gefühl mit Privatkonzentration oder Gequassel zu behelfen. Und kam doch nie dagegen an, es war ein alles beherrschendes Gefühl. Man wurde vom Warten zerlegt, und man wurde zerlegt, weil niemand wusste, wie lange es dauern würde. Wenn es längere Zeit zu still im Bus wurde, knallte die Peitsche namens Boss: Schlafen könnt ihr, wenn ihr sterben wollt! Oder was auch immer in dem Moment half, man war für jeden Spruch dankbar. Aber das Gequassel durfte auch nicht zu interessant werden, dann lenkte es zu sehr ab.

Die Zeit, die sie in den Autos verbrachten und abwarteten, war verschwindend gering gegenüber der Zeit, die sie mit dem Training verbrachten, um gut zu sein, wenn sie aus den Autos sprangen – aber die ungewisse Zeit in den Autos und die Ungewissheit, ob man in der nächsten Stunde draufgehen konnte, wog tausendfach schwerer. Es gab nur einen Job auf der Welt, der noch ekelhafter war. Man nannte ihn Personenschutz. Fallner fragte sich manchmal, was er angestellt hatte, um insgesamt drei Jahre mit diesen Traumjobs zu verschwenden. Er hatte es sich verdient, ein paar Wochen im Zug zu verschlafen … Das Festsitzen, Eingesperrtsein, Warten im Transporter war ihm immer vorgekommen wie ein Training für kleine Kinder. Die Zeitung erinnerte ihn daran – sie saßen fest und konnten nichts anstellen. Aber wenn sie rausgingen, hatte man ein Problem mit ihnen, und wenn es Kinder waren, die im amerikanischen Hinterland mit Kinderknarren durch ihren weißen Garten liefen, hatte man leicht ein großes Problem, besonders wenn die Kinderknarre echt war. Die Mutter so eines fünfjährigen Revolverhelden, der mit seiner echten Knarre, die ihm seine Eltern geschenkt hatten, seiner jüngeren Schwester ein echtes Loch mehr verpasst hatte, sagte also, um, wie es der Job der Mutter ist, den Sohn zu verteidigen: He didn't know the gun was loaded. Und sie erklärte, den kleinen Jungen damit getröstet zu haben, dass Mami und Papi nun fleißig zum Herrn Jesus beten würden, damit sie bald ein neues Schwesterchen bekommen könnten.

Diese unterbelichteten Christen, wussten sie nicht, dass der Papa vom Herrn Jesus nicht so lieb war? Dass er kaum jemals mehr sagte als: Mein ist die Rache, und siehe, wer seine kleine Schwester tötet, dem sei ein langes Leben beschieden, und täglich werden ihn die Hunde Luzifers zerfleischen, aus deren Kot ich ihn täglich neu erschaffen will bis ans Ende der Zeit.

Was ihn daran interessierte, war das Gestammel der Dummheit, der Notausgang des Irrsinns, der Trick, mit dem man überlebte, obwohl man sich besser eine Kugel in den eigenen Kopf schießen sollte … und er fragte sich, ob er selbst mit durchgeknalltem Gestammel durchkommen könnte, wenn die Ermittler ihn ernsthaft in die Mangel nahmen … also na ja, Kollegen, ich dachte, meine Heckler sei nicht geladen, ich gehe nämlich nach diversen Vorkommnissen zu 99,9 Prozent nur noch ungeladen raus, da können Sie meinen Kollegen fragen, der kann das bestätigen, dass ich mein Magazin immer in der Tasche trage. Ist verboten, ich weiß, aber ich bin ein erfahrener Beamter, ich kann damit umgehen, fragen Sie den Kollegen, er wird euch bestätigen, dass sich meine Methode bestens bewährt hat.

Er stellte sich vor, wie sein Partner Maier darauf reagieren würde: Was redet dieser Mann, spricht der deutsch? Kollege krank in kaputt Kopf, wenn ihr mich fragt, ich habe keine Ahnung, wovon der redet ... Ja, so würde sein Freund Eric Maier rauszukommen versuchen, mit Gequatsche. Das hatte er in den Transportern beim Warten auf den Einsatz nämlich ebenfalls gelernt – quatschen, um durchzuhalten. Sie hatten das Quatschen der anderen nachgemacht. Besoffene, Politiker, Ausländer, Ehefrauen, Nutten. Alles war erlaubt, weil es nötig war, um in der Situation zurechtzukommen, und es war ein ungeschriebenes Gesetz, dass keiner von ihnen dieses Gerede auf die Goldwaage legen durfte, geschweige denn, draußen davon erzählen. Man redete vor sich hin, um zu überleben, man erzählte Witze, die alle zu lang und kompliziert waren, um anzukommen.

Zwei Bullen zielen auf einen Geiselnehmer. Sagt der eine: Kollege, den Geiselnehmer kenne ich, überlass den mir bitte. Sagt der andere: Wieso, wer ist das denn? Sein Kollege druckst herum, will nicht raus mit der Sprache. Kann sich erst nach aufmunterndem Schulterklopfen vom Kameraden dazu durchringen: Also okay, aber das muss wirklich unter uns bleiben, das ist der Liebhaber meiner Frau. Sagt der andere: Ach du Scheiße, da schieß ich aber mit, das lass ich mir auch nicht bieten.

Jaqueline konnte sich über diese Witze kaputtlachen und hatte Hunderte im Kopf. Sie genoss es, dass sie damit auf jeden Fall immer Eindruck machte, egal, ob einen guten oder einen schlechten. Polizistin erzählt Polizistenwitze. Oder blonde Polizistin erzählt Polizisten Polizistenwitze, die Polizistenwitze von blonden Polizistinnen nicht ausstehen können. Oder sexy Polizistin erzählt schmutzige Polizistenwitze, wenn schmutzige Polizisten und so weiter. Wäre besser, wenn sie sich entschließen würde, ein Polizeibuch zu schreiben. Ein Sexy-Polizistin-erzählt-schmutzigen-Polizeikram-Buch. Wäre ein Renner.

Fallner dachte um tausend Ecken und konnte seinem Partner nicht entkommen. Er musste ihm bald einen Arm um die Schultern legen, um sich ein wenig mit ihm zu unterhalten. Sie hatten sich seit zwei Monden nicht mehr getroffen, nur einmal auf der Dienststelle kurz gesehen, er war ihm ausgewichen – und in dieser Zeit hatte sich Gesprächsstoff angesammelt. Man musste sich in Ruhe richtig gut unterhalten. Vielleicht zu Hause und im Beisein von Jaqueline. Denn der Kollege, den er, soweit er sich dunkel erinnern konnte, schon einmal ganz oben auf der Liste seiner Freunde gehabt hatte, fand es im Beisein von Jaqueline immer angenehm. Das war verständlich. So ging es vielen Kollegen, auch wenn sie es nie auf die Liste der Kollegen schaffen würden, mit denen er befreundet war. Er selbst fand es im Beisein von Jaqueline auch angenehm. Natürlich nicht immer. Aber sie konnten sich überall unterhalten, auch im Freien, an einer viel befahrenen Straßenkreuzung zum Beispiel.

Zuerst würde er gute Stimmung machen – kennst du eigentlich den schon, mein Freund? Den habe ich übrigens selbst erfunden. Ist noch nicht perfekt, aber du weißt ja, der erste ist immer der schwerste. Wie der erste Tote, der dir über den Weg läuft. Oder der erste Tote, den du selbst erschossen hast.

Zwei Bullen sind im Einsatz. Heikle Sache, nichts Weltbewegendes, aber auch nicht ohne. Ach komm, Unterstützung, was soll's, sagen die beiden, die keine Anfänger sind, dann sitzen wir vielleicht morgen noch da.

Also rein in die Wohnung. Auftritt der Klassiker: im Prinzip alles in Ordnung, nur wenn man eine Sekunde nicht aufpasst, könnte die ganze Chose schnell kippen. Und siehe da, plötzlich

zieht der Böse doch tatsächlich eine Pistole! Aber eine Riesenüberraschung ist das nun auch nicht, weil man sie sogar vorgewarnt hat. Und deshalb ist der eine Bulle schneller und erschießt
ihn.

Ja, Mensch, warum hast du das denn getan?, fragt jedoch sein
Kollege.

Du bist ja lustig, Mann, du hast doch gesehen, dass der seine
Waffe gezogen hat und auf uns schießen wollte.

Plötzlich bellt ein Hund neben seinem Kollegen, und er fragt:
Kollege, was ist denn das für ein Hund neben dir?

Na, das ist doch mein Hund, sagt der Kollege.

Sagt der, der geschossen hat: Aber wieso hältst du denn deinen
Hund an so einem Gestell fest?

Na, damit er mich führen kann, sagt der Kollege.

Ist ja interessant, sagt der andere, und seit wann hast du deinen
tollen Hund?

Lass mich mal überlegen, sagt sein Kollege und sieht auf die
Uhr, so mindestens seit drei Minuten sicher.

Interessant, sagt der andere, aber so ein Spezialhund, der ist
doch sicher ziemlich teuer, oder?

Katze im Sack

Kassel-Wilhelmshöhe stand groß vor seinen Augen, als er aufwachte. Es war 16:42 Uhr, und er war, wie meistens, auf dem Weg nach Berlin. In den Wäldern hausten die Gebrüder Grimm, und wenn der Hahn am ersten Weihnachtstag dreimal krähte, fand man in einem der zahllosen Tunnels auf der Strecke einen Cop, der sich aufgehängt hatte; mit einer Rotkäppchenmaske über dem Kopf und einem Geheimnis, das er mit in den Tod nahm.

Der Bahnhof war eigentlich nichts weiter als eine Röhre, ein Anti-Bahnhof, aber er entdeckte Kunst auf dem Bahnsteig. Eine hohe Metallskulptur, die möglicherweise einen laufenden Menschen darstellen sollte, brannte in der Sonne. Sie befand sich am äußersten Ende des Bahnsteigs und hatte kein Publikum. Dann sah er das Schild an der Seite, auf dem *Mensch/ICE* stand. Verwirrende Kombination als Erklärung zur Skulptur – war der ICE, der für ihn ein Hai war, für andere Menschen vielleicht eine Art Mensch? Weil er voller Menschen war? Sozusagen eine Art Massemenschmaschine? Sicher viel zu kompliziert gedacht. War angeblich typisch für ihn. Jaquelineslang: Wenn du nur wieder rumkomplizieren kannst – rumtun, rummachen, rumsacken, rumfragen. Als er sich fragte, ob es für eine Zigarette immer noch reichen würde, fielen ihm die kleine Amelie und ihre Mutter ein. Er kippte zur Seite und spähte den Gang runter. Nichts zu sehen. Sie stand diesmal am anderen Ende des Waggons draußen und rauchte und erzählte dem nächsten Idioten irgendeinen Unsinn. Sollte er aufstehen und etwas spazieren gehen? Sein Freund, der Hai, mischte sich ein und zuckte. Eine Warnung, die man nie unterschätzen sollte.

Was ihn verblüffte, waren die scharfen Metallkanten an diesem Kunstwerk/ICE. Sie befanden sich in einer Höhe von etwa zwei Metern. Relativ ungefährlich. Nach menschlichem Ermessen. Aber wenn jemand auf die Idee kam, ein Kind hochzuheben, um ihm die Kunst besser vor Augen zu führen, und dann die Balance verlor, weil das Kind zappelte und anfassen wollte, konnte es gefährlich werden.

Das Problem war, dass Menschen auf Ideen kamen, die sich kein Mensch vorstellen konnte. Und wenn man bemerkte, dass sie Irres veranstalteten, und zögerte, weil man schockiert oder voller Bewunderung die Sache zuerst kapieren musste, hatten sie die Katze schon im Sack und den Sack zugemacht und ihn über die Brücke in den Fluss geworfen.

»Ich glaube eine Neigung zu beobachten, jeden Vorgang sozusagen grundsätzlich negativ zu sehen oder zu interpretieren, bis zum Beweis des Gegenteils, ist das berufsbedingt?«, hatte Dr. Vehring gefragt.

»Würde passen, sicher.«

»Oder hatten Sie diese Tendenz schon früher, können Sie das erinnern?«

»Kann sein, ich weiß es nicht.«

»Kann es sein, dass sich das verstärkt hat? Vielleicht sogar so stark verstärkt, potenziert sozusagen, dass Sie es als Problem wahrnehmen?«

»Kann sein, ja, kommt mir so vor. Ich gerate ständig in Situationen, in denen ich den Eindruck habe, es läuft irgendwas schief, es passiert gleich was, es könnte sich wiederholen.«

»Wie sieht so eine Situation genau aus? Was war der Auslöser, als es Ihnen zuletzt passierte?«

»Irgendein Typ auf der Straße greift in seinen Rucksack, den er in der Hand hält, also am Griff. Er kommt mir entgegen und hält seinen Rucksack wie eine Tasche in der Hand. Ich frage mich, wieso trägt der seinen bescheuerten Rucksack in der Hand und nicht auf'm Rücken? Dann greift er mit der anderen Hand in den Rucksack. Wenn er was sucht, dann ist es doch normal, dass du stehen bleibst, in den Rucksack schaust, darin herumwühlst, aber man bleibt stehen. Aber der geht weiter, schaut nach vorn, während er mit der anderen Hand was aus dem Rucksack holen will, schaut mich an, und in dem Moment bin ich mir hundert Prozent sicher, dass der eine Knarre aus seinem Rucksack holt und mich angreifen wird.«

»Aber warum sollte er das tun?«

»Woher soll ich das denn wissen? Weil er ein Psychopath ist, was weiß ich, das ist doch völlig egal.«

»Was dachten Sie in dem Moment, warum der Mann Sie mit einer Waffe angreifen könnte?«

»Ich weiß nicht genau.«

»Es muss nicht genau sein, würden Sie es bitte versuchen?«

»Ich glaube, ich dachte plötzlich, dass er ein Verwandter von Maarouf sein könnte.«

»Der sich an Ihnen rächen will? Kennen die denn Ihren Namen, Adresse, Foto?«

»Natürlich nicht, Sie gefallen mir. Ausgeschlossen.«

»Ausgeschlossen also.«

»Herrgott, nein. Es ist überhaupt nicht ausgeschlossen – es ist ziemlich gut möglich.«

Er ging nach hinten zum Bordrestaurant. Schlendern gegen die Fahrtrichtung, vor sich hin träumen bei hohem Tempo. Fühlte sich wie immer besser an, als in einer Blechkiste zu stecken und von anderen Blechkisten umzingelt zu sein und angegriffen zu werden. Er konnte auf dem Weg die Rockermutti mit ihrer Amelie, die dem Vater ans Bein gebunden werden sollte, nicht entdecken. Sie hatte, wie vermutet, Märchen erzählt. Sein Instinkt arbeitete immer noch ausreichend gut, besser als er dachte, auf seinen Instinkt musste er setzen – du bist mein Hirte, seitdem der andere Hirte desertierte. Aber sein Instinkt lag falsch, als er ihm sagte, der Speisewagen wäre ziemlich leer. Das Bordrestaurant war voll.

Er musste sich an einen kleinen Tisch klemmen, zu einem alten Mann, der auf einen Teller Kartoffelsuppe starrte. Mit seinem schwarzen Anzug und dem weißen Hemd, das bis zum obersten Knopf geschlossen war, sah er aus wie ein Prediger, der seine Suppe erst aß, wenn er ihr die nötigen Gebete gewidmet hatte. Manche beteten Holzfiguren an, um ihrem Gott näher zu kommen, warum sollten andere nicht glauben, dass er in ihrer Suppe schwamm?

Fallner setzte sich und wünschte ihm leise einen guten Appetit. Er hob den Kopf und sah ihn an, wie man etwas ansieht, das von einem anderen Stern kommt, um die Ordnung auf den Kopf zu stellen, und er gab ihm den guten Rat, sich von ihm nicht stören zu lassen. Wurde nicht angenommen.

»Man bestellt sich etwas, das einem auf der Karte gefallen hat, und wenn es dann da ist, will man es nicht mehr«, sagte der alte Mann.

Fallner wusste nicht, ob er ihn ernst nehmen sollte, und fragte, ob er sich die Farbe anders vorgestellt hätte.

»Ich kann es Ihnen nicht sagen. Es ist zweifellos eine Kartoffelsuppe, die die Farbe einer Kartoffelsuppe aufweist. Dass sie nicht wie von meiner Mutter mit den eigenen Händen zubereitet wird, ist mir durchaus bekannt. Ich kann es Ihnen nicht sagen. Ich bin im Grunde kein komplizierter Nahrungsmensch, falls Sie das vermuten.«

Fallner vermutete, dass er selbst mit dem Alter immer komplizierter werden würde und dass der alte Mann vielleicht kein komplizierter Nahrungsmensch, aber ein komplizierter alter Mann war. Erschien ihm logisch, dass man mit dem Alter immer komplizierter wurde. Sein Vater war inzwischen jedoch unkompliziert, er saß fast den ganzen Tag in seinem Sessel und ließ sich vom Fernseher Ratschläge geben oder beobachtete Tiere, die er nicht kannte.

»Wenn sie kalt ist, schmeckt sie nicht besser, das ist sicher«, sagte er. Automatisch in einem Kindertonfall, der ihm sofort leid tat. Ein Mann, der Nahrungsmensch sagte, ein Wort, das ihm neu war, vielleicht sogar seine Erfindung, hatte möglicherweise nicht mehr alle Tassen im Schrank, musste deswegen aber kein Blödmann sein.

»Da muss ich Ihnen recht geben, aber das Bessere interessiert mich in diesem Falle nicht, die Verbesserung von etwas, das Ihnen nicht zusagt ist – wenn Sie wissen, was ich meine, junger Mann.«

»Sie könnten diese Industriekartoffelsuppe mir überlassen und sich was anderes bestellen, was halten Sie davon? Damit wäre uns beiden geholfen.«

Er schien sich die Sache zu überlegen. Oder die Worte zuerst in seine eigene Sprache zu übersetzen. Fallner sah sich die Karte an, er wollte ihn nicht bedrängen.

»Ja«, sagte der Prediger dann, »Sie müssen wissen, praktische Menschen machen mich misstrauisch. Da komme ich nicht dagegen an. Das Produkt langer Erfahrung.« Zugleich schob er ihm den Teller vorsichtig rüber. »Der Praktiker denkt über seinen passenden Handgriff nie hinaus. Aber bezahlen müssen Sie selbst.«

»War nicht meine Absicht, also dass Sie das bezahlen sollten. Meine Tricks sind meistens nicht ganz so billig, wenn Sie wissen, was ich meine.« Er fragte sich, was es in seinem Fall bedeuten würde, ein Praktiker zu sein. Im Fenster vereinzelt geräumige

Häuser in grünen Flächen, Anwesen, Gutshöfe und Pferde in Koppeln. Während sich dieser pensionierte Universalgelehrte über ihn lustig machte.

»Eine spontane Eingebung muss nichts mit dieser praktischen Orientierung zu tun haben, die Ihnen auf den Sack geht«, sagte Fallner, »das ist nichts anderes, als einer Frau zu helfen, die mit drei Koffern und einem Kinderwagen in einen Zug zu steigen versucht, da geht meine Hand zum Griff, ohne dass ich drüber nachdenken würde, sozusagen außerhalb meiner Kontrolle. Sind übrigens meine Lieblingszugfahrerinnen, Frauen mit drei Kleinkindern und vier schweren Koffern oder so ähnlich, sensationell, und nicht so selten. Falls Sie Psychoanalytiker sind, würde ich Sie fragen, wie Sie das einschätzen.«

Der alte Mann lächelte und sah schweigend aus dem Fenster, ließ Fallner in Ruhe seine Suppe essen. Er hatte sie schnell ausgelöffelt, vor allem, weil er keine Lust mehr auf den Anblick hatte. Außerdem riet ihm seine Betreuerin, sich gesund zu ernähren, das solle er nicht unterschätzen, auch wenn seine Körperwerte in Ordnung seien. Der Nahrungsmensch und seine Körperwerte, sie waren sicher gute Freunde.

Zwei Tische weiter erhob sich alle paar Sekunden krachendes Gelächter, da waren vier Männer bei der Arbeit, einen unvergesslichen Ausflug aufzubauen, und ein paar Biere waren immer gut, um kleine Witze zu vergrößern. Der alte Mann zuckte bei jeder Salve, die in seinem Rücken abgegeben wurde, mit den Augenbrauen und kniff dann die Augen zusammen.

»Die sind harmlos«, sagte Fallner, »ich hab sie im Auge, machen Sie sich keine Sorgen. Übrigens halte ich den Zug trotzdem für das einzig sinnvolle Fortbewegungsmittel, oder säßen Sie jetzt lieber in einem Flugzeug? Oder in einem Auto? Vermissen Sie Ihren Rolls-Royce? Dann könnte ich das verstehen.«

»Vier Männer, die Bier trinken und sich vor Lachen kaum halten können, wenn nur einer von ihnen sagt, dass er noch ein Bier trinken werde, wenn er sein Bier ausgetrunken haben wird, sind nicht harmlos, das kann ich Ihnen versichern. Das kann sich von einer Sekunde zur nächsten ändern. Behalten Sie sie lieber nicht im Auge, es könnte sein, dass ihnen das nicht gefällt, wenn sie einer bei ihrem Bier im Auge hat.«

Um ihn zu beruhigen, sagte er, er wüsste, was er meinte, aber er würde doch ein wenig übertreiben.

»Sie wissen nicht, was ich meine. Das können Sie nicht wissen. Sie wissen nichts, wenn Sie erlauben. Sie können das nicht … weil Sie nichts, soweit ich, also.«

Ein Trauma, ein Zustand, den Fallner verstehen konnte. Er hatte schon viele Diskussionen mit betrunkenen Männern geführt, die ihm die deutschen Gesetze bis in die abgelegensten Paragraphen auseinandergesetzt hatten, und dabei auf ihre geballten Fäuste geachtet. Betrunkene waren gefährliche Gegner, weil sie völlig planlos agierten. Sie waren im einen Moment am Boden zerstört und flehten einen um Hilfe an und schlugen im nächsten Moment zu. Er trat sie am liebsten in die Eier – einer aus der Männergruppe hatte bemerkt, dass er sie beobachtete – und stellte ihnen den Schuh in den Nacken, wenn sie behaupteten, sie würden ihre Rechte kennen. Die miesesten Säcke kamen am schnellsten mit dem Hinweis auf ihre Rechte, die Verfassung, die Demokratie und die Unbescholtenheit ihrer Mutter. Aber die ärmsten Schweine, die kaum was getan hatten, wussten oft nicht, dass sie tatsächlich einige Rechte hatten.

»Ich weiß genau, was Sie meinen, glauben Sie mir, ich bin Polizist, ich kenne den ganzen Scheiß, wenn Sie mir den Ausdruck erlauben, er ist angemessen, wenn Sie mich fragen, mehr als angemessen, er ist sogar schwach für das, wovon wir hier sprechen.«

Es sah nicht so aus, als würde es dem alten Mann deswegen besser gehen. Er schüttelte den Kopf – was er damit kommentierte, war jedoch nicht klar, und auf Fallners Frage, was er denn erlebt hätte, antwortete er nicht.

»Aber ich bin nicht im Dienst, ich bin suspendiert, weil ich jemanden erschossen habe, und jetzt wird die Sache untersucht, ob ich in Notwehr oder fahrlässig gehandelt habe, das zieht sich seit Wochen hin, keine schöne Sache, verstehen Sie?«

Als wollten sie sich einmischen, standen jetzt zwei Männer neben ihrem Tisch. Der alte Mann sah zu ihnen auf, von welchem Stern kamen diese Gestalten? Langsam wurde ihm alles zu viel. Der eine fragte, ob er etwas bringen könne, der andere fragte Fallner, ob er ein Problem habe, weil er dauernd zu ihnen rüberglotze. Die beiden kamen sich in die Quere, jeder wollte sein Anliegen in Ruhe vorbringen und fühlte sich vom anderen gestört.

»Bringen Sie uns zwei Kaffee«, sagte Fallner zum Kellner, »und begleiten Sie diesen Herrn an seinen Tisch zurück, dann haben wir eine Menge Probleme weniger, ehe es ein echtes Problem gibt. Mein Vater hier hat einen Schwächeanfall, lassen Sie uns einfach in Ruhe, es geht gleich wieder.«

Die beiden waren so perplex, dass sie einfach nur davonwackelten, und der alte Mann sah ihn an, als würde er von weit weg alles beobachten.

»Ich habe viele Menschen getötet«, sagte er, so leise, als würde er nur zu sich selbst sprechen, und so ernsthaft, dass Fallner an seiner Aussage nicht zweifelte. Er war alt, aber wohl kaum so alt, dass er das im letzten Weltkrieg getan haben konnte, obwohl, ausgeschlossen war es nicht.

»In welcher Eigenschaft? Waren Sie Soldat?«

»Das darf ich Ihnen nicht sagen.«

Er fragte, was dann passieren könnte, und bekam dieselbe Antwort, und er sagte, er könnte ihm bei allem Respekt nicht glauben und sei sich absolut sicher, dass er in seinem Leben noch nicht einmal einem Hund einen Tritt gegeben habe. Sagte er, obwohl er ihm glaubte und sich fragte, warum er ihm glaubte. Sein Instinkt hatte alle roten Lampen eingeschaltet.

»Sie werden mir gleich ein Märchen erzählen, stimmt's? Nur zu, ich bitte darum.«

»Ich habe nichts gesagt. Gott stehe Ihnen bei, junger Mann. Das ist alles, was ich gesagt habe.«

Er stand auf, stützte sich auf einen Stock, den er zwischen den Beinen gehabt hatte, und der aussah wie einer, in dessen Griff ein Dolch installiert war. Er machte kleine Schritte. Als er am Tisch der vier lustigen Biermänner vorbeikam, klappte er die Hand raus und stieß ein Glas um und tippelte weiter, als würde er es nicht bemerken. Nicht schlecht. Fallner hatte recht gehabt, die Typen waren zu anständig, um einen alten Mann deswegen in den Arsch zu treten, ihr Protest machte nicht viel her. Erinnerung an einen Film, in dem der gesuchte Berufskiller ein scheinbar gebrechlicher alter Mann war. Wenn es jemandem dämmerte, dass man nicht viel Kraft benötigte, um ein scharfes Messer in Fleisch zu befördern, war es zu spät. Erinnerung an eine Dunkelziffer, die davon handelte, dass eine erhebliche Anzahl von Morden nicht als solche erfasst wurden, weil sie perfekt waren und als natürliche Todesursache angesehen wurden. Eine Dunkelziffer, die selten durch Zufall sichtbar wurde und zum Wissen führte, dass man nicht viel darüber wusste.

Erinnerung an das Märchen, dass Killer wie Killer aussahen, Cops wie Bullen und Idioten wie Vollidioten.

Er wünschte sich, die Daten dieses alten Killers eingeben zu können. Vielleicht hatte er einen falschen Pass. Vielleicht hatte er geglaubt, jetzt fällig zu sein, den Endpunkt erreicht zu haben, dem niemand entgehen konnte und an dem jede Finte keinen Sinn mehr hatte. Vielleicht war Fallner nur knapp davongekommen.

Gipfel der Paranoia: die Suppe!

Sein Bauch würde explodieren und kreischende Vögel aus seinen schwarzen Augenhöhlen entflattern, und während ihm jemand sein Jackett unter den Kopf klemmte, würde er aus der Offenbarung des Johannes deklamieren.

Der Kellner fragte ihn, ob er alles bezahlen würde. Noch eine Angelegenheit, die man ihn allein bezahlen ließ. Abgerechnet wird zum Schluss, sagte aus der Vergangenheit eine Stimme, die er nicht zuordnen konnte. Sie hatte keinen guten Klang.

Und wer bezahlte all die Rechnungen, wenn er nicht bezahlen wollte?

Der Zug hielt in Hannover, und die Pendler nach Hamburg stürzten sich auf den Hai. Fallner beobachtete den Bahnsteig und entdeckte die Braut mit den grünen Stiefeln, die seinen Schwanz geweckt hatte. Sie war allein, hatte ihre Amelie wieder einmal im Zug vergessen, war jedoch in Begleitung eines älteren Paars – Eltern, die ihre Tochter abholten, und dann drehte sie den Kopf und sah ihn an und streckte ihm die Zunge raus. Als hätte er sie gezwungen, ihm etwas vorzumachen, und jetzt war er schuld, dass sie aufgeflogen war. Eindeutig Psycho – er würde sie dennoch in guter Erinnerung behalten.

Ein paar Schritte hinter ihr der alte Killer mit seinem Stock. Hatte kein Stück Gepäck dabei. Ging steif wie von einer Schnur gezogen und machte ein Gesicht, als hätte er die Welt gerettet, ohne einen Dank dafür zu bekommen. Was typisch für diese Serie von Mensch war. Wenn sie nicht den Mut hatten zu töten, dann verklagten sie ihre Nachbarn und dokumentierten in Ordnern jedes ausländische Staubkorn, das in ihrem Garten Asyl suchte.

Es war unwahrscheinlich, dass damit alle Psychopathen den Zug verlassen hatten.

Von weitem die Gesänge von Fußballfans.

Er schloss die Augen und erinnerte sich an Teile des letzten Traums. Projektile, die in Zeitlupe flogen. Sie sahen aus wie Zeppeline, und er konnte Schattierungen auf der schimmernden Oberfläche erkennen. Sie schwebten vor den riesigen Augen des Jungen vorbei, zwischen ihm und dem Jungen hindurch, der ihn über den Rand des vorbeiziehenden Projektils ansah – nicht unfreundlich, sondern fasziniert, denn die extrem verlangsamte Geschwindigkeit ließ alles völlig anders erscheinen, als würde das Projektil wie ein Raumschiff jeden Moment anhalten und er könnte sich draufsetzen. Als hätte er das Vertrauen, dass es sich nur um eine Unterhaltungsshow handelte.

Selbst im Traum hatte er sich gefragt, wie das gehen sollte, dass die Geschosse, die er abgefeuert hatte, zwischen ihnen durchflogen. Falls es nicht bedeutete, dass sie von einer anderen Person abgefeuert worden waren, um eine Linie zwischen ihnen zu ziehen.

»Ein Nachbar hatte gemeldet, einen Schuss gehört zu haben. Nach heftigem Streit. Wie es der blöde Zufall will, wir waren in der Nähe. Und wir waren zu blöd, um zu sagen, das soll mal eine Streife übernehmen. Aber ein Notfall, was willst du machen? Und als wir ankamen, wussten wir schon, warum uns die Adresse bekannt vorkam.«

Einige Glockenschläge nach Mitternacht im Bordbistro, das den Laden runtergelassen hatte. An einem Tisch noch drei weggetretene Fußballfans, die dem Lallen ihres vierten Mannes kaum noch folgen konnten. Der vierte Mann, der noch tapfer mit seiner Bierdose knackte, war unglaublich groß und dick, und sein Lallvortrag hatte einen wissenschaftlichen Tonfall. Er schien das Spiel unter Berücksichtigung der Vereinshistorie zu analysieren. Wenn es nicht anders ging, als eine Weile in einem nervtötenden Fußballzug zu fahren, klemmte sich Fallner seine Makarow in den Rücken.

Der Mann, der mit ihm am Tisch saß, war etwa fünfzig und sah seriös aus. Heller Anzug, blaue Krawatte, Aktentasche, sehr kurze Haare. Konnte man festhalten: Er war genau der Typ, der so gut wie nie in tiefster Nacht im geschlossenen Bistro saß. Der Grund, im Bistro zu sitzen, ohne bestellen zu können, war, dass man für Gesellschaft bereit war.

»Unser Mann am Funk meldete es ebenfalls: Da wohnt ein Achtzehnjähriger, den wir seit vier Jahren mit massiven Gewaltdelikten in der Bank haben, in Deutschland geboren, Eltern Libanesen. Warnt uns mehrmals, der Knabe ist höchstwahrscheinlich bewaffnet, achten Sie auf Ihre Eigensicherung! Verstärkung unterwegs, sehr schön – Mann, auf was willst du in so einem Fall denn warten? Wissen Sie, wie lange ich schon auf eine Verstärkung gewartet habe, die in garantiert einer Minute ankommen sollte? Ich will Ihnen keine Angst machen, was alles schiefgehen kann, wenn's drauf ankommt.«

Fallner hatte den Eindruck, dass er sich auf eine geschäftliche Besprechung vorbereitete, die ihm nicht gefiel. Aber er schien ihm zuzuhören, hielt immer wieder Augenkontakt, nickte.

»Die Mutter lässt uns rein, macht auf, und ist überrascht, was ist denn los? Sehr interessant, dachten wir, die Dame fällt aus allen Wolken, die sieht ja nicht so aus, als wäre hier irgendwas passiert. Aus der Wohnung jedoch heftiger Wortwechsel. Dunkler Gang, am Ende helles Viereck. Sieht nie gut aus. Wir dürfen mal nachsehen, sehr nett. In der Küche sitzen Vater, Sohn und seine Freundin am Tisch, und außerdem stehen da acht bis zehn jüngere Männer herum. Heftige Atmosphäre, ich bin seit zwanzig Jahren dabei, da kannst du Gefahr spüren, bevor was passiert. Das hat nichts mit der Anzahl der Leute zu tun.«

Er wartete ab, um dem Mann die Gelegenheit zu einer Frage zu geben, aber er nickte nur, als wüsste er aus Erfahrung, wovon er sprach. In Fallners Rücken die gewählte Rede des betrunkenen Fußballwissenschaftlers.

»Ich erkläre der Versammlung also kurz, warum wir gerufen wurden. Paar Sekunden Stille, dann brüllen die alle los. Und haben nur mich im Visier. Mein Partner: irgendwo hinter mir, bohrt in der Nase. Der Junge, den wir im Auge haben, ist auch sofort ganz vorn dabei, beschimpft mich, Scheißbulle, brüllt rum, will den Namen des Nachbarn, dem haut er aufs Maul.«

Was erzählste denn da für einen totalen Scheiß eigentlich, sagte Maarouf zu Fallner.

Muss sein, sagte er, hilft manchmal meiner Erinnerung.

»Jemand stößt mich von hinten, ich kann spüren, dass da eine Hand an meiner Dienstwaffe ist, verstehen Sie? Also ziehe ich die Waffe – und sehe in dem Moment, dass dieser Scheißtyp tatsächlich eine Pistole in der Hand hat. Totales Chaos und Lärm um uns herum, keine Ahnung, wer in dem Moment was getan hat. Dann schießt der Arsch, und dann habe ich geschossen. Natürlich gezielt. Hätten Sie zuerst in die Decke geschossen? Mir ist schon einiges passiert, aber so ein unglaublicher Scheiß, nein. Das Ding ist, dass keiner versteht, was das sollte, wieso ist der ausgeklinkt, vollkommen sinnlos. Falls es nicht Informationen gibt, die wir nicht haben. Was vorkommen kann, ist: Einer hat eine Kanone in der Tasche, dann entsteht ein Tumult, seine Nerven spielen verrückt, und das Ding entwickelt so eine Eigendynamik, verstehen Sie? Ist unnötig, aber man benutzt sie, weil man sozusagen nicht widerstehen kann. Absurd. Ich habe mir nichts vorzuwerfen, aber es ist eine ekelhafte Geschichte. Irgendwas bleibt immer an dir hängen. Ich habe immer noch den Geruch in dieser Küche in der Nase, wissen Sie, was ich meine?«

»Ja«, sagte der Mann, das erste Wort, das er zu ihm sagte, »ich weiß genau, was Sie meinen.«

Ich lach mich tot, sagte Maarouf.

»Das freut mich. Das tut gut. Ich kann Ihnen sagen, es gibt gewisse Probleme, von denen du nichts geahnt hast, und – wissen Sie was, ich besorge uns mal noch ein Bier.«

Er stand auf und hielt dem Sprechmeister der Fans einen Fünfer hin: »Verkaufst du mir zwei Dosen?«

Der Berg starrte einige Sekunden auf den Mann, den Schein und seine Dosen auf dem Tisch: »Aber klar, Mann. Aber sag mal, kannst du ein Spiel, du weißt schon, kannst du das lesen, also das Spiel, so lesen?«

»Nein«, sagte er, »tut mir leid.«

Als er sich umdrehte, war der Mann, der ihn so gut verstanden hatte, verschwunden. Er hatte ihn fragen wollen, warum er ihn so gut verstanden hatte.

»Von welchem Spiel kommt ihr denn? Wisst ihr, was euer Glück ist? Ihr seid keine Hools.«

Eine einfache Botschaft, die nicht verstanden wurde.

O Haupt voll

Es war der größte Bahnhof, den er je betreten hatte, und die Bezeichnung Bahnhof schien viel zu alt für diese Einrichtung zu sein, die an der Oberfläche so sauber wirkte wie eine neu erbaute Behörde ohne Publikumsverkehr, deren Architekt alles getan hatte, um einen Preis auf europäischer Ebene zu erringen.

Er fuhr nach oben, durch eine Science-Fiction-Kulisse oder ein Supershoppingcenter mit kathedralen Aspekten. Es roch nicht nach Bahnhof, und dann wusste er, was hier außerdem nicht stimmte, alles war nicht nur verdächtig sauber, sondern sogar menschlich leergefegt. Ein großer Bahnhof, der größte der großen, der Hauptbahnhof der Hauptstadt, sah um 22:15 Uhr so aus, als stünde die Räumung des Gebäudes kurz vor Ende der erfolgreichen Durchführung. Die hatten ja Vorstellungen. Er blieb immer wieder stehen und sah sich um. Da und dort eine Gestalt, die von da nach dort ging, aber er entdeckte niemanden, der wie er nur so dastand und den Verkehr beobachtete, er entdeckte keine Gruppe oder Bande oder Paare, die auf bessere Zeiten warteten oder etwas, das gedreht werden konnte. Kein Wachturm, kein Stricher, kein Betrunkener, der gegen die Angst vor dem letzten Zug kämpfte. Nichts los in Restaurants und vor Fast-Food-Läden. Er hatte zumindest die Startrampe des sensationellen Nachtlebens erwartet. Aber keinen Frieden, der einem bedrohlich vorkam.

Was willste denn hier in diesem Kackschloss, sagte der Junge, so 'ne Art 9/11-Remake veranstalten? Falsche Zeit, Punkt eins, und Punkt zwei kommste mit deiner Makarow-Panzerfaust nicht weit, du Penner.

Sie standen am Geländer über dem Haupteingang. Entdeckung: Er war nicht versperrt, keine Räumung. Fallner überlegte, sofort in den nächsten Zug zu steigen. Überraschung: Er war unsicher.

Wo ist denn jetzt dein toller Freund, bei dem du dich endlich richtig ausheulen willst, lachte ihn der Junge aus, nicht so komplett beschränkt ist der nämlich, weil er seine Zeit nicht mit einer Null wie dir verschwenden will, falls dir das schon aufgefallen ist.

Fallner ging nicht auf ihn ein. Er hatte sich bei seinem alten Freund nicht angekündigt. Wollte auf den glücklichen Moment setzen. Hatte sich seit Wochen mehrmals angekündigt und wieder abgesagt und sich entschlossen, ihn erst anzurufen, wenn er tatsächlich aus dem Zug gestiegen war und, wie jetzt, genau hier stand.

Weil du nämlich nicht weißt, ob dein Killerbullenfreund noch dein Freund ist, nörgelte ihn der Junge an, oder ob der sagt, wie die meisten Menschen, die was mit dir am Start haben, der Penner soll sich aber mal schön allein auf die Nerven gehen.

Hau endlich ab, sagte Fallner, du hast doch keine Ahnung. Telling hatte ihn seit dem Unfall fortlaufend aufgefordert, sich bei ihm ein paar Tage zu erholen, und er bestand darauf, dass Fallner keinen Grund hätte, sich wegen der Sache »auch nur ein graues Haar« wachsen zu lassen, ja, er solle ihm vertrauen, basta, verdammt. Der Mann ist etwas, wovon ihr Dealer keine Ahnung habt, nämlich ein echter Freund, sagte er. Und drückte seine Nummer. Mit dem Gefühl, dass der richtige Zeitpunkt erreicht war.

»Mann Gottes«, sagte sein Freund am Telefon, »warum hast du denn nichts gesagt, Mann, wieso hast du nicht angerufen, dass du kommst, heute geht überhaupt nichts, nichts zu machen, es tut mir leid, Alter, wir sehen uns morgen, wie geht's dir denn jetzt, bist du wieder im Sattel?«

Ohne dass Fallner gefragt hätte, nannte er ihm eine Pension, die nur fünfzehn Minuten zu Fuß entfernt war und eigentlich immer was frei hätte und schickte ihm eine Minute später die Telefonnummer. Die Freundlichkeit in Person wie gewohnt. Wenn sie kein Zimmer frei hatten, würde er ihn nicht weiter belästigen. Zum Glück stimmte es, und eine Frauenstimme mit Ostakzent sagte, sie hätten was frei und auch nach Mitternacht sei die Rezeption durchgehend besetzt. Eine Pension, die die ganze Nacht geöffnet hatte – langsam spürte er das berühmte Berlinfeeling näher kommen. Das musste es sein, es machte sich bereit, ihn zu erobern, und er kaufte sich im Konsumtempel eine Flasche Whisky und eine Tüte Chips. Wollte sich nicht darauf verlassen, dass die Pension auch das im Angebot hatte. Wollte sich auf nichts verlassen – und kämpfte gegen den Drang, im Bahnhof zu bleiben und den nächsten Zug nach irgendwo zu nehmen. Oder einfach in der Lounge zu warten, die für einen Top-Passagier wie ihn Tag und Nacht zur Verfügung stand (falls sie nicht, wie es oft vorkam, in dieser Nacht geschlossen war) und aus der man auch nicht entfernt wurde, wenn man, ohne wie ein Betrunkener zu wirken, einschlief. Man hatte einigen Kredit bei der Bahn, wenn man sich eine Karte für viertausend gekauft hatte.

Meine Berliner Brüder haben da ein kleines Auge auf deine Pension, sagte Maarouf, die kitzeln dich mit glänzendem Stahl, wenn du dann ins Land der Träume wanderst auf der Suche nach klarem Wasser, frischer Luft und ein bisschen Frieden.

Freut mich zu hören, war seine Antwort, der Haken ist jedoch, falls ein Toter geneigt ist, mir zuzuhören, dass du, Punkt eins, keine Eier mehr hast, und, Punkt zwei, hättest du sowieso nie die Eier dafür gehabt. Deine Zeit mit mir ist abgelaufen, geh jetzt nach Hause zu deiner ehrbaren Familie, zu deiner edlen Mutti, die die Größe hat, selbst über einen Sohn wie dich zu sagen: Er's doch so'n guter Junge! Wir sind fertig, ich wünsch dir was. Fallner war stolz auf sich, er hatte den Berliner Aufwind angenommen.

»Tatütata«, sagte jemand hinter ihm.

Hatte er vor sich hin geredet, ohne es zu bemerken?

Dünner Mann, hellbrauner Anzug, hässliche Aktentasche, einssiebzig. Ein flinker Vorbeigeher, schneller Untertaucher. Hatte es so beiläufig gesagt, als sollte er sich fragen, ob er's geträumt hatte. Kannte die Tricks, wie man sich im öffentlichen Raum unsichtbar machte. Drehte sich um, linste zurück.

Sehen Sie auf Ihre Uhr, konzentrieren Sie sich ganz und nur auf Ihre Uhr, sagte seine Therapeutin, Sie dürfen sich nicht von Worten provozieren lassen, das ist nicht angemessen, das müssen Sie endlich lernen, so können Sie nicht länger durchs Leben gehen.

Um diese Uhrzeit schlich dieser Arsch in diesem halbverlassenen Tempel des Schienenverkehrs herum, suchte nach Opfern, denen er ein paar stinkende Worte hinwerfen konnte, und erzählte dann seiner Tante zu Hause, er habe Überstunden gemacht. Der sollte bloß seine verdammte Klappe halten. Sollte sich freuen, dass er ein Bulle war, der die Ruhe selbst war.

Auf nichts anderes konzentrieren, sagte seine Therapeutin, vertrauen Sie mir, und das tat er, denn es war besser, auf den Sekundenzeiger seiner Uhr zu starren, als seinen Zeigefinger in die Nase von diesem verkniffenen Trottel zu stecken, um aus ihm herauszuholen, ob er ihn mit seinem Tatütata gemeint habe und was er damit sagen wollte. Man kannte diese Typen von gut besuchten Tatorten, die nicht vollständig oder nicht schnell genug abgeschirmt werden konnten … Wenn ich vielleicht auf etwas hinweisen dürfte … Auf die Tour fingen sie immer an, sie waren die Pest. Die Typen, die neben einem Desaster standen und Ratschläge verteilten und, falls es nötig war, nicht auf die Idee kamen, auch nur den geringsten Handgriff zu unternehmen … Wenn ich etwas melden dürfte … Immer mit leiser Stimme so nebenbei und immer vollkommen unwichtig. Man wurde schon wahnsinnig, wenn man's nur hörte.

Er dankte seinem Doc. Sie hatte bodenständige Vorschläge für den Notfall, so was wie der Blick auf die Uhr, um im Chaos Halt zu finden und sich wieder zu beruhigen. Wäre wohl besser, wenn er die nächsten Monate damit verbringen würde, auf seine Armbanduhr zu starren.

Er sah dem Idioten zu, wie er sich von der Rolltreppe nach unten fahren ließ und dann langsam zum Hauptausgang ging, wobei er ständig in alle Richtungen spechtete. Auf der Suche nach einem betrunkenen Schläfer, dem er in die Tasche fassen konnte. Immer wieder zu ihm zurückschaute. Weil er seinen Hass auf ihn spürte – genau das, was er erreichen wollte.

Fallner ging los und fuhr ihm nach, trat auf den Vorplatz, aber der Clown war verschwunden. Er ging geradeaus Richtung Promenade, hatte mehr Beleuchtung erwartet, mehr Menschen, mehr Verkehr, das Knattern von Motorbooten, das hektische Atmen der Weltpolitik, die in Sichtweite stationiert war, tanzende Teens und Twens aus aller Welt. Auch hier wirkte die Ruhe unpassend.

An der Straße drehte er sich um – der neue Hauptbahnhof sah jetzt wie eine Raumstation aus, eine diffuse Licht- und Fensterkonstruktion bei Nacht, sah aus wie irgendwas anderes, Weltkonzernniederlassung, Abschussrampe, eine Bank. Nicht wie ein Bahnhof. Ohne den Sound eines Bahnhofs. An den Seiten ein paar Autos, die etwas aufnahmen oder lieferten, ohne das ruhige Bild zu stören. Er machte sich auf den Weg, die Sache langsam zu umrunden. An den Hintereingängen sah die Welt anders aus, das wusste man schon, wenn man mit dem grünen Auto in der Hand Tatütata sagte. Am Hintereingang würde ihm endlich jemand besondere Weihnachtsgeschenke anbieten, Schneekristalle und so weiter.

Er überquerte den zentralen Vorplatz, der im Sonnenschein überfüllt sein mochte, jetzt aber so gut wie leer war. Ein paar Gestalten, die es eilig hatten. An der Gebäudeseite, an der er Richtung Hinter- und Nebeneingang ging, war nichts. Außer zu viel Dunkelheit und die Erkenntnis, dass der Bahnhof in eine Art Niemandsland reingeworfen worden war. Als er die Rückfront erreichte, glaubte er, am echten Eingang zu landen. Er sah mehrere Imbisswagen und Taxis – und dann, dass hier so viel los war wie am Grab seiner Mutter. Erklärungen: Es war der späte Abend eines Wochentags; dies war kein Remake des Bahnhofs Zoo; er hatte den ganzen Tag keine Nachrichten mitbekommen und deshalb verpasst, dass eine Ausgangssperre verhängt worden war.

O Haupt voll Blut und Wunden! Für diese müde Kulisse hatten die Hunderte von Millionen abgezogen.

Als er wieder das strahlende Weiß vor dem Haupteingang betrat, stand dort ein alter Mann mit langem Bart und einem Einkaufswagen voller Tüten und Decken, und da kapierte er, was der Rundgang ihm sagen wollte – dass Leute wie dieser Penner hier nichts zu suchen hatten. So war dieser Witz von einem Bahnhof platziert und gebaut worden und so wurde es durchgezogen – und der Penner wurde von zwei Kollegen in Zivil kontrolliert. Sie machten ihm klar, dass er sich woanders aufhalten sollte. Sie waren ziemlich freundlich, sie stießen ihm nur den Zeigefinger an die Brust und redeten mit Schärfe. Wenn das kein verblödeter Job war, hier Dienst zu schieben und alte Männer mit Einkaufswagen zu verscheuchen, damit ein Politiker oder Assistent oder Lobbyist, der einen kleinen Panzer in seinem Rollkoffer hatte, nicht vom Anblick eines alten Mannes mit Einkaufswagen in seiner gefühlten Sicherheit verletzt wurde. Hatte Fallner nicht daran gedacht. Denn er hatte davon gelesen, dass Politiker jetzt den neuen Bahnhof benutzten wie Durchschnittsmenschen, und damit sie das tun konnten, musste auf die Sauberhaltung mehr Wert als üblich gelegt werden.

Nach einer halben Minute fiel diesen Elite-Sauberhalterbullen tatsächlich auf, dass sie von einem Mann aus nur zehn Metern Entfernung streng beobachtet wurden. Der Penner hatte nach fünf Sekunden bemerkt, dass Fallner stehen blieb und zusah.

»Haben Sie ein Problem?«, sagte einer der Kommissare.

»Ein Problem? Ich habe mehr Probleme, als Sie zählen können, wenn Sie's genau wissen wollen«, sagte er.

Sie starrten ihn an wie das Ufo, das er war. Was bedeuteten die Worte, die er zu ihnen sagte? Ein Code? Von welchem Stern auch immer, es klang nicht so respektvoll, wie sie es gern hörten.

»Darf ich fragen, ob Sie ein Problem mit diesem Mann haben oder ob der Mann ein Problem mit Ihnen hat?«

Sie dachten darüber nach, dann fingen sie an, ihren Kunden aus den Augen zu verlieren. Man musste flexibel bleiben in dem Job. Sie machten sich bereit, sich um diesen irren Ufo-Mann zu kümmern. Er redete in Rätseln, sah aus wie jemand, der nur kurz die Uferpromenade verlassen hatte, um sich noch eine Wurst zu kaufen und ein Bier, um die Wurst zu ertränken, aber dafür hatte er zu viel Gepäck, das für einen Wurst-um-elf-Mann viel zu gut aussah – egal, entscheidend war, dass er sich bei der Frage, ob er ein Problem hätte, nicht sofort verkrümelte.

Bei all der wahnsinnigen Metropolenhektik an ihrem Megabahnhof waren sie auch ein wenig dankbar für jeden neuen Fall. Sie machten sich auf den Weg.

Fallner fragte sich fluchend, warum er ständig die Pistole vergaß, die im Fach am Boden seiner Reisetasche lag, und warum er sich ausgerechnet im Angesicht des Gesetzes benahm, als hätte er keine Pistole in der Tasche. Das war Dummheit. Er zog sofort die Notbremse: »War nur ein Witz, keine Sorge, Kollegen, ich bin nur ein Kollege auf der Durchreise, ich dachte nur grade, ihr seht aus, als könntet ihr etwas Abwechslung gebrauchen, aber ich wollte nicht stören, tut mir leid.«

Als seine Hand mit dem Dienstausweis aus dem Jackett kam, hatten sie beide ihre Waffen in der Hand. Mit einer Schnelligkeit, die er ihnen nicht zugetraut hätte. Nach der Schocksekunde streckte er ihnen seinen Ausweis entgegen und holte einmal tief Luft, um normal sprechen zu können.

»Keine Panik, Kollegen.«

Sein Vorschlag wurde von ihnen aufgegriffen: »Bleiben Sie ganz ruhig.«

Das war sein Plan. Er wusste, wann es Zeit war, ruhig zu sein, damit sie in Ruhe ihre Arbeit tun konnten. Es sah nicht so aus, als würden sie ihm das anrechnen. Das Problem war, dass sie Arschgeigen waren, die ihn für eine Arschgeige hielten. Derjenige, der die Überprüfung durchführte, ging beiseite. Der andere blieb in Bereitschaft. Der andere spielte mit seinem Telefon herum. Es dauerte ewig und es war anstrengend, keine dumme Bewegung zu machen, denn jede Bewegung war dümmer, als die Polizei erlaubte.

Er verstand nicht, was die Kontrollgeige in sein Telefon sagte. Was glaubte der – dass jemand einen Dienstausweis gefälscht hatte? Wer das konnte, würde sich mit seinen Fähigkeiten einen besseren Job besorgen. Er sollte ihnen einen Vortrag darüber halten, aber natürlich erst, nachdem sie Freunde geworden waren. Dann drehte sich der Telefonfachmann um, stapfte entschlossen auf ihn zu und hielt ihm sein Ding hin.

»Mal sehen, ob ich das alles richtig verstanden habe«, sagte er. Kurze Pause: »Härrr Kollege!« In der kurzen Pause stand dies: Du wärst besser in deiner eigenen Stadt geblieben, du Sackgesicht.

An ihrer Haltung änderte sich nichts, sie standen da, als würden sie sein Gepäck durchsuchen und ihn dann am Boden fixieren, weil sie etwas aufgespürt hatten.

Plötzlich Geschrei an der Uferpromenade drüben. Diese Metropolenpolizisten waren leicht abzulenken, drehten sich beide um. Sollten froh sein, dass er keiner von den Bösen war, die das ausgenutzt hätten.

Ein brüllender Mann kam in lockerem Laufschritt auf sie zu, eine Silhouette mit Hut und rudernden Armen.

»Hey, Kollegen!«, brüllte er.

»Wusste ich gar nicht, dass das euer Treffpunkt ist, wenn es Nacht wird in Berlin«, sagte Fallner.

»Halt du dein Maul«, sagte der, der sich fragte, ob er die Sache richtig verstanden hatte.

Dann kam er mit vorgehaltenem Dienstausweis in die volle Beleuchtung und erst jetzt erkannte Fallner seinen alten Freund. Er hatte nicht mit ihm gerechnet, und der komische Hut hatte ihn abgelenkt.

»Gab's da nicht einen Schlager, Oberinspektor Telling? Kurz nach dem Krieg, also nach dem zweiten? Wenn es Nacht wird in Berlin, ist es schöner als in Wien und so weiter?«

»Wer ist dieser Oberarsch?«, fragte der, der es aufgegeben hatte, die Sache richtig verstehen zu wollen.

»Mein Mann«, sagte Telling, »er gehört zu mir, danke, dass ihr auf ihn aufgepasst habt. Ich weiß, dass er ein schwieriger Typ ist, ich weiß es wirklich zu schätzen, Kollegen. Im Moment der wichtigste Beamte in unserer Stadt, sieht nicht so aus, ist aber Tatsache, einige Leute werden eine Menge Probleme bekommen, wenn er mir seine neuesten Abenteuer erzählt hat. Suspendiert im Moment, Quatsch, dienstunfähig, was jedoch für uns von Vorteil ist, weil er sonst wahrscheinlich nicht hier sein könnte.«

Die Kollegen sagten nichts. In der Hauptstadt war schlechte Stimmung und sie wurde permanent schlechter. Zu viele seltsame Geschichten, die man nicht verstehen konnte und von denen man den Eindruck hatte, sie könnten auf einen zurückschlagen, wenn man nicht aufpasste und den falschen Cop zusammenschlug.

»Wir kennen uns seit der Ausbildung, guter Mann, etwas zu impulsiv, aber wer von diesen Spezialclowns ist das nicht, wenn ihr wisst, was ich meine.«

Wussten sie, aber das machte es nicht besser.

»So, wir müssen, Bahnhof ist nicht gut für ihn, ist sogar ganz besonders schlecht, wir müssen sofort weg hier.« Telling zog seine Karte: »Wenn hier in der nächsten halben Stunde komische Gestalten durch die Gegend laufen, und damit meine ich nicht ihn« – er deutete auf den Penner mit dem Einkaufswagen –, »dann ruft mich bitte an, danke, Kollegen.«

»Nichts für ungut«, sagte Fallner und sah den Wortführer der beiden an.

Der Beamte war wütend, weil er keine Möglichkeit sah, ihnen irgendwas mit auf den Weg zu geben, an dem sie zu beißen hätten, und er war sich nicht sicher, ob das alles totaler Schwachsinn war, nur sicher, dass man's nicht so leicht rauskriegen konnte. Er gab seinem Partner mit einer Handbewegung das Kommando zum Abmarsch.

Telling zerrte an ihm, aber Fallner musste ihnen nachsehen. Sie enterten das Entree des Kunstwerks, aufgeladen, entschlossen. Es gab viel für sie zu tun, und der nächste Kunde würde keine Nachsicht von ihnen bekommen. Die Rechnung, die sie

Fallner nicht stellen konnten, würde beim Nächsten draufgeschlagen werden. Bullen, die schlechte Laune hatten, hatten einen Haufen Möglichkeiten. Das war das Schöne an dem Beruf.

Telling riss ihm seine Tasche von der Schulter und hängte sie sich um. War ebenfalls wütend auf ihn und stach mit dem Finger hinter den Zivilen her: »Das darf doch nicht wahr sein! Du hast sie doch nicht mehr alle!«

Er ging abwechselnd vorwärts und rückwärts vor ihm her, weil er zu langsam war, und haute sich auf den Hut.

»Was darf nicht wahr sein?«, sagte Fallner. »Wieso bist du überhaupt hier? Ich dachte, du hast keine Zeit?«

»Um einen Idioten vor Idioten zu beschützen!«

»Es gab nichts zu beschützen. Wir haben uns prima unterhalten, bis du aufgetaucht bist. Kanntest du die beiden? Ich hatte den Eindruck, sie reden nicht mehr mit dir. Hast du sie mal schlecht behandelt? Ich hoffe, du ziehst mich da nicht in was rein, ich habe schon genug Ärger, falls du dich erinnern kannst. Und was soll das mit deinem dämlichen Hut, spielst du jetzt Popeye Doyle? Hast du dich deshalb mit deiner Frau gestritten? Sag ihr, dass ich sie voll und ganz verstehen kann. Rede mit mir, Günter Telling! Und beruhige dich endlich, du machst mich noch wahnsinnig! Hast du mitbekommen, wie die auf diesen Penner losgegangen sind? Sind das die Polizeitypen, die Kokain fressen? Oder habt ihr inzwischen auch schon diesen Crystal-Schrott? Ich hoffe, du machst ihnen keinen Ärger, ehrlich, das habe ich nicht gewollt. Willst du mir nicht endlich mal die Hand schütteln? Stimmt das, dass man in eurer glorreichen Hauptstadt nur noch schlechte Manieren hat? Und gibt's was Neues vom Flughafen?«

Telling war da, und sofort war was los, das ihn fröhlich machte. Ein Fehler, dass er nicht viel früher hergekommen war. Er hatte gedacht, er hätte es geschafft, seine Fehler zu reduzieren, aber das stimmte nicht.

Telling ging rückwärts und brüllte: »Ich glaub's einfach nicht!«

»Was denn?«

»Ich glaub's nicht!«

Kriegshelden

Wenn man etwas nicht glauben kann, dann kann man's vielleicht nicht akzeptieren. Oder etwas stimmt nicht. Oder: Das darf doch nicht wahr sein.

Hatte er in sein Heft geschrieben, es dem Doc jedoch nicht vorgelesen, weil es ihm dumm vorkam. Sie hatte ihn gefragt, warum er den Bericht nicht glauben könne und was er selbst glaube, was das zu bedeuten hätte. Er erzählte ihr, dass sie die beste Aussage dazu bereits als Kinder gekannt und benutzt hätten: Glauben heißt nicht wissen. Er hatte es dann ebenfalls gesagt: Ich glaub's einfach nicht. Befriedigte sie natürlich nicht. Was ihn natürlich nicht gewundert hatte.

Telling löcherte ihn, während der Fahrt, während des Einparkens, während sie in die Kneipe gingen, und Fallner hatte kaum die Möglichkeit, mehr als einen halben Satz zu sagen oder zu nicken. War es so, dass er mit Jaqueline kaum noch redete und rumspielte? Nicken. Meldete sich nicht mehr bei seinen Kollegen? Nicken. Ließ alles irgendwie so dahinlaufen? Nicken. Und dieser Drecksack, stimmte das? Ja.

»Du meinst, du redest mit diesem Drecksack?«

»Ja. Irgendwie schon. Noch ein paar Wochen und wir werden Freunde.«

»Ich glaub's einfach nicht!«

Das Lokal war gut gefüllt, und sein Freund marschierte zur Theke durch wie der Mann, der gekommen war, um den Laden zu kaufen.

»Burnout«, sagte Telling – und bestellte zwei Pils, ohne ihn gefragt zu haben – mit einer Betonung, als würde er eine Sensation verkünden. Und ergänzte dann feierlich: »Du bist ausgebrannt!«

Als wäre er zu dumm zu wissen, was das bedeutete, und er dachte, dass er seitdem generell für etwas dumm gehalten wurde, dumm und ungeschickt.

Es ginge nicht um diese Sache, die ihm passiert war, sondern es hätte ihn, eher früher als später, sowieso erwischt mit einer anderen Sache. Solle er ruhig zugeben. Pech natürlich, dass es ihm mit so einem Knaller passiert war, der in Berlin kein so großes Problem wäre, er solle nach Berlin kommen, dieses Gaga-München endlich mal verlassen, dieses zu groß geratene Dirndl, mehr war es doch nicht.

Tellings Augen streiften dabei ständig durch das Lokal, das nur ein paar Häuser neben der Pension war, in die er Fallner eingewiesen hatte. Kannte er nicht, das Lokal, hatte es sich aber seit Wochen ansehen wollen, hatte davon gehört, gute Lage, perfekt geradezu, am Bahnhof und nah an der Macht, und er selbst hätte übrigens ebenfalls einen Burnout, aber zurzeit keine Zeit dafür. Das Leben allgemein eine Katastrophe, er freue sich endlich mal wieder auf einen ruhigen Abend und dann die Frau. Musste so sein, kannte doch jeder. Deshalb hatte er sich doch noch entschlossen, sich wenigstens um den Freund zu kümmern, hatte er doch geahnt, dass der gute alte Fallner sofort versuchen würde, sich mit Zivilbullen anzulegen! Und seine Langhaarblondine hätte übrigens bei ihm angerufen, er solle sich seinen Freund mal genauer ansehen, weil sie selbst sich nicht mehr – »tut dir das denn gut, dieses Zugfahren, seit wann bist du unterwegs, sieben Wochen? Wenn du dich gut fühlst, ist es gut, aber ich bin mir nicht sicher.«

»Es tut gut«, sagte Fallner, »es tut immer gut, wenn man einen alten Kindheitstraum endlich anpackt.«

Telling starrte ihn an, sagte dann »Mensch, Alter!« und riss ihn an sich und sagte: »Gut, dich zu sehen.«

Fallner ließ sich niederquasseln und fragte sich, warum er sich das anhören sollte. Telling schien es wieder mit irgendwas erwischt zu haben, das war sein Eindruck. Er schien gleich durch die Decke zu gehen, um der Belastung von mindestens zwei an der Theke klemmenden Burnouts zu entkommen. Hätte er fast überhört, als Telling, eingebaut in seinen Wall of Sound, sagte, er hätte alles über seinen Fall sorgfältig gelesen.

»Da wird nichts kommen«, sagte er, »das kannst du mir glauben, ich bin mir absolut sicher.«

»Du hast angefragt, und sie haben dir die Berichte geschickt?«

»Aber sicher. Von deinem kleinen Freund und seinem Umfeld geht eine Linie nach Berlin, was dachtest du denn?«

»Ich dachte, du machst Jagd auf Nazis, die in Polizei- oder ähnlichen Positionen arbeiten?«

»Wie bitte? Nazis? Gibt es in Deutschland noch Nazis? Gibt's außer uns beiden noch welche?«

Fallner grinste ihn an. Und fragte sich, ob er ihm nichts sagte, weil er nicht einschätzen konnte, wie weit sein Geisteszustand angegriffen war. Es war nicht nötig, dass Telling eine Verbindung zu dem toten Dealer und Schläger herstellte, um an die Berichte zu kommen.

»Glaub mir einfach, es ist vollkommen egal, ob der Libanese oder ob der kein Libanese, sondern Deutscher war, eine Pistole hatte oder nicht, du wirst mit Notwehr rausgehen.«

»Glauben heißt nicht wissen.«

»Was ist denn mit dir los? Machst du grade einen Grundkurs in Ethik? Erzählt dir dein Psycho dieses Zeug?«

»So ist das eben mit Burnout.«

»Das war ein Witz, Mann! Achtung: Ich habe vorhin gewagt,

einen Witz zu machen, ja? Du bist kein Burnout. Du wirst es nicht glauben, aber ich habe nicht nur einen gesehen, das sieht anders aus, dagegen bist du ein Gesundheitsfanatiker auf dem absoluten Höhepunkt. Du bist etwas neben der Spur, und wenn du noch ein paar Hundert Kilometer auf der Spur bleibst, dann kommt irgendwann ein Schild: tausend Kilometer bis Burnout, verstehst du? Ich dachte immer, die Ecke hier ist so 'n bisschen tot, aber ich bin positiv überrascht.«

Er schwenkte durch das Lokal wie einer, der sich entschieden hatte, gleich eine Rede zu halten. Hier könne sich Herr Pseudo-Burnout übrigens sehr sicher fühlen, mehr als an jedem anderen öffentlichen Ort in der großen Stadt, posaunte er. Aber als Fallner selbst einen 360-Grad-Schwenk machte, konnte er das spezielle Profil nicht erkennen. Es war gediegen, gemütlich, solide, dezent elegant und ein paar andere dumme Wörter mehr. Keine Teenager, Twens deutlich in der Unterzahl. Leute mit guten Posten, unternehmungslustige Mittelschicht.

Aber warum sollte er sich hier besonders sicher fühlen? Waren die Nazis hier unbewaffnet?

»Ich liebe meinen alten Fallo!« Mit Lachen und Schulterklopfen.

Sein Studienfreund erzählte nur Zeug, das ihm zufällig einfiel. Von den Gedanken, die ihm durch den Kopf ballerten, griff er sich einen heraus, der ihm für die Situation zu passen schien, und sofort den nächsten, der anscheinend besser passte. Während Fallner kaum mehr als seinen einzigen eigenen Gedanken verstand: Geh zum Bahnhof zurück und nimm den nächsten Schnellzug nach Weißgottwohin. Aber er war zu müde. Das Gerede haute ihm permanent auf die Schulter und sagte: Kopf-hoch-Alter-das-wird-schon.

Telling hatte sein Talent zur Sprechmaschine ausgebaut und

versuchte, an ihn ranzukommen. Kam nicht auf die Idee, sie soll-ten besser allein in einem Zimmer sitzen und es langsam angehen, wie richtige Männer. War ein selbstgefälliger Sack geworden, der einen Tritt brauchte.

»Dreh dich nicht um«, sagte Fallner, »hinter dir ist schwerer Muschi-Alarm, schon gemerkt?«

»Was dachtest du denn?«, sagte Telling verärgert. Er war mit Analyse beschäftigt und bekam alte Studentensprüche zu hören.

Fallner blieb dran: »Und wie läuft's denn so mit deiner Haus-muschi?«

Telling hob beide Arme: »Schon gut, ich hab's kapiert.«

»Was denn kapiert?«

»Trotzdem hörst du mir kurz zu. Dein Eindruck, irgendwas stimmt an der Sache nicht, Waffe hin oder her, ich stimme dir zu, verstehst du? Ich versteh's noch nicht, aber wir kriegen das raus. Problem zwo, ihr hattet in eurem debilen Bayern in letzter Zeit einige Fälle mit vollkommen debilen Bullen, vollkommen unbe-rechtigte harte Aktionen, wie du weißt, und diesen Typen ist so gut wie nichts passiert, unfassbar, Skandal, keine Frage. Kann so nicht weitergehen, ist nicht gut, wenn der Bürger denkt, egal, was ein Cop mit mir anstellt, dem passiert sowieso nichts. Des-halb wird jetzt ein Cop gebraucht, der in einem Prozess eine ordentliche Strafe bekommt, und deshalb könnte das für dich auf eine Den-lassen-wir-mal-die-ganze-Rechnung-bezahlen-Num-mer rauslaufen. Glaube ich nicht, wie gesagt, aber man muss es im Auge behalten. Denk nicht drüber nach, sondern glaub mir einfach. Problem drei, man könnte dich sehr gut politisch benut-zen, der entschlossene Cop, der in diesem Milieuscheiß mal or-dentlich hingelangt hat und so weiter, vielleicht etwas zu schnell, aber er hatte es ja nicht mit dem Vorsitzenden der christlich-so-zialen Schülerunion zu tun, ein Mann mit der in unserer zunehmend egoistischen Wegschau-Gesellschaft allzu selten gewordenen Courage und so. Wenn das passiert, dann viel Spaß mit deinen neuen Freunden. Bitte erst mal nur festhalten in deinem Burnoutkopf. Wahrscheinlich hast du Lust auf 'ne Kreuzbergtour, aber dafür bin ich heute nicht geschaffen. Ist doch schön hier, unaufdringlich, aber nicht verschlafen. Und schläfst du inzwischen wieder besser?«

Eine Menge Leute würden ihm eine Menge erzählen, wenn er es zulasse, hatte seine Therapeutin gesagt, darauf sollte er gefasst sein. Er bemühte sich, unter Tellings akustischer Totalvernebelung durchzutauchen. Verstand, dass Telling eigentlich keine Zeit für ihn hatte und ihn nur mit seinem Quatsch eindeckte, um davon abzulenken. Quatsch in Profigesäusel.

»Ich habe im Zug besser geschlafen als in den letzten zwanzig Jahren, obwohl ich seltsame Träume hatte.«

Telling klopfte ihm mitfühlend auf den Arm: »Das hört sich gut an. Die Damen hinter mir sind übrigens Bullen, aber ich schätze, das hast du mit Muschi-Alarm gemeint.«

»Zugfahren hatte immer eine beruhigende Wirkung auf mich. Habe ich dir, glaub ich, erzählt, dass mein Alter bei der Bahn gearbeitet hat, er war Rangierer, hat die Waggons zusammengestellt. Keine Ahnung, ob das irgendwas damit zu tun hat. Ist eigentlich ein Widerspruch, müsste umgekehrt sein.«

»Hör bloß auf mit den Widersprüchen! Der Laden hier ist übrigens so nah an der Politik, dass sich das fast zwangsläufig zum Bullentreff entwickeln musste. Aber Damen mit Kanonen sind ja nichts Neues für dich. Hast du dir das mal angesehen, Girls-with-guns.com oder so? Du glaubst es nicht. Jaqueline hat 's nicht leicht mit dir, stimmt 's?«

»Meine Therapeutin sagt, dass du vom Ereignis sozusagen Linien ziehst, die so weit wie möglich in die Vergangenheit reichen. Wobei manche der Linien natürlich nur kurz sind, nur ein paar Jahre zurückgehen, während andere bis in deine Kindheit gehen. Also ein Beispiel: Mein Ereignis ist mit einer Waffe verbunden, und das ist eine Linie, die bis in meine Kindheit reicht.«

»Die nennt das Ereignis? Toll. Meine Therapeutin! Klingt ja, als würdest du gut mit ihr klarkommen. Das ist doch sehr gut, Mann«, sagte Telling.

Die Frau hinter ihm wurde gestoßen, taumelte gegen seinen Rücken und rief damit großes Gelächter hervor. Es war so einfach, für gute Laune zu sorgen. Fallner war sich nicht sicher, ob das Cops waren. Allerdings waren sie sportlich und so weit entfernt von Models, die wie Zahnstocher aussahen, dass es nicht ausgeschlossen war. Telling, der Mann, den die Frauen liebten, spielte mit und putzte entsetzt an seinem Jackett herum. Er zog seinen Ausweis und bellte sie an.

Sie kreischten vor Vergnügen und hüpften – ja, das war Berlin! Und dann hatte der angerempelte Polizist sofort eine Phalanx von vier Polizeikarten an der Nase.

Telling strahlte und streckte den Daumen für den Freund: Hab ich dir doch gesagt! Sollte noch jemand behaupten, dass seine Reden nicht Hand und Fuß hatten und bombensicher auf sorgfältig eingeholten Informationen basierten. Er fing an, sich mit ihnen zu unterhalten. Dann deutete er auf seinen schüchternen Begleiter. Der nicht verstand, welche Information weitergegeben wurde, nur, dass sie zu erneutem Kreischen führte und zu einer Batterie kleiner Gläser mit klarer Flüssigkeit. Ein Telefon blitzte und es wurde angestoßen mit großem Hallo. Was hatte Telling den Killerbienen erzählt? Dass Fallner einem Gangster die Lizenz entzogen hatte? Oder, wie es in ähnlichen Situationen schon vorgekommen war, dass er ein Kriegsheld sei, ohne den die Welt längst ein Fressen für die Geier wäre?

Eine der Frauen kam zu ihm, gab ihm ihre Karte und sagte nah an seinem Ohr, er solle es ruhig ernst nehmen. Er fragte sie nicht, was sie damit meinte und schob die Karte ins Jackett, ohne sie geprüft zu haben. Wenn sie Bodyguard einer Ministerin war, konnte sie ihm nicht helfen, außer mit einem Autogramm. Aber er hatte schon ein Autogramm von einem dieser Politottos der obersten Kategorie. Nein, er hatte das Ding nicht mehr, er hatte es jemandem geschenkt, genau, seiner Nichte. Als sie zwölf war und scharf auf das Autogramm eines prominenten Fernsehmenschen. Was bedeutete: Er konnte also doch ein Politpromiautogramm gebrauchen, weil er keines mehr hatte. Aber wozu war dieser Scheiß gut?

Er erinnerte sich, wie er seiner Nichte das Autogramm überreicht hatte. Sie sagte: »Aber warum willst du denn nicht mehr auf ihn aufpassen! Das ist doch ein Traumjob! Du musst wieder anfangen und mich mal mitnehmen!« Sie hielt das Foto wie eine Monstranz in die Höhe. »Du hast dich benommen wie ein Idiot, und dann haben sie dich gefeuert!«

»Hat er nicht!«, hatte sein Bruder dazwischen gerufen, um seine Tochter zu stoppen.

»Ich habe nur zu ihm gesagt, dass er ein dummer mieser Drecksack ist«, hatte Fallner gesagt.

Er bemerkte eine Veränderung im Raum und drehte sich um. Zwei jüngere Männer standen in der Tür, standen da und versuchten sich einen Eindruck vom Lokal zu verschaffen und registrierten, dass sie hier irgendwie falsch waren. Es war nicht ihr Eintreten, das Fallner aufmerksam gemacht hatte. Sondern die allgemeine Bewegung im Lokal in Richtung zur Tür, und dass es deutlich ruhiger geworden war und zu viele der Gäste die Jungs musterten. Oder es war nur eine Sinnestäuschung, die von Tellings Bemerkung hervorgerufen wurde. Wer glaubte, in einer Bullenbar zu sitzen, sah überall Cops, die höchst wachsam jeden Neuen durchleuchteten. Machten allerdings viele Menschen nicht anders.

Fallner holte sein iPhone raus, den Freund und Helfer, wenn man sich abschirmen wollte. Sein Bruder hatte ihm einen Unterhaltungsroman geschickt: »Dem Alten geht es schlecht, beweg deinen Arsch mal in diese Richtung!« Wieso schrieb ihm sein Bruder um diese Zeit eine Nachricht von ihrem Alten? Die außerdem nichts Neues enthielt, denn dem Papa ging es angeblich seit Monaten so schlecht, dass man auf sein Abtreten hoffen durfte. Er antwortete: »Danke für die gute Nachricht. Move your ass, wenn's dein Kopf schon nicht tut.«

Dann schrieb er seiner Frau: »Hier spricht Berlin. Alles geht gut. Bei T. Keine Angst. Werde auch hier nicht alt. Love.«

Er starrte die Maschine an, als könnte sie für eine prompte Antwort sorgen. Zählte die Sekunden, umsonst. Sie war sicher mit ihren Freundinnen unterwegs. Sie atmete sicher auf, dass sie Ruhe vor ihm hatte. Sie lag in ihrem Sportstudio auf einer Matte und betätigte sich mit einem der Sportler sportlich.

Sie hatte ihm einen Sportwitz erzählt, aber er erinnerte sich nicht. Irgendwas mit zwei Läufern, laufen zwei Läufer, kommt eine Oma mit einem kleinen weißen Hund, und es spielte eine Rolle, dass der Hund weiß war. Oder er baute die Teile falsch zusammen, weil in seinem Blickfeld eine junge Frau mit schneeweißen Haaren saß. Sah krank aus, nach einer dummen Angebertussi in einer dummen Angeberstadt, und er war dumm genug, hier dumm rumzusitzen. Anstatt siebenhundert Kilometer weiter seinem Alten den Löffel aus der Hand zu nehmen, den er endlich abgeben wollte – aber wollte er das wirklich? Fallners These, dass es nur ein Spielchen des Alten war, um sich als Oberhaupt der Familie in Erinnerung zu bringen, wollte niemand zustimmen.

Telling hatte seine neue Bikini-und-Kanonen-Leibgarde genug gerastert und über Deutschlandpolitik und die aus der Geschichte entstandenen, spezifischen Hauptstadtprobleme informiert und geraten, gerade die Methoden der Stasi eben nicht zu ignorieren, sondern aus ihnen zu lernen, und setzte sich wieder zu seinem Problem: »Also, warum hattet ihr zu Hause eine Waffe? So eine Schrotflinte natürlich, das hast du mir nie erzählt.«

»Was macht denn diese tolle Truppe?«

»Die jagen an ihren Computern illegale Schrotflinten, und dann gehen sie hin und holen das Zeug raus, und wenn jemand Feuer sagt, dann machen sie Feuer. Weißt du was? Ich glaube, die sind noch viel schlimmer. Ich sag's dir, Mann, ich muss wieder auf die Straße. Dieser langweilige Mist bringt mich um. Und hast du damals mit dem Prügel jemanden erschossen? Ist das deine Linie in die Vergangenheit?«

»Es war eine Pistole, ein altes Gerät, keine Ahnung, was es war, gehörte dem Nachbarn. Er hat sich nicht darum gekümmert, aber seine Tochter hat damit gespielt. Wir haben damit rumgespielt.«

»Damit rumspielen ist doch immer das Beste.«

»Ich finde, du machst dich, seit du nicht mehr auf die Straße musst. Du kleidest dich besser und du bist 'ne richtige Stimmungskanone. Ich habe wieder viel von dir gelernt.«

»Nur um dich aufzuheitern. Im Büro bin ich immer sehr nachdenklich. Und war 's schön, mit ihr damit rumzuspielen?«

»Es war sensationell. Und ich hab Landser-Heftchen gesammelt. Mein Opa war in Stalingrad, er war mein Held.«

»Du bist ja immer noch ein Scheißnazi.«

»Aber erzähl das bitte nicht meiner Frau.«

»Ich bin froh, dass du ganz der Alte bist, ehrlich, ich habe mir schon Sorgen gemacht, ich dachte, Mensch, der Fallner, jetzt hat's ihn doch noch erwischt«, sagte er, während er zahlte.

Sie rauschten in seinem neuen schwarzen Audiflieger ab und dahin, wie zu einem Sondereinsatz, wie in alten Zeiten, Telling in seinem Element, der Kapitän im schalldichten Cockpit eines wendigen kleinen Schlachtschiffs, vor ihm ein leuchtender Stadtplan mit einem blinkenden Pfeil, und in seinem Kopf arbeitete das Sprechlabor weiter – wer glaubte, dass der Mann tatsächlich ins Bett musste, wie er behauptete, konnte auch einen Besen fressen – und sagte: »Mensch, weißt du, wofür ich dir dankbar bin, das war erst kürzlich, ich musste mit einer sehr gehobenen Kostümdame klarkommen, die dachte, das ist doch eh nur so ein dumpfer Drecksbulle, kennst du ja, so die Marke Gestern-Autonomen-Tussi-heute-Ökohandtasche-für-neunhundert, und dann halte ich der einen wasserdichten Vortrag über deinen irren Jazzmeister, den seine Angetraute erschossen hat, als er auf die Bühne klettern wollte, von dem du mir immer gepredigt hast. Die hat vielleicht Augen gemacht. Ich musste natürlich etwas ausschmücken.«

Fallner beobachtete den Stadtplan. »Mich hat's nicht jetzt, sondern schon damals erwischt, als wir mit der Kanone von ihrem Vater rumgemacht haben, im Prinzip, verstehst du?«

»Wieso, was war denn so sensationell?«

Am Straßenrand die Strahlen von zwei Taschenlampen und ein paar Gestalten – Fallner schrie: »Hast du das gesehen, siehst du was im Rückspiegel? Was machen die Typen, fahr mal zurück! Telling, fahr zurück, du Arsch!«

Aber Telling haute nur aufs Lenkrad und lachte und sagte, da wäre nichts und er solle nicht so verdammt paranoid sein, er könne sich sicher fühlen, er passe auf ihn auf, er solle nicht vergessen, dass er nicht im Dienst sei, sondern auf einer Erholungsfahrt.

Der Junge fragte ihn: Wer ist denn dieser muntere Kamerad?

Und er sagte zu ihm, er ist dein Albtraum, er steckt dir seine Kanone in den Mund und schaut mit der anderen Hand nach, ob dir das gefällt, er ist mein Freund, der mir in den Rücken fällt, wenn ich mich im Russischen Roulette üben will, und wenn ich in der Kälte der Nacht dort draußen auf dem Asphalt niedergestreckt bin, wird er eine warme Decke über mich breiten, er ist ein verdammter Kriegsheld, ohne den die Welt längst ein Fressen für die Geier wäre.

Issja 'n Ding, sagte der Junge.

Sängerin aus Polen

Auf dem Bett im größten Zimmer lagen weiße Figuren, die er noch nie gesehen hatte. Er starrte sie an, ohne die Tasche abzusetzen. Die sahen im ersten Moment aus, als würden sie sich bewegen. Dann sah er, dass sie aus dem Stoff von Hotelhandtüchern waren.

Jemand hatte aus den Hotelhandtüchern Tiere geformt, eine Giraffe, ein Schwan, ein Schwein oder was immer das sein sollte, sie hatten jedenfalls Köpfe und Schwänze. Kuschelige Tierchen für einen einsamen Mann. Eine unerwartete Geste in einer heruntergekommenen Altbauwohnung, die jemand vermietete und guten Schotter machte mit der Behauptung, es wäre eine Pension. In der Wohnung standen Betten und Schlafmöglichkeiten für zehn Personen, zusätzlich eingeklappte Liegen in Ecken. Er hatte alles für sich allein, mit Fernseher und zwei Kochplatten, über denen Schränke hingen, die aussahen, als würden sie jeden Moment abstürzen.

Er hatte etwa siebzig Quadratmeter, war durch einen langen Flur gegangen, der zu mindestens zwei weiteren Wohnungen führte, und zur Pension gehörten insgesamt drei Etagen. Keine schlechte Anlage. Alles ruhig, vielleicht alles leer. Bereit für Horden, denen es egal war, ob sie mit zehn bis zwanzig Leuten in drei Zimmern umfielen, wenn sie irgendwann einliefen, nachdem sie den Hit Berlin bis zum Anschlag getestet hatten. Hooligans waren genügsam, wenn sie einmal eingeschlafen waren.

»Sind allein«, hatte die ältere, elegant gekleidete und stark geschminkte Dame am Empfang gesagt, »ganze Wohnung, kein Aufpreis, aber zahlen sofort, sonst geht nicht.«

Sie sprach zur brennenden Zigarette im Aschenbecher, die es nicht interessierte, warum es sonst nicht ging, und ihn interessierte um eine Stunde nach Mitternacht nicht viel mehr.

Telling und seine Verbindungen – diese Verbindung, über deren Sinn und Beschaffenheit Fallner nicht das Geringste wusste, lag in einer ruhigen Gegend in der Nähe des Hauptbahnhofs und, mit einem guten Gerät, in Schussweite der Politik. Das waren die Fakten. Wie hieß das Viertel? Er war hier noch nie gewesen, Berlin zentral und doch im Schatten, es war so angenehm, dass man keine Lust hatte, den Namen nachzusehen, und sich nicht daran aufhängte, dass der Freund sich offensichtlich nicht über seinen Besuch freute – er selbst hätte sich auch nicht über seinen Besuch gefreut.

Die Wohnung gefiel ihm. Ein abgewohntes Ding zwischen Irgendwas und Sonstwas. Als hätte es jemand vergessen. Fata Morgana eines Staatsdieners in seinem Alter. Flüsterte ihm nebenbei die Idee ein, er könnte hier ein paar Wochen bleiben. Was ihm paradoxerweise wie eine gute Ergänzung zu seiner Train-Therapie vorkam. Die Wohnung war ein perfektes Symbol für das planlose Unterwegssein, bei dem man jederzeit einen ungeplanten Halt einlegte, von dem man nicht wusste, wie lange er dauern könnte.

Er legte sich, so wie er war, aufs Bett und holte aus der Tasche nur den Laptop und die Flasche. War das Hirngespinst die Übersetzung von Fata Morgana oder nur eine von mehreren Möglichkeiten? Durchs offene Fenster in den Hinterhof kamen Geräusche, die harmonisch abgestimmt zu sein schienen, unaufgeregte Stimmen, Geraschel, ein paar Töne Musik, von weit weg das Rauschen von Motoren, und er stellte Lee Morgan in einer Lautstärke ein, die sich in diese Begleitung einfügte. Das musste der Klang des Friedens sein – der Klang, den Morgan in der Sekunde, in der er gesehen hatte, dass ein Lauf auf ihn gerichtet war, gehört hatte. Mit einem unerklärbaren Beiklang, der einen weißen Fata-Lee-Morganisten über Jahrzehnte und ein großes Meer hinweg verfolgte. Bei allem, was Fallner darüber wusste, war er das Gefühl nie losgeworden, dass im Hintergrund des Falls Morgan noch etwas rumorte. Hinter der verletzten Ehefrau. Weil im Hintergrund Drogen und Nachtclubs mitspielten – es musste nichts zu bedeuten haben – und ein paar Weiße, denen es nicht gefiel, wenn ein »Nigger«, der froh sein sollte, dass er mit seiner Trompete tröten durfte, seine bekannte Stimme gegen ihr System erhob mit großer Klappe … konnte aber.

Es war dunkel in der Wohnung. Nur schwache Lichtflecken da und dort, die mit der konturlosen Mischung aus Geräuschen und Musik verbunden schienen. Er konnte die Pistole des Jungen jetzt gut erkennen, sah in extremer Zeitlupe und Großaufnahme, wie die Hand das Hemd hochzog und ein Ausschnitt der Pistole sichtbar wurde, wie sich die andere Hand von der Seite dem Griff näherte und sich um ihn schloss. Danach war das Bild weg, jemand machte die Scheinwerfer aus, immer an demselben Punkt.

Dein Staat hat einen total blinden Mann bezahlt, sagte der Junge, doch es kommt der Tag, an dem der Blinde geht.

Vielleicht muss ich gehen, sagte Fallner, aber mich um dich gekümmert zu haben, wird mir Ruhe und Frieden geben.

Das sieht man, sagte der Junge.

Er beachtete ihn nicht weiter. Ließ sich vom Geräuschteppich einlullen und flog mit ihm weg.

»Nachsehen alles Ordnung«, sagte die Frau, die an seinem Bett stand.

Das leise Klimpern an der Tür hatte er nicht schnell genug kapiert. Nicht vermutet, jemand könnte in seine Wohnung kommen. Auf die Frage nach ihrer Identität ging sie schwungvoll ins Badezimmer, um sich vom Ordnungszustand zu überzeugen, war zufrieden, lehnte locker in der Tür und beobachtete ihn. Wartete ab, ob er um 02:33 Uhr noch genug Energie hatte, um Dampf abzulassen. Er musterte sie, versuchte Hinweise zu finden, ob sie wie ein Zimmermädchen aussah, das sich auch nach der Geisterstunde bereithalten musste und nicht an die Tür klopfte, wenn sie vermutete, es könnte etwas nicht in Ordnung sein. Er fragte sie, ob sein Freund Günter sie geschickt habe.

»Kenne nicht«, sagte sie, »ich schon geschickt.« Sie deutete auf die aus Handtüchern geformten und geknoteten Tiere: »Ich gemacht mit Hand, ich sehr geschickt.«

Sie strahlte und drehte ihre offenen Handflächen vor den Brüsten hin und her wie eine Cheerleaderin, über deren Alter sie längst hinaus war, und verkündete, sie mache alles »in dieser Haus«. Er ließ sie hängen, um zu sehen, wie sie allein weiter vorgehen würde. Sie wählte dieselbe Methode und sah sich im Zimmer um, als hätte sie die Anweisung bekommen, weitere Anweisungen abzuwarten. Zunächst nur feststellen, ob er in Ordnung war. Oder ob er sich mit dem aufgeschnittenen Finger rote Striche ins Gesicht malte und seine Makarow küsste, damit sie ihm, wenn er ins Nachtleben sprang, gute Dienste leistete.

Er nahm eines ihrer von eigener Hand gefertigten Tiere, den Hasen, in die Hand und lobte seine Schönheit und fügte hinzu, sie sollte sich vor diesem Koons in Acht nehmen, der amerikanische Künstler, der ihr sicher bekannt sei, mit seinen Staubsaugern und Plastikfiguren und so, jedenfalls, wenn dieser Koons im Hotel absteige und das zu sehen bekomme, würde er Millionen mit ihren süßen Dingern machen, nachdem er sie farblich modifiziert und einen edleren Handtuchstoff gewählt hätte, und sie würde nur in die Röhre schauen. Mit Koons hatte er bisher nie jemanden vollgequatscht, um ihn aus der Reserve zu locken, und wie es aussah, führte der Einsatz zu nichts.

»Sehr süß, ja klar, mit Hand ich bin geschickt, ich kann machen alles«, sagte sie.

»Glaube ich gerne, aber *wer* hat dich geschickt?«

Sie zuckte mit den Schultern, verstand anscheinend nicht, was er mit diesem anderen geschickt meinte und rieb sich die angeblich geschickten Hände. Er wollte sie nicht wegschicken, sondern wissen, was sie wollte. Er benötigte ein Codewort. Er fand es automatisch, hatte es nicht unter Kontrolle. Es war das beste Codewort von allen, wenn man einen Schuss ins Blaue abgeben musste.

»Ich bin Polizist«, sagte er.

»Ich nicht«, sagte sie.

Das war doch ein gutes Zeichen. Denn wer in der deutschen Grammatik so fremd wie im Land selbst war, freute sich selten über die Bullen, mit denen man immer nur Ärger hatte und die nicht da waren, wenn einem die Deutschen Brandsätze ins Schlafzimmer werfen wollten – aber sie grinste ihn an. Sie wirkte ausgeschlafen und fühlte sich nicht unwohl, weil sie um diese Zeit in seinem Zimmer stand und er im Bett lag. Was bedeutete das? Hatten sie in ihrer Pension eine Tag- und eine Nachtschicht? Und wenn ja, wozu? Hatten sie eine Klientel, die das erforderte?

»Was du machst hier? Polizei?« Ihr Deutsch war ausgezeichnet, nur etwas außerhalb der Regeln. Sie verstand alles und sie hatte garantiert die meisten Nuancen von *geschickt* genau auf dem Schirm.

»Nein, ich bin hier nur zu Besuch, Urlaub. Ich besuche einen Freund, Günter Telling, er ist auch Polizist, er hat gesagt, ich soll hier übernachten, aber ich komme aus Bayern, nicht aus Berlin.«

»Ich aus Polen. Hier Arbeit.« Sie machte eine Handbewegung, als wäre die Arbeit nur nebenbei, nicht ihr Ding vielleicht oder sogar schlecht. »Berlin ist gut, zu Hause nicht, keine Familie, keine Arbeit.«

Sie blieb eisern stehen, lässig, als würde sie ihn freundlich abtasten, um ihn dann ernsthaft zu befragen. Er kannte die Methode und hatte gehört, dass sie international beliebt war.

»Ich war schon mal in Polen, auch Urlaub, hat mir gefallen, sehr nette Menschen. Ich war in Bialystock, wir haben mit dem Fernglas nach Weißrussland geschaut, aber wir kamen nicht rein, man braucht ein Visum. Kennen Sie Bialystock? Woher kommen Sie?«

Sie deutete auf seinen Laptop, der weitergespielt hatte, während er schlief, und sagte lächelnd: »Charlie Parker.« Sie sagte »Jazz« auf Englisch und dann »Charlie Parker, Billie Holiday, ist Trompete Miles Davis, ich liebe Billie Holiday, ich weinen immer, wenn Billie Holiday, aber schön, in Polen viel Jazz, mein Vater gelernt mir, viel gehört, aber nicht Laptop, viele Konzerte schon kleines Mädchen.«

Es waren nicht Charlie Parker und die anderen, aber er sagte freundlich »hey« und fragte sie, ob sie ein Glas mit ihm trinken wolle, und stand auf, ohne auf eine Antwort zu warten. Sie setzte sich mit dem halben Hintern aufs Bett und sie stießen an. Sie saß wie eine Krankenschwester an seinem Bett und musterte ihn. Er drehte den Laptop, um ihr Fotos von Lee Morgan und Hank Mobley in Aktion zu zeigen, erklärte ihr, dass der eine mit knapp über dreißig von seiner Frau erschossen worden war und die Karriere seines Freundes bald darauf kippte und nie wieder was wurde, als hätte es ihn nicht gegeben, und dass beide praktisch lebenslänglich auf Heroin waren – hätte sie das gedacht, wenn sie die Fotos sah?

Sie lag halb auf dem Bett, um besser sehen zu können, ihr linkes Knie zeigte wie ein Pfeil auf ihn, berührte ihn fast. Er roch ihren Körpergeruch. Sie schenkte ihnen nach. Es gefiel ihr, hier zu sein, mit ihm rumzuspielen, abzuwarten, möglicherweise um ihn auszunehmen. Ehe er sie daran hindern konnte, waren ihre Finger auf der Tastatur, und es erschien Jaqueline, ein Brustbild in Großaufnahme.

»Oh«, sagte sie, »wer ist sexy Frau?« Grinste ihn an: »Ist deine Frau! Nicht schlecht, Herr Polizist!«

Es gefiel ihr, dass es ihm etwas peinlich war, äußerst privat – Bikini, leuchtend rote Lippen, Haare im Gesicht und die Zunge an der Spitze ihrer Dienstwaffe. Spielchen, die manchmal sein mussten.

»Habe ich auch«, sagte sie und zeigte auf den Tiger im Sprung, der auf den Oberarm tätowiert war, zog ihren dünnen schwarzen Pullover an einer Schulter weit runter und zeigte ihm ihren Puma, der ebenfalls zum Sprung ansetzte, und nahm es billigend in Kauf, dass er sich dabei mehr ansehen musste als nur das Raubtier in ihrer Haut, von dessen Energie sie glaubte, sich etwas geholt zu haben. Ein teures Kunstwerk, kein billiger Knaststich für zweimal Muschiputzen.

»Gefällt dir?«

»Gefällt mir alles sehr gut.«

»Glaube nicht, du bist Polizist«, sagte sie, schenkte ein und stieß an sein Glas.

»Ich bin nicht im Dienst, das stimmt, aber ich bin einer. Wahrscheinlich ein schlechter, würden gewisse andere Oberwachtmeister behaupten. Dürfte mit ein Grund sein, dass mir der Verein schon länger auf die Nerven geht. Ein Mann muss wissen, wann sein Einsatz beendet ist, ich vermute, das ist in Polen nicht anders. Das Problem ist, wenn man sich nicht sicher ist und sich Hoffnungen macht, dass man wieder in Ordnung kommt, was man auch als Feigheit interpretieren könnte – du hast nicht die Eier, einen neuen Weg einzuschlagen, was in meinem Alter natürlich heißt, nicht *mehr* die Eier, verstehst du?«

Sie beobachtete ihn. Wie er vor sich hin sprach und es dabei nicht wichtig war, wer, sondern dass ihm jemand zuhörte. Fiel ihm auf, dass sie ihn machen ließ – wartete, was alles kommen würde, und keinen Versuch machte, irgendwo dazwischenzugehen.

Lag hingestreckt neben ihm, Kopf auf die Hand gestützt, sah zu ihm auf und ihm dabei zu, wie er es vermied, in ihre Augen oder den Ausschnitt zu sehen, um nicht zu vergessen, was ein Polizist in dieser Situation nicht tun durfte. Sie amüsierte sich über ihn. Konnte die Situation, die weit über das übliche Mann-Frau-Ding hinausging, exakt einschätzen.

»Die Zeiten sind leider vorbei«, hatte ihm Jaqueline erklärt, »als ein Bulle zu Nutten gehen und den guten Freund spielen konnte.« Und ein Bulle, der sich an Ostnutten ranmachte, sei ein korruptes, mieses Schwein und sonst nichts.

»Und das Problem ist, dass meine Frau auch Polizist ist, musst du wissen, großes Problem, aber das eigentliche Problem ist, dass ich jemanden im Dienst erschossen habe, aber unschuldig, verstehst du? War Notwehr, ist aber natürlich ein Riesenproblem, Untersuchung und so weiter, und ich bin mir nicht sicher, ob diese Frau im Laptop versteht, was abläuft, irgendwie natürlich schon, aber nicht wirklich, sie hat niemanden erschossen. Sie ist ein übler Waffenfreak, gun crazy, verstehst du? Aber es kam bisher nie zum Äußersten. Wenn ich meinen Polizeiladen dichtmache, dann ist unsere Show vorbei, das kann ich dir versprechen, Ende Gelände nennt man das. Dann darf ich keine Bildchen mehr von ihr machen, wie sie an Kanonen lutscht. Soll ich dir mal verraten, warum die zur Polizei wollte? Weil sie auf diese Filme steht, das habe ich nicht erfunden, Frau Zimmermädchen! Entschuldige, das nennt man heute anders, ich weiß, ich schätze mal, du hast zwei Universitätsabschlüsse, die hier in Germanistan keine Sau interessieren, jedenfalls wollte ich für dich nur präzisieren: Wenn diese sexy Frau *Rambo I* sieht, du kennst den Film, ich weiß auch, dass du kein Zimmermädchen bist, aber egal, dann bekommt die …«

»Warum sexy Frau ist Rambo? Weil ist kein Zimmermädchen?«

»Nein. Ich wollte nur sagen, es ist grotesk, dass ich wieder einen echten Toten am Hals habe. Und den Gestank. Liegt an dir, dass ich mal einen schönen Geruch in der Nase habe, du riechst gut. Und man kann sich gut mit dir unterhalten, ich könnte fast vermuten, dass du auch ein Psychodoc bist. Ich will dich jetzt nicht mit meiner jüngeren Lebensgeschichte bis ins letzte Detail langweilen, aber du gibst mir das Gefühl, dass ich mal wieder stärkere Gefühle haben könnte, wenn du weißt, was ich meine, mit meinem dummen Gerede.«

Sah so aus, als würde sie es nicht wissen, weil er viel zu schnell gesprochen hatte, und wie sollte sie eine Beichte verstehen, von der er selbst nur die Hälfte verstand. Dem Ziel, irgendwas von ihr zu erfahren, war er damit nicht näher gekommen.

»Ich bin übrigens nicht der Typ, der wehrlose, illegale Prinzessinnen vollquatscht, bis sie endlich sagen, was sie von ihm wollen. Obwohl du das langsam mal sagen könntest.«

»Du Polizei?«

Er nickte. Sie hatte seinen Vortrag genau auf den Punkt gebracht. Sie lachte und zeigte auf ihn: »Du Polizei, dann Polizei ich auch!«

War das nicht wunderbar? Er machte als Polizist nicht mehr genug her, dass ihm die Polenbraut geglaubt hätte. Was man auch als Kompliment verstehen konnte. Falls man ihre Aussage nicht etwas anders interpretierte. Sie saß jetzt in der Hocke auf dem Bett und schenkte nach, hockte auf ihren Beinen und schaukelte. Falls das keine Partystimmung war, dann waren sie aber scharf auf dem Weg dorthin.

»Vielleicht bist du so 'ne Art Hobbypolizist, kann das sein?«

»Ist Hobby, ich bin geschickt«, sagte sie, ließ eines ihrer Handtuchtierchen auf seinem Bauch herumhüpfen, kicherte und knurrte: »Kommt Polizist, grr-grr, kommst du mit, Polizist!«

»Aber ich bin kein guter Cop, das muss ich zugeben. Früher mal. Und was macht der moderne Bulle, wenn er am Notausgang steht? Er schreibt ein Buch, Tatsache. Klingt komisch, aber ist so, heute schreiben mehr Bullen ein Buch als eine kleine Polenbraut Haare am Hügel hat – genauer gesagt: haben könnte, wenn sich die Zeiten nicht geändert hätten, also die Mode, wenn ich das richtig … Menschenskinder, ich bin besoffen, du musst das nicht ernst nehmen. Ich hoffe, das bleibt unter uns, verstehst du? Falls du eine Mossadbraut bist, ich sage falls, nur so als Beispiel, ich meine das nicht ernst, faaalls, dann erzählst du das nicht deinem Einsatzleiter, du bist nur zum Spaß hier, behaupte ich mal.«

»Glaube nicht, Polizist«, sagte sie, halb gesungen wie ein Schlager, »glaube nicht, das so ist, glaube nicht, Polizist.«

Er fragte sie, wie alt sie sei, aber sie ging nicht darauf ein. Er nannte Zahlen zwischen dreißig und vierzig, aber sie sang nur lachend weiter. Sie schaukelte und trank und sagte, ihr Name sei Wioletta.

»Steht das in deinem Ausweis?«

»Kein Ausweis, kein Polizist, bist du nicht.«

»Telling hat mir erzählt, dass du hier bist, weil du hier sicher bist, stimmt das?«

Blinder Wachtmeister, sagte der Junge, bist du inzwischen nicht nur so 'n wohlgenährter Ausländerkinderkiller, sondern auch noch schwul?

Vergiss es, sagte er, Ostnutten sind tabu, und außerdem ist sie keine, da bin ich mir sicher, aber für dich sind natürlich alle

Frauen, die nett angezogen sind, Nutten, außer die heilige Mutti und deine lieben reinen Schwestern.

»Du Polizist, zeigst du Pistole!«, sagte Wioletta.

»Nicht im Dienst, keine Pistole. Ich Urlaub, Polizist, aber Urlaub. Hast du mir auch nur eine Sekunde zugehört, Billie Holiday aus Polen? Ich wollte doch nur wissen, woher du meinen guten alten Freund Günter kennst. Weil, das kann ich dir sagen, der gute Mann schon immer gut darin war, sich mit seiner Position in eine gute Position zu bringen, stimmt das, du bist aus Rumänien?«

Sie sang weiter, zunächst ohne am Text etwas zu verändern, steigerte sich dann in einen Kicheranfall und ging über zur altbekannten Frage, what shall we do with a drunken sailor? Er beobachtete sie und fand genug Anzeichen dafür, dass sie nicht so betrunken war, wie sie wirken wollte. Sie ließ das Bett wie ein Schiff aus einem alten Film schaukeln und strampelte mit den Beinen und zeigte ihm die Gegend, wo ihre Strümpfe endeten.

Die Sache war zu einfach. Er sollte seinen Schwanz das Steuer übernehmen lassen, und dann hatten sie ihn. Aber wer und mit welchem Ziel? Er würde es herausbekommen. Sie sang dazu ein neues Lied mit einem »drunken Polizist« in der Hauptrolle; das war noch viel lustiger. Sie klappte zusammen, schwer atmend von der Gymnastik, und schnurrte ihn an, sie würde den Weg in den achten Stock nicht mehr schaffen.

»Ich schlafe Polizei«, sagte sie.

»Nur, wenn du mir endlich sagst, wer dich zu mir geschickt hat, damit du Polizei schläfst.«

»Ich schon gesagt, ich geschickt«, flüsterte sie.

»Und wer dich geschickt?«, hauchte er in ihr Ohr. »Du kannst es mir sagen, ich werde dich nicht verraten. Das ist gut für uns beide, wir wissen etwas, das die anderen nicht wissen, verstehst du?«

Er leckte an ihrem Ohrläppchen. Sie stöhnte und legte ein Bein quer über seine Erektion, lächelte und ließ ein süßes Ohhh aus ihrem Mund und schlief ein. Welchen Job auch immer sie erledigen sollte, sie hatte ihn vollkommen vermasselt.

Er stand auf und suchte nach einer Tasche, aber sie hatte nichts dabei. Er tastete sie genau ab, entdeckte jedoch nichts, was er um 04:50 nicht schon gesehen hätte. Als er drei Stunden später aufwachte, eng am Rücken von Billie Holiday, saß Telling im Sessel neben dem Bett und las in der Könnte-ein-Serienkiller-sein-Mappe, die ihm sein Chef ans Bein gebunden hatte. Er sah nicht so aus, als wäre er inzwischen an seine Grenzen gekommen.

»Interessant«, sagte er, »aber auch ziemlich bekloppt, da hat dir jemand ein Hirngespinst eingepackt. Da will dich jemand beschäftigen, verstehst du mich? Ablenken. Der Scheißfallner soll denken, er hätte da was zu tun, spezieller Spezialauftrag, aussichtsloser Sonderfall, ich lach mich tot, und wenn er aus seinem Tran wieder aufwacht, haben wir ihn in die Tonne getreten, so sieht das aus. Glaub mir das, ich kenne mich aus mit experimenteller Philosophie.« Er betrachtete das Paar im Bett, und Fallner konnte den Sprung in seiner Schüssel genau erkennen. Es war unmöglich, dass er ohne Hilfsmittel so lange durchhielt.

»Was soll das, Günter, spinnst du?«

»Ich wollte nachsehen, ob's dir gutgeht, Mann! Jetzt bin ich beruhigt. Kannst du sie nicht mitnehmen auf deine Butterfahrt? Die braucht auch mal etwas Bewegung. Die wunderbaren Weiten Deutschlands. Sie kommt raus, und du hättest 'nen guten Schutz. Wäre uns allen geholfen.«

Sie drehte sich knurrend, und er bekam ihre Haare in den Mund. Er zog die Decke über sie beide hoch. Sie legte eine Hand auf seine Hüfte und schnaubte leise, was er als Der-dumme-Mann-soll-endlich-wieder-Polizei-gehen interpretierte.

»Und hässlich findste sie doch auch nicht. Einzige Gefahr: An der Endstation steht deine blonde Kampfmaschine und erschießt euch mit ihren großen Scheinwerfern. Aber ein Mann muss auch mal was riskieren, wenn er auf große Abenteuerfahrt geht, würde ich behaupten. Ihre Kosten gehen auf meine Stelle, versteht sich. Sie ist die handsamste Dame, die ich kenne, ehrlich, und du kannst mit ihr jedes Restaurant auf höchster Ebene betreten – Mensch, Fallinger! Jetzt kuck mich doch nicht so blöd an! Oder hast du ihn jetzt grade bei ihr reingesteckt? Vergiss doch endlich mal deine dummen Geschichten, ich fange langsam an, mir ein wenig Sorgen zu machen, obwohl ich wirklich was anderes zu tun hätte.«

»Du wolltest mir noch erzählen, was du jetzt genau machst.«

»Das ist dein Kommentar? Ich glaub's einfach nicht.«

»Aber ja, du hast es versprochen.«

»Steck ihn rein, schlaf dich aus, wir sehen uns später.«

Aber es kam nicht dazu, sich später zu sehen.

Soldat

Er fühlte sich einsam
wie ein Soldat,
der beim Rückzug
den letzten Platz
im letzten Hubschrauber
nicht bekommen hat.

Er sah ihm nach,
wie er kleiner
und immer kleiner wurde.

Dann drehte er sich um,
ein Lächeln im Gesicht.

»Was machst'n du da?«

»Ich will mir ansehen, wie es hier aussieht.«

Er hockte an einer niedrigen Baracke, durch deren Fenster man nicht erkennen konnte, was dort gelagert wurde. Zehn Fußminuten hinter ihm lag der Hauptbahnhof. Ob dieses Gelände zur Bahn gehörte, war nicht klar, die Einfahrt war jedenfalls nicht gesichert. Ein kurzes Stück Asphaltweg führte in einen sechs- bis siebenhundert Meter langen und etwa hundertfünfzig Meter breiten Streifen; auf der Mittellinie vier dieser Baracken und zwei Wellblechschuppen, die zum Teil benutzt wurden, mit halb überwucherten Eingängen, verrosteten Schlössern und mit Brettern vernagelten Fenstern jedoch von längst geplantem Abriss erzählten.

Ein typischer Nichtort, wie er in unmittelbarer Nähe der meisten Bahnhöfe zu finden war. Fallner saß an der letzten Baracke, vor ihm ein Schotterplatz, gemustert mit Sträuchern und ein paar dünnen krummen Bäumen, abgeschlossen von einer Baumreihe, vor der drei Autos standen, zwei Kleinkisten und ein Wohnmobil von gestern, die den Eindruck machten, nie wieder abgeholt zu werden.

»Und warum willst du das sehen?«

»Ich muss auf den nächsten Zug warten und dachte, ich lauf hier ein bisschen rum. Und du, wohnst du hier?«

»Ja, dort drüben.«

Sie deutete auf die Rückseite der klotzigen Häuser an der Berliner Straße, zweihundert Meter links von Fallner. Ein Bach trennte das Gelände ohne erkennbare Nutzung von den Häusern, und am Bach entlang wucherte eine solide Abgrenzung aus Gestrüpp und Gebüsch. Auf der rechten Seite endete der diffuse Platz an neuen Bahnhofsgebäuden. Die Dämmerung legte sich langsam drüber, die ersten Fenster an der Berliner Straße zeigten ein schwaches Gelb oder Blau. Er konnte hier keine Straßenlampen entdecken; wenn die Nacht anbrach, wurde es hier dunkel und finster. Er hatte schon jetzt ein flaues Gefühl im Magen, zündete sich eine Zigarette an. Die Gespenster jammerten leise in den Gebüschen.

»Kannste mir auch eine geben«, sagte sie. Er sah hoch und machte ein Du-spinnst-wohl-Gesicht. Sie protestierte sofort: »Hallo, ich bin sechzehn, oder biste blind!«

War ein Argument, mit dem sie zweifellos oft durchkam. Aber sie war zweifellos höchstens zwölf. Sie setzte sich neben ihn und er gab ihr Feuer.

»Hier hat im Sommer die tote Frau gelegen«, sagte sie, »da, wo du jetzt sitzt. Hab ich von meinem Fenster gesehen, überall Bullen und weiße Männer. Deshalb willst du dir das ansehen. Bist du der Mann von der toten Frau?«

»Bin ich nicht, aber du hast recht, deshalb wollte ich mir ansehen, wie es hier aussieht. Was läuft denn hier tagsüber ab, weißt du das?«

Am Anfang der Straße parkten Autos, erzählte sie, und hier zu den Lagerschuppen kämen manchmal Lastwagen, dann wurde was abgeladen und reingestellt oder was rausgeholt, Kisten oder so Geräte, die wie große Rasenmäher aussahen. Und Kinder und Leute mit dem Hund.

Und war denn hier abends und nachts irgendwas los, oder, wie jetzt, nichts?

»Wieso willst 'n das wissen?«

»Ganz einfach – ich bin Polizist, und wir würden uns gern den

Typ schnappen, der das getan hat, aber ich war nicht dabei, als sie das hier untersucht haben, deshalb wollte ich mir das jetzt mal ansehen.« Sie haute ihm mit einem begeisterten Ausruf an den Oberschenkel, und er musste schwören, dass er die Wahrheit sagte.

»Es gibt keine Spur, es sieht nicht gut aus, verstehst du? Wenn einer wie ich vier Monate später hier rumsitzt, um sich ein Bild vom Tatort zu machen, dann ist das ein ganz schlechtes Zeichen, das heißt dann, wir sind total ratlos, haben nichts in der Hand, außer vielleicht ein paar Ideen, von denen keiner weiß, ob sie wirklich gut sind, und der Mörder läuft frei durch die Gegend und kann sich ziemlich sicher sein, dass er damit durchkommt.«

»Ich hab hier nachts nichts verloren, sagt meine Ma, bla-bla!«

»Kann ich verstehen, mir gefällt's hier auch überhaupt nicht. Hör auf deine Mutter. Was ist denn mit diesen Autos da vorne, die stehen immer hier, oder?«

»Da treffen sich manchmal so Jungs, aber ich geh da nicht hin zu denen. Meine Ma sagt, die tote Frau war eine dumme Nutte, die selber schuld war. Wenn's eine hier macht, dann darf sie sich auch nicht wundern.«

Die Vermutung war naheliegend, aber es gab keinen Anhaltspunkt dafür, und er erzählte ihr, dass die Frau in einem Bekleidungsgeschäft im Bahnhof gearbeitet hatte und, soweit bekannt, eine ganz normale neununddreißigjährige Frau gewesen war. Die Frage, was sie an diesem Ort zu suchen gehabt hatte, konnte niemand beantworten. Sie hatte hier kein Auto geparkt, keinen Hund ausgeführt. Es schien absurd, dass der Irre sich hier aufgehalten hatte, um auf seine Gelegenheit zu warten; viel wahrscheinlicher war, dass er sie am Bahnhof oder in der Nähe angesprochen hatte.

»Aber wie hat der das geschafft, dass sie mit ihm hierhergeht? Das fragen wir uns. Könnte auch sein, dass er sie vorn an der

Kreuzung bedroht hat und sie nicht anders konnte, aber das glaube ich nicht, das wäre viel zu riskant.«

»Er hat gesagt, ich zeig dir was ganz Tolles«, sagte sie. Er nickte. »Oder er hat gesagt, Sie müssen mir helfen, ich habe dort hinten in diesem geheimnisvollen Dschungel meinen kostbaren Ring verloren, ich gebe dir hundert Euro, wenn du mir hilfst, oder sogar tausend!«

Er nickte, alles war möglich.

»Er saß hier, weil er mal sehen wollte, was hier passiert, und dann kam die Frau, sie machte einen Spaziergang, es war eine helle Nacht mit Vollmond und Sternen, sie hatte Lust auf eine Zigarette und setzte sich neben ihn, dann haben sie sich verliebt, aber der Mann war ein Mörder.«

»Hast du hier mal so jemanden gesehen, der abends so rumsteht oder hier sitzt wie ich, wo du den Eindruck hattest, der passt nicht hierher, was will der denn hier?«

»Ja«, kicherte sie, »du!«

»Danke, sehr freundlich«, sagte er. Holte seinen Dienstausweis raus und gab ihn ihr. Sie beleuchtete ihn mit ihrem Handy.

»Hab ich dir doch geglaubt«, sagte sie, wie eine erwachsene Frau, der man nichts vormachen konnte. »Aber wenn du sagst, es gibt keine Spur, dann kann das doch auch ein Polizist gewesen sein, stimmt's?«

»Ja, stimmt. Aber das ist so gut wie ausgeschlossen. Es kommt vor, dass ein Polizist zum Mörder wird, aber das ist dann eigentlich immer die Ehefrau, es hat Streit gegeben, oder sie wollte ihn für einen anderen Mann verlassen. Solche Sachen sind das, die meisten Morde passieren innerhalb der Familie, verstehst du? Aber das ist hier nicht der Fall, das wurde alles genau untersucht. Wenn die Frau viel Geld dabei gehabt hätte, okay, ein Polizist begeht einen Raubmord, wäre auch denkbar. Aber dass ein Polizist jemanden ermordet, ohne dass ein Grund erkennbar wäre, daran kann ich mich nicht erinnern.«

Er wollte ihr nicht erklären, dass sie einen Serientäter vermuteten, der einfach nur seinen Spaß haben wollte – er befürchtete, ihr diese Art Spaß dann erklären zu müssen.

»Er hatte eine Uniform an und hat gesagt, ich muss dich untersuchen, weil du eine dumme Nutte bist, oder du wanderst in den Knast, und was passiert dann mit deiner kleinen Tochter? Als Mutter hat man schließlich Verantwortung, das solltest du nicht vergessen!«

Es war inzwischen so dunkel, dass man die Autos, die vor den Bäumen standen, nur noch vage unterscheiden konnte. Die dunklen Augen des Mädchens waren nicht mehr genau zu erkennen – deutlich jedoch ihr breites Grinsen.

»Du bist ja 'ne Nummer, Respekt, Prinzessin«, sagte er, »aus dir könnte eine richtig gute Polizistin werden. Wie kommst du auf die Idee, kannst du mir das mal verraten?«

»Reingefallen, reingefallen, hab ich nur im Fernsehen gesehen! Aber es ist trotzdem eine gute Idee, gib's zu.«

»Hast du im Fernsehen gesehen, großartig. Aber du hast recht, die Idee ist gut. Das Entscheidende dabei ist, dass dir die Verbindung eingefallen ist.« Er reichte ihr die Hand, um ihr zu gratulieren, und sie packte sie und freute sich.

Vormittags hatte er den Leipziger Kollegen angerufen, der bei diesem Mord auf die Idee gekommen war, nach ähnlichen Fällen zu suchen, und auf dessen Konto die Entdeckung ging, dass es sich möglicherweise um einen Serientäter handelte, der hier sein möglicherweise sechstes Opfer gefunden hatte. Fallner hatte ihm zuerst eine ehrliche Hymne vorgesungen: dass er einer der Cops war, von denen es mehr geben sollte; dass es ihm keine Ruhe gelassen und er weitergedacht und -gebohrt hatte, während die

meisten anderen den Deckel auf die Mülltonne geworfen hätten –
Hut ab!

Trotzdem war ihr Telefonat schlecht verlaufen, der Kollege
hatte ihn wie den letzten Idioten behandelt.

Als Fallner die Uniformtheorie erwähnte, hatte er nur verächt-
lich einen Stoß Luft abgelassen. Hatte es abgelehnt, sich mit ihm
zu treffen. Gab keinen Grund, solange der Fall nicht offiziell als
Serie behandelt wurde, und es würde nicht so aussehen, als würde
der Fall eintreten. Laberte er knapp in einem Tonfall, als würde er
aus einer Gruft herauslabern, und ließ sich deutlich anmerken,
dass ihm ein Bulle, der einen Schuss hatte und eigentlich nicht im
Dienst war, sondern plan- und sinnlos durch die Gegend fuhr, am
Arsch vorbeiging. Ein Penner, auf dessen gute Ratschläge er ver-
zichten konnte, und der zuletzt gebraucht wurde, falls der Fall tatsächlich eine große Nummer wurde.

Als Fallner ihn fragte, ob ihm aufgefallen wäre, dass jeder der
Morde an den Tagen Freitag bis Sonntag passiert war, sagte er:
Allerdings. Glatte Lüge, dachte Fallner. Fragte, ob schon mal
jemand die Aufzeichnungen der Überwachungskameras aller
Tatort-Bahnhöfe in den fraglichen Stunden verglichen habe, um
vielleicht auf eine Person … »Allerdings«, sagte das Genie. Glatte
Lüge, dachte Fallner, denn diese Wahnsinnsarbeit musste von einem Beamten gemacht werden, und diesen einen würde man nur
dazu verdonnern, wenn aus den sechs Fällen ein Fall gemacht
wurde. Es sei denn, einer der Ermittler hatte Mumm genug, sich
das gesamte Material auf eigene Kappe zu besorgen. Es war verständlich, wenn dieser gute Polizist aus Leipzig inzwischen zu
müde war, sich durch die verwaltenden Einheiten zu boxen, aber
deswegen musste ihn dieser Arsch nicht wie einen Arsch behandeln.

Fallner war enttäuscht, dass dieser Held offensichtlich zu

dumm war, um zu kapieren, dass er sich Verbündete holen musste, wenn er sich irgendwann mit einem halbseitigen Foto in der Bildzeitung sehen wollte.

Er hatte sich vorgenommen, bei nächster Gelegenheit seinen Chef mit all seinen Überlegungen zu bearbeiten. Er selbst war jetzt derjenige, der die Serie am besten überblickte. Sein Chef hatte manchmal eine Ader dafür, dass man scheinbar vollkommen verdreht denken musste, wenn man den Eindruck hatte, dass nichts mehr ging, und zugleich ein rumorendes Gefühl, dass irgendwas nicht stimmte.

»Aber man darf auch nie vergessen, dass es nie so ist wie im Fernsehen«, sagte er, »das kannst du an diesem Beispiel sehen, kein Mensch blickt durch, es gibt keine gute Spur, es passiert eigentlich gar nichts. Ich sitze hier rum und sehe mir mit dir zusammen an, wie der Mond langsam kommt, um nachzusehen, ob's hier was Neues gibt.«

Ihre Hand lag auf seinem Bein, und er bedeckte die kleine kalte Hand mit seiner großen warmen Hand.

»Der Witz ist«, sagte er leise, nur zu sich selbst, »dass wir ihn haben. Wenn es so ist, wie wir vermuten, dann haben wir ihn an jedem Bahnhof auf irgendeiner Kamera. Wir wissen nur nicht, wie er aussieht. Aber wenn wir einen Typen entdecken … es ist echt ein Witz.«

»Ist das so einer, der das öfter macht?«, fragte sie.

»Sieht so aus, ja, es gibt Anhaltspunkte, aber keinen Beweis.«

»Und hat der auch …?«

»Du meinst, Kinder oder junge Frauen in deinem Alter, nein, das nicht.«

»Und was macht …«

Rechts von ihnen fetzte ein heller Fleck auf dem Schotterboden an der Baracke vorbei zu den Autos, die vor den Bäumen standen.

»Und Männer mit so Hunden«, sagte sie, »hab ich vergessen. Die machen mir am meisten Angst, die sind echt eklig.«

Ihre Hand hatte ihm diese Angst sofort gemeldet, und er versuchte sie zu beruhigen, er würde auf sie aufpassen, darauf könne sie sich verlassen.

Das Herrchen von diesem blöden Kampfköter tauchte jetzt auf, ging wie sein Tier in Richtung der Autos. Es war nicht so finster geworden, wie Fallner vermutet hatte, die Gestalt zeichnete sich deutlich ab. Warum killten Männer in Serie Frauen, die ihnen nichts getan hatten, und warum war es ein typisches Männerhobby, mit bescheuerten Kampfkötern rumzuspielen? Warum gab es so gut wie keine Frauen, die derartige Defekte im Hirn hatten? Diese Fragen sollte endlich jemand ihm und dem kleinen Mädchen beantworten.

»Diese Hundetypen nerven am meisten«, sagte er leise.

Dieses Exemplar blieb in der Mitte zwischen ihnen und den Autos stehen, sah sich um, bemerkte, dass sie an der Wand saßen, und näherte sich. Sein bester Freund flitzte und keuchte um ihn herum und er machte ununterbrochen ein tz-tz-tz-Geräusch, mit dem er dem Hund offensichtlich das Kommando gab, dicht bei ihm zu bleiben.

Das Mädchen verkroch sich wimmernd an seiner Seite, und Fallner zog aus seiner linken Jackentasche die Makarow.

»Pass auf, Kollege«, sagte er ruhig und so freundlich wie möglich, »ich schätze, du kennst das Geräusch« – er hob die Pistole so, dass sie sich vor der Wand abzeichnete, ließ das Magazin ausklinken und schlug es mit der rechten Hand wieder rein, viel lauter als nötig, damit der Hundefreund sicher sein konnte, dass er kein Spielzeug in der Hand hielt.

»Also pass auf deinen Köter auf.«

Er blieb stehen, zischte weiter sein widerliches Tz-tz-tz und schien über die Situation nachzudenken. Sein Hund bearbeitete den Schotter um das Herrchen herum und gab ebenfalls widerliche Geräusche von sich.

Ohne ein Wort machte sich der Hundemann auf den Rückweg. Verschwand mit seinem Tz-tz-tz hinter der Baracke. Eine Minute später brüllte ein Motor auf und Reifen quietschten, und Fallner bedauerte es, dass er nicht dabei sein konnte, wenn er seine Wut an irgendjemandem ausließ.

»Hättest du den Hund wirklich erschossen?«, fragte das Mädchen, das sich immer noch an seinen Arm klammerte.

»Glaubst du, ich hätte zugesehen, wie er dich auffrisst?«

Ihre Wege trennten sich an der Kreuzung, an der der Bahnhofskomplex anfing. Sie wollte ihn begleiten, aber jetzt sagte er streng den längst fälligen Du-musst-jetzt-nach-Hause-deine-Mutter-macht-sich-Sorgen-Satz. Die Vorstellung gefiel ihm nicht, dass er um die Uhrzeit mit einer Zwölfjährigen, die bei manchen Männern als Sechzehnjährige durchging, im Bahnhof unterwegs war.

Sie hielt ihm ihre Hand hin und sagte, als er sie drückte: »Kann ich nicht mit dir mitkommen?«

»Du machst mir Spaß«, sagte er, nachdem er eine Sekunde lang vor Überraschung ein Gesicht gezogen hatte.

Und er bedauerte schon wieder, dass er Tellings Vorschlag nicht angenommen hatte, die polnische Sängerin mit auf die Reise zu nehmen. Dann hätten sie jetzt das Mädchen vielleicht echt mitnehmen können. Und wären damit, zumindest aus seiner Sicht, zu viert unterwegs.

Wie im Märchen.

Vier unterschiedliche Typen, die auf der Suche nach einem neuen Platz waren. Er konnte die Gruppe einen Moment lang erkennen, und sie gefiel ihm. Und er sah, dass der Junge neben ihnen aufgetaucht war und nichts sagte, sie nur beobachtete, als fragte er sich, ob das dann bedeuten würde, dass er die Koffer des Mädchens schleppen müsste.

Fallner fummelte aus seiner Brieftasche seine Karte, schrieb seine Mobilnummer dazu und gab sie ihr.

Sie las alles und schaute ihn an: »Du meinst, ich soll dich anrufen, wenn ich mal in Not bin?«

»Ganz genau.«

Sie hüpfte davon, als hätte sie es eilig, endlich wieder in ihre eigene, glückliche Welt zu kommen.

A.C.A.B.

»Ay-sie-ay-bi«, sagte der junge Mann, der ihm gegenübersaß, »wissen Sie, wofür das steht?«

Er freute sich, dass er selber es wusste. Zwei uniformierte Polizisten waren hektisch suchend an ihnen vorbei durch den Zug gelaufen, und dann hatte das Kerlchen ihnen seinen gestreckten Mittelfinger lässig hinterhergeworfen und ihn angegrinst und gefragt. Fallner dagegen fragte sich, was passiert war und wen die beiden zu greifen versuchten und ob seine Hilfe nötig sein könnte, und reagierte nicht auf die Kontaktanbahnung. Sein Gegenüber schien das als Nichtwissen und sogar als Interesse zu interpretieren.

»Ist eine englische Abkürzung: A.C.A.B.«, sagte der gebildete Zwanzigjährige; auf eine Art stolz, als wäre er seit Joseph Goebbels der erste Deutsche, dem sie ein paar englische Wörter auf die Pfanne gelegt hatten.

Sie hatten ihn mit Abitur aus der Schule gelassen, ohne ihm einen Schimmer davon zu vermitteln, dass es Abkürzungen und Begriffe gab, mit denen man gelegentlich vorsichtig sein sollte, oder auch nur umsichtig. ACAB war nicht ADAC, und es gab genug Cops, die große Lust hätten, es ihm jederzeit vorzuführen. Was Fallner daran gefiel, war, dass er nicht auf die Idee kam, ihn für einen Cop zu halten. Er befand sich in seinem Freizeitlook, und das war von seinen drei Bekleidungsvarianten die Erscheinung, die von einem Bullen am weitesten entfernt war. Im Freizeitlook wurde er häufig angequatscht oder von sehr weit oben betrachtet – als ein Vierzigjähriger, der jeden Sonntag in die Kirche ging und betete, dass dieses neue Internet seine Kinder nicht in die Fänge des Satans treiben möge.

Deshalb glaubte dieses sauber und adrett gekleidete Hühnchen, das vor allem mit dem täglichen Kampf beschäftigt war, seine Lederjacke, das Kapuzenshirt und die schwarze Jeans vor Staub und Schmutz zu bewahren, dass er den unfassbar weisen Ausdruck nicht kannte – mit dem er, behütet von den Killergesängen Tupacs und den Herointrompeten Morgans, jahrelang seinen Bruder den Bullen gequält hatte, ehe er selbst in die Bullen-und-Beamten-Falle gerannt war und selbst mit A.C.A.B. traktiert wurde.

Fallner sah ihn an, versuchte herauszufinden, wie abwegig seine Vorurteile waren und warum er seine alte Abneigung gegen Kinder aus gutem Haus nie abgelegt hatte. Vielleicht tat er ihm Unrecht, und er hatte genauso eine schwierige Kindheit gehabt und konnte etwas Zuwendung gebrauchen.

Kostete nichts, ihm die Freude zu machen: »Meinst du AC/DC?«

»AC/DC?! Sind das diese Pseudos mit den Kinderhosen? Hallo? Ich meine A.C.A.B.: All Cops Are Bastards!«

Er sprach es aus wie eine Kriegserklärung, mit der er sich sofort an die Arbeit machen würde, die Welt von allen denkbaren Übeln zu befreien und vom denkbar größten zuerst. Fallner hob schockiert beide Hände, denn das war zu viel für einen Mitbürger im Freizeitlook! Und es handelte sich nicht nur um ultrabrutalen Sprachstoff, sondern auch um eine illegale Äußerung, weil der Held ihn dabei angesehen hatte.

»Aber vielleicht sind die«, stammelte er, »du weißt schon, hinter einem Kinderschänder her und es geht um Sekunden, ehe das Schwein untergetaucht ist – hast du das in Erwägung gezogen, mein Freund? In dem Fall könnte man doch auch sagen: All Cops

Are Beautiful! Wenn auch nur in einem geistigen Sinne selbstverständlich.«

Der Kämpfer sah ihn mit offenem Mund an, winkte dann die Überlegung mit einem Pfff! locker ab. Was war das für ein dumpfer Aspekt, die paar guten Taten der elenden Bastarde durfte man vernachlässigen. Es ging hier ums Prinzip, um eine Lebenseinstellung – etwas, das für einen Spießer wie ihn, der von den Bullen zuerst erwartete, dass sie sein Reihenhaus beschützten, natürlich zu hoch war. Fallner fragte sich, was er tun würde, wenn er wüsste, was er getan hatte, und was, wenn er ihm seine Pistole in die Hand gab.

»Andererseits ist mir deine Meinung nicht fremd, das kannst du mir glauben«, sagte er. Die Frage sei jedoch auch, ob man diese Weisheit auf andere Berufsgruppen übertragen könne, zum Beispiel: Alle Public-Relations-Agentinnen sind Bastarde, falls das die weibliche Form des Begriffs sei, oder sage man in dem Fall Schlampen? Was jedoch eigentlich wieder etwas anderes meine, aber egal, was meine er denn dazu? Und was glaube er, warum niemand behauptete, alle Automechaniker seien Bastarde?

»Und weißt du, was mein Alter immer gesagt hat? Alle Flüchtlinge sind Bastarde. Er meinte damit die aus den Ostgebieten. Was ich nie verstanden habe, weil er ein Nazi war, genauer gesagt: ist. Wie geht das denn zusammen?«

Der Junge starrte ihn an. Hatte er ihm nicht zugetraut, dass er ihn an die Wand quatschen könnte, und war misstrauisch geworden. Wollte seinen Mut zusammenkratzen, ihn einen dreckigen Oberbastard zu nennen. Aber das brauchte seine Zeit. Genug Mut für einen Gegenangriff zusammenzukratzen war eine der schwierigsten Beschäftigungen, die es gab.

Und waren alle Kreditunternehmer Bastarde oder war es möglich, dass es ein paar gute gab, die ein Herz hatten? Und bedeutete das eigentlich, dass sie Nazis waren, alle diese Cops, die alle Bastarde waren? Er selbst sei, falls ihn das interessiere, der Meinung, dass zu viele Cops Nazis wären, was natürlich nicht heiße, dass sie Parteimitglieder wären, und die damit verbundene Frage sei, ob der Nazi-Anteil unter den Cops größer als unter den Bäckern oder Kosmetikerinnen oder Astronauten sei.

»Ich selbst habe by the way grade einen echten Bastard erschossen, den du bestimmt nicht als Freund haben möchtest. Der war so alt wie du, aber nicht so 'n netter Junge. War Notwehr, aber seltsamerweise hab ich Probleme damit« – er ließ den Zeigefinger am Kopf kreisen –, »bin schon seit Wochen dienstunfähig, weiß im Moment nicht mal, ob ich den Job jemals wieder machen kann. Innendienst, okay, aber das ist ja was ganz anderes, wie du dir vorstellen kannst, würde dir vielleicht Spaß machen, den ganzen Tag am Computer sitzen oder sich Videos ansehen oder so Zeug, was meinst du? Also folgende Konstellation, als Grundlage zur detaillierten Meinungsbildung: Da gibt es zum Beispiel die Vereinigung der homosexuellen Polizeibeamten, und da hast du nun …«

Der Junge griff nach seiner roten Umhängetasche, die aussah, als würde sie ganz neu riechen, marschierte los, wütend, und er rief ihm hinterher: »He, du Clown, ich wollte doch nur ein bisschen reden, du hast mich nicht beleidigt, ehrlich! Mann, danke für die Diskussion, danke für dein Verständnis, hat mir gutgetan, alles Gute! Und immer schön aufpassen, wem du was erzählst, Polizeistaat und so, die Problematik ist nicht zu unterschätzen!«

Er wurde von Leuten komisch angesehen, die nicht geneigt waren, ihm Glauben zu schenken. Er hatte es etwas übertrieben, aber er hatte ihm nichts getan, hatte ihm nur etwas zu erklären versucht, und er war einen Scheiß geneigt, das so stehen zu lassen.

»Vergessen Sie nicht, ich könnte ihn anzeigen und tu's nicht«, sagte er zu ihnen, »wenn Sie sich das bitte kurz hinter Ihre selbstverständlich sauberen Ohren schreiben möchten.«

So schrieb er es später in sein Heft. Überlegte, wie er die Leute, die ihn angeglotzt hatten, genauer beschreiben könnte. Aber er konnte sich nicht genauer an sie erinnern. Nur an Augen, die ihn anglotzten und sagten: Störung! Störrrung abschaltäään! Störrrung soffottt wäääckkk!

Die Idee, sie zu beschützen wäre sein Job, kam ihm bizarr vor, und er konnte sich nicht vorstellen, dass er das jemals gedacht hatte. Die Idee mit A.C.A.B. gefiel ihm viel besser. Er war selbst ein Bastard. Es war ein vielseitiges Schimpfwort mit einer Menge positiver Aspekte – wenn man seit seiner Kindheit damit konfrontiert war, lernte man irgendwann, es so zu sehen. In dem Punkt verstand er sich mit seinem Freund Maarouf besser als mit den Figuren, die ihn anglotzten, und er glaubte zu wissen, dass der, den er erschossen hatte, ihm näher war als dieser adrette Schlaumeier, der vorbeilaufende Bullen, die ihn nicht sehen oder hören konnten, beschimpfte.

Er schrieb in sein Heft, dass ihm der Junge am Ende dieser Szene erschienen sei und zu ihm gesagt hatte, dass sie, die Bastarde, zusammenhalten müssten, obwohl sie auf verschiedenen Seiten standen. Es stimmte nicht, dass er aufgetaucht war, aber Fallner fand es passend, konnte es sich vorstellen und es gefiel ihm, sein Wunschdenken auf festen, schriftlichen Boden zu stellen. Es war zum ersten Mal, dass er den Jungen in seine Gedanken reinholte, als er nicht von selbst auftreten wollte.

»Er fragte seinen Doc, was sie davon hielt«, schrieb er.

»Sie lernen sehr schnell, und ich frage mich, worauf wollen Sie hinaus, wissen Sie das?«

»Doc, ich vermisse Sie.«

»Sie fehlen mir auch. Die Gespräche mit den anderen, ich will nichts gesagt haben, das läuft so dahin. Aber Sie mieser Bastard, können Sie Ihren Arsch nicht hierherbewegen?«

Fühlte sich gut an, auf die Art irgendwas in das Heft zu schreiben. Er konnte schreiben, dass seine Therapeutin Urlaub nahm, um sich eine Zeit lang ausschließlich seinem Fall zu widmen. Er konnte schreiben, dass sie sich im Zoo in Dresden trafen und sie ihm eine Lösung präsentieren konnte. So einfach war das. War ihm nicht klar gewesen. Man konnte eine Testrakete abschießen und abwarten, ob irgendwas passierte.

»Warum wollten Sie sich an der Pinguinanlage mit mir treffen?«, sagte Dr. Vehring.

»Ich dachte, hier gefällt's Ihnen am besten. Ich dachte, mein Doc steht auf Pinguine.«

»Pinguine sind meine Lieblingstiere, wieso wussten Sie das?«

»Vergessen Sie nicht, ich bin Bulle.«

»Ich möchte Ihnen etwas sagen, das ich Ihnen nicht sagen dürfte, und Sie dürfen auf keinen Fall irgendjemandem erzählen, dass ich Ihnen das gesagt habe.«

»Geht klar, Doc, ich kann mich an nichts erinnern.«

»Ich bekomme von verschiedenen Seiten Informationen, nein, das ist übertrieben, also ich höre etwas über Ihren Fall, Gerüchte, nein, es ist mehr, also Sie sollten aufpassen, ich finde das alles seltsam, verstehen Sie?«

Er wusste nicht, wieso er auf die Idee gekommen war, es so zu schreiben, und hatte im Moment keine Idee, was genau sie ihm sagen würde. Aber allein die Idee fand er sehr interessant.

Egal – die Idee würde sich wieder bei ihm melden. Im Moment genügte ihm, auf dem Papier, die einfachere Lösung … Seine Angelegenheit war beendet, weil sie die Pistole unter einem Schrank im Zimmer gefunden hatten. Damit Ende einer Geschichte, die später alle Beteiligten lachend ihren Enkeln erzählen würden.

Der Chef gab ihm die Hand und überreichte ihm vor versammelter Mannschaft eine neue Panzerfaust. Sagte, er sei ein Vorbild für alle. Rasender Applaus.

Früher im Wilden Westen hätte ihn jetzt ein Reporter besucht, um eine Fünfzig-Cent-Magazin-Serie mit seinen Abenteuern zu starten.

Er dachte an die Landser-Hefte, die er früher gelesen und sogar gesammelt hatte. Sie waren schuld, dass aus ihm einer geworden war, den sie jetzt hängen wollten.

Windräder

Die Windräder ansehen war das Höchste. Rotierender Stahl an schlanken hohen Masten.

Windkraftwerke in Horden auf Hügeln. Ihre Flügel drehten sich langsam. Sahen aus der Entfernung zerbrechlich aus, aber man ahnte die Gewalt eines Panzers.

Ausgemusterte Robotersoldaten aus einem Science-Fiction-Film. Sie bewachten die Gegend. Nachts hoben sie ab und drehten eine Runde.

Die Vorstellung, an einem Flügel zu hängen und den weißen Zug flüchten zu sehen. Die Schlange zischte zwischen den Wächtern hindurch.

So wollte er sein Leben verbringen: einer, der die Gefahren von Windanlagen auf die Insassen vorbeifahrender Züge untersuchte.

Der Mann,
der nie träumt

»Ich vermisse dich, ehrlich, ich bin nur noch ein halber Mensch, mir reicht's langsam.«

Hatte er noch nie zu einem Mann gesagt. Er musste angreifen, sonst würde nichts passieren. Die bewährten Begrüßungsrituale hatten nichts gebracht, nur einen Platz auf Maiers Couch im Wohnzimmer. Fallners Laune war ganz unten. Er kam nach sieben Wochen nach Hause – Boxenstopp, Volltanken, Beschwerden einsammeln, Lagebesprechung –, und von denen, die er sprechen wollte, ging niemand ans Telefon, oder man hatte ihn abgefertigt. Als hätten Zeit und Entfernung gepasst und gereicht, um ihn von allen möglichen Listen endlich streichen zu können. Maiers Pech, dass er nicht an sein Telefon gegangen war, aber sich an der Gegensprechanlage gemeldet hatte.

»Ich weiß es nicht genau, ich dachte, ich brauche ein halbes Jahr mindestens, aber jetzt nach sieben Wochen sieht's nicht so schlecht aus. Vielleicht bin ich auf dem Holzweg, man bildet sich irgendwas ein, kann ich bekanntlich ganz gut, ich weiß. Aber im Moment ist's eigentlich nicht schlecht. Vielleicht weil ich mal wieder hier bin, Eric. Tut gut.« Er drehte die Bierflasche hin und her. »Gibt keine schmutzige Wäsche zu waschen, wollte ich mal sagen. Ich war ein paar Tage sauer auf dich. Gebe ich zu. Aber ich war auch nicht mehr ich selbst. Du hast es mitbekommen. Was mich im Moment interessiert ist, wie es dir damit geht.«

Er machte eine Pause, um zu sehen, ob er genug Blödsinn erzählt hatte, um etwas zurückzubekommen – keine Antwort. Er fummelte an der Flasche herum. Sie betrachteten den Tisch. Er wiederholte die einfache Frage, wie es ihm gehe.

»Geht eben so irgendwie. Ging schon besser.«

Sein guter Freund Maier schien so traumatisiert wie ein Guantanamo-Opfer. Das war nicht einfach hinzubekommen. In der Nacht, als er den Jungen erschoss, hatte er gut geschlafen, etwa eineinhalb Meter hinter ihm – das war unfair, das hatte er nicht wahrgenommen, nur dass er keine Unterstützung von ihm bekommen hatte, daran erinnerte er sich. Maier hatte seitdem seinen normalen Dienst durchgezogen und saß nun als Wrack vor ihm – diese Show war es, die ihn unfair denken ließ. Der tapfere Maier machte eisern seinen Job, obwohl er am Boden lag, ein deutsches Vorbild, ein Mann für das Titelbild des Magazins der Steuerzahler. Der Mann, der in seinem Apartment Fallner gegenübersaß, war jedoch eindeutig nicht mal in der Lage, sein Auto aus der Parklücke zu fahren.

Er hatte gehofft, bei seinem Besuch zu entdecken, dass sein Misstrauen nur eine Halluzination gewesen war.

»Ich komm einfach nicht recht auf die Beine«, sagte Maier.

»Das tut mir leid, Eric«, sagte Fallner, »es ist meine Schuld, der ganze Scheiß geht allein auf mich, keine Frage. Ich kann dir nicht sagen, was mit mir los war, ich krieg das einfach nicht mehr zusammen, ich schwör's dir, ich habe mir ständig das Gehirn zermartert, was war da genau los, wie konnte es dazu kommen, ich kann's selber nicht fassen.«

Er drängte ihn, mit ihm anzustoßen. Er musste irgendwas aus ihm rausholen, seine persönliche Big Raushole war angesagt, er musste den Schwachkopf packen. Er machte den Hilfesuchenden, dem der Kumpel alles sagen konnte, und alles würde er ihm glauben.

»Keine Ahnung … du warst in einer … Stresssituation. Das

hätte jedem passieren können. Ich konnte doch nichts sehen, ich war hinter dir, ich hab deinen Arsch gesehen und sonst nichts.«

»Weiß ich doch. Aber du hast ausgesagt, dass ich von Anfang an auffallend aggressiv war, eventuell schon mit gezogener Waffe in die Wohnung gekommen bin. Kann ich mir vorstellen, aber ich kann mich nicht daran erinnern. Das ist mein Problem. Ich möchte mich nur erinnern, darum geht es.«

»Habe ich so nicht gesagt. Die haben mich irgendwie in die Ecke gedrängt, dann hieß das plötzlich, dass ich das nicht ausschließen könnte, dass es möglicherweise so war. Du weißt doch, wie das läuft. Die Eltern haben ausgesagt, du bist schon mit schussbereiter Waffe rein. Mensch, ich bin mir ja nicht mal sicher, ob ich meine nicht auch gezogen hatte.«

Das war Blödsinn. Wenn Maier mit seiner Heckler in der Hand die Wohnung betreten hätte, wäre er unfähig gewesen, sie nach der Aktion wieder in sein Holster zu stecken. Das war Wir-sitzen-im-selben-Boot-Blödsinn. Totaler Wahrscheinlich-werden-die-mich-genauso-anklagen-Blödsinn. Sie hatten in sicherer Position an der Wohnungstür gestanden, jeder die Hand an der Waffe, und als die Mutter öffnete und offensichtlich nicht in Panik war, hatten sie keinen Grund gesehen, ihre Waffen zu ziehen. Er war mit der Hand an der Heckler hinter der Mutter durch den Gang in die Küche gegangen. Sie hatten sich normal verhalten, wie sie es gelernt, trainiert und oft genug durchgeführt hatten.

»Ich mach dir doch keinen Vorwurf, ich will mir nur die Situation zurückholen. Du könntest mir erzählen, dass ich den Penner mit einer Panzerfaust umgelegt habe, und ich würde es glauben. Ich kann nicht mal die Leute erkennen, die dabei waren, wer wo saß, wer was gesagt hat. Wir hatten doch so einen Mist nicht zum ersten Mal. Warum passiert mir das jetzt?«

»Du bist lustig, du hast dreimal geschossen! Dreimal! Ich

dachte, eine Bombe ist im Zimmer hochgegangen. Ich dachte zuerst, es hat mich erwischt. Nichts mehr gehört, nichts mehr gesehen. Kompletter Blackout, was dachtest du denn? Ich hab schon einiges mitgemacht, aber nichts war … nicht mal im Ansatz war irgendwas … Scheiße.«

War möglich, wenn er einen schlechten Tag gehabt hatte, war möglich, weil alles möglich war. Sein Partner hatte die letzten fünfzehn Jahre nicht bei der Verkehrsüberwachung gedient, und er konnte, genau wie er selbst, zwei Jahre Sondereinsatzkommando vorweisen – war möglich, aber extrem unwahrscheinlich, dass er sich in dieser Situation vollkommen ausgeschaltet hatte, obwohl er selbst nicht geschossen hatte. Es war Meine-Nerven-sind-eben-auch-nicht-mehr-das-was-sie-mal-waren-Blödsinn. Es stimmte nichts, und woran Fallner sich erinnerte, war, dass er ihm sofort danach aus dem Weg gegangen war. Und in den Monaten danach bis heute. Das zählte. Und dass er ihn vorhin an der Tür, als er unangemeldet vor ihm stand, wie ein Gespenst angesehen hatte. Als befürchtete er, das Gespenst wolle ihn abholen. Sein Partner war so nervös, als würde er jeden Moment umkippen und kotzen. Sein rechtes Bein zuckte auf und ab und er bemerkte es nicht. Er würde ihm alles nachplappern, nur um ihn so schnell wie möglich aus seiner Wohnung zu kriegen.

Er hörte den Jungen sagen: Deutschland sucht den Märchencop.

»Das andere Problem ist«, sagte Fallner, »dass der Junge in meinem Kopf lebt. Plötzlich ist er da und erzählt mir seine Märchen, macht mich an, heult mir was vor, verstehst du?«

Maier schien jedoch nichts zu verstehen, schaute nur aus dem Hemd wie der Mann auf dem elektrischen Stuhl, und Fallner dachte, Feiermaier, wie er bei gewissen Anlässen genannt wurde, wir müssen jetzt mal etwas feiern, so geht das nicht weiter, und der Junge sagte: Endlich, ihr Arschgesichter! Und er sagte: »Mein Freund Feiermaier, jetzt mach dich endlich mal locker, das ist ja nicht zum Aushalten. Dein alter Partner ist schon auf den Knien, damit er noch ein Bierchen bekommt, ich weiß, es ist nicht mein erstes, aber was soll ein Mann tun, der nicht an seine Braut rankommt, wenn du weißt, was ich meine. Ich bin vielleicht etwas neben der Kiste, aber das heißt nicht, dass du mich so schnell wieder los wirst. Es geht wieder aufwärts, wir schaffen das! Jaqueline geht nicht an ihr Scheißmobil, deshalb dachte ich, mein Freund Eric, der wird dich stützen in der Not. Oder umgekehrt natürlich, kein Thema. Wir sind keine Superbullen aus dem Schwedenkrimi, aber einen trinken können wir, kannst du dich wenigstens daran erinnern? Also ich schon.«

Sie stießen an, mit unterschiedlicher Begeisterung. Fallner verdrängte den Gedanken, dass sie beste Freunde waren, das war Geschichte, das war nicht hilfreich.

»Also pass auf«, sagte er, »dieser Typ also, den ich ins Reich seiner Ahnen schickte, ich will nicht behaupten, dass es mir nicht auch ein wenig leid tut, aber nicht nur, er besucht mich in meinen Träumen. Nicht jede Nacht, aber ziemlich oft. Kommt wie ein verdammtes Gespenst und macht irgendwas. Ist völlig normal, sagt mein Psychodoc, auch dass es Ausmaße annimmt, die nicht mehr normal sind, weil eine extrem außergewöhnliche Situation dazu geführt hat. Die Wiederholung oder Fortsetzung der Explosion, die tatsächlich stattgefunden hat, eine Art Echo. So habe ich das verstanden, frag mich nicht, wie das alles wissenschaftlich genannt wird.«

War nicht leicht, sich zu konzentrieren, wenn der Zuhörer immer stärker zu leiden schien – und der Junge ihm laut ins Ohr lachte, pass auf, der ruft gleich die Bullen.

»Aber nicht nur im Traum, ich kann ihn auch hören, wenn

ich wach bin. Er hat gerade gesagt, dein Kumpel sieht aus, als würde er gleich aufs Klo gehen und dort die Bullen rufen, heißt, er quatscht mich gerne mit totalem Quatsch voll. Problem: Ich kriege das nicht unter Kontrolle. Er geistert durch meinen Schädel, jammert mich voll, ich hätte ihn erschossen, als er auf dem Weg war, ein guter Junge zu werden. Worum geht's? Schlechtes Gewissen. Ich kann ihn manchmal sogar sehen. Ich stehe am Bahnsteig, um den Zug nach Berlin zu nehmen, und er steht neben mir und sagt, er will mich begleiten. Dann ist er tagelang verschwunden und ich denke, ich habe es geschafft, er ist weg, aus den Träumen, aus dem Kopf – und Bäng-Bäng ist der kleine Drecksack wieder da, Gott zum Gruße, Herr Polizeioberwachtmeister. Das ist echt lustig, Feiermaier, kann ich dir sagen.«

»Scheiße«, sagte sein Partner.

Fallner setzte die Flasche an und ließ einen guten Schluck über Kinn und Hemd laufen, weil er schon während des Trinkens weiterreden musste: »Steck dir mal deine Makarow in den Mund, hat er gesagt, ein Mann sollte sich wenigstens einen würdigen Abgang verschaffen, damit ihm die Welt Respekt erweisen kann.«

»Du hast eine was? Du spinnst, Mann.«

»Sowieso«, sagte Fallner. »Ich sag ihm mal, er könnte ja auch dich besuchen. Ihr kennt euch ja. Nur damit du weißt, dass ich dir keinen Scheiß erzähle. Nein, im Ernst, das kann zu einem echten Problem werden, sagt meine Therapeutin. Bist du eigentlich auch bei ihr? Hat mal jemand erwähnt, stimmt das?«

»Nicht mehr. Drei Wochen, dann dachte ich, dass es wieder gut ist. Hilft mir nichts. Hat mir geholfen, dann hatte ich den Eindruck, dass es mir nicht weiterhilft.«

»Nicht mehr also. Klingt positiv. Nicht mehr, das heißt optimaler Verlauf, wenn du mich fragst. Und träumst du davon?«

»Nein, ich träume nichts. Tu ich sowieso nie. Noch nie.«

»Du träumst nie? Niemals, null? Aber als Kind hast du doch sicher geträumt. Oder als junger Krieger, kein Ringkampf mit einer Superblondine? Hast du ihr das erzählt? Was hat sie dazu gesagt? Besser gesagt, was hat sie dich gefragt?«

Maier stand mit einer ärgerlichen Geste auf und holte zwei neue Flaschen. Musste als Fortschritt verbucht werden. Dem Meister konnten seine Träume nichts anhaben, aber man konnte ihn weichklopfen. Man musste an die Tür klopfen, hinter der er seine Träume eingesperrt hatte. Es war nicht gerecht, dass er nicht hörte, wie sie jaulten und brüllten. Man musste die Tür eintreten ... Doc, wollte Fallner seinen Doc fragen, wieso haben Sie geschlafen und den Typen so schnell wieder laufen lassen? Das passt nicht zu Ihnen, Sie hätten ihn ausgequetscht und an die Tür genagelt, hinter der er das bunkert, woran er sich nicht erinnern können möchte, Doc, wieso muss ich Ihren Job machen?

»So was wie mit meinem Jungen kann zu einem echten Problem werden, wenn die Stimme aus dem All a) nicht mehr abdüst, oder, falls du dich daran gewöhnt hast, b) stärker wird. Zum Beispiel stärker als deine eigene Stimme, oder sich vermehrt, also zu zwei Stimmen wird, drei Stimmen. Schizo nennt man das, falls du dich an gewisse Kurse erinnern kannst, damit du weißt, was los ist, wenn du eines Tages den Meister verhaften musst, der mit seiner Axt durch seine Wohnung marschiert. Der Kurs, den ich hatte, kannst du vergessen, das Problem ist, dass du für die Situation so gut wie keine Regeln lernen kannst. Ist besser, wenn du gelernt hast, wie du jemanden unschädlich machst, ohne ihn zu töten. Zusammenfassung: Gefahr Psychose, schizo oder was auch immer. Frage: Wie kannst du den Spuk löschen, wenn er sich bei dir eingenistet hat? Antwort: Sie wissen es nicht genau, alles ist möglich, alles oder nichts kann dir helfen.«

»Ich bin mir sicher, dass der Typ bald wieder verschwinden

wird«, sagte Maier. »Und ich werde meine Aussage korrigieren. Ich kann mich wieder erinnern, dass ich was gesehen habe, das wie eine Pistole aussah. Du wirst mit paar kleinen Kratzern rausgehen und das war's dann.«

»Genau, das war's dann«, sagte Fallner. »Weißte, was seltsam ist? Ich habe kein schlechtes Gewissen wegen diesem Drecksack, denn genau das war er, ein echtes Stück Dreck, du weißt es auch. Egal, ob er nun eine Waffe hatte oder nicht, er hatte eine. Dumme Sache, aber die Welt ist ohne ihn eine bessere, das ist meine ehrliche Meinung. Und trotzdem hängt er mir im Kreuz. Als hättest du aus Versehen den Dalai Lama erschossen, verstehst du?«

Er ließ den Kopf hängen. Wartete, ob er damit weiterkommen würde. Bekam aber nicht mehr als ein neues Bier, auf das er keine Lust hatte. Setzte es an, als wär's die Rettung für seine Seele. Und sagte: »Alles halb so wild. Das eigentliche Problem ist Jaqueline. Sie hat die Nase voll. Der Alte ist seit Monaten ein Wrack, das zu nichts mehr zu gebrauchen ist. Jammern und Saufen. Nichts sagt, abhaut, sich fast nicht meldet. Das macht irgendwann auch den besten Partner müde. Hast du mal mit ihr gesprochen in letzter Zeit?«

Maier bearbeitete das Etikett an der Flasche mit dem Fingernagel. Schien nicht mehr zuzuhören, sagte dann: »Nein. Wir haben uns nur einmal im Aufzug kurz gesehen, aber so gut wie nichts gesprochen.«

»So gut wie nichts«, sagte Fallner. »Du bist doch auch mit ihr befreundet, wieso redest du nicht mit ihr? Dass wir Probleme haben, könntest du dir gedacht haben. Du bist nicht irgendein Freund, sondern auch noch mein Partner. Niemand ist näher dran als du.«

»Ich hatte das Gefühl, ich sollte mich nicht einmischen.«

»Was heißt denn unter Freunden einmischen? Ich weiß, dass

sie dir was bedeutet, du stehst auf sie, das hast du selbst gesagt.« Er stach mit dem Finger in seine Richtung: »Wenn dir mal was passieren sollte, Bruder, werde ich versuchen, dich voll und ganz zu vertreten! Hast du im Bertls selbst zu mir gesagt, ich kann mich genau erinnern.«

»Ach, Quatsch, das war doch nur Spaß.«

»Du kannst das zugeben, kein Problem. Bei dir habe ich kein Problem damit, ich dachte, das weißt du. Bei den anderen, die sich meine Jaqueline immer ganz genau ansehen, ist das was anderes. Und ich weiß auch, dass sie dich gut findet, verständlich, ich finde dich auch gut, du bist einfach ein guter Typ. Wenn du mir jetzt erzählst, dass du sie im Aufzug gefickt hast oder wo auch immer, könnte ich nicht mal richtig sauer sein, weil ich's schon so lang nicht gebracht habe, ich bin nicht blöd, Mann. Ich an deiner Stelle hätte es genauso gemacht.«

Maier sprang wütend auf.

»Kein Problem. Ich bin das Problem. Ist mir lieber, wenn sie mit dir Spaß hat, als mit irgendeinem Vollidioten, ehrlich.«

»Du spinnst doch total«, sagte sein Ex-Freund laut, »jetzt reicht's, geh heim und schlaf dich aus.« Er versuchte Fallner an der Jacke zu packen, aber der blieb sitzen.

»Sie hat's mir am Telefon gesagt, Eric. Es ist kein Problem, ich schwör's dir.«

»Hau jetzt ab! Ruf mich morgen an und entschuldige dich, und die Sache ist vergessen. Aber wahrscheinlich hast du dann wieder vergessen, was passiert ist.«

Fallner erhob sich, stand da, eine traurige Gestalt mit hängenden Armen. Sagte, er habe recht und es täte ihm leid. Und schlug ihm dann links-rechts mit den Fäusten in die Seiten. Traf exakt die besten Stellen, sein Partner sackte zusammen. Fallner schlug ein Bierglas an der Tischkante ab, kniete sich hinter ihn, packte ihn an den Haaren und hielt ihm das gezackte Glas an den Hals. Wartete, bis er wieder zuhören konnte, und redete sachlich mit ihm.

»Was ist mit seiner Waffe passiert, du hast seine Pistole verschwinden lassen, warum?«

Er wiederholte sich hundertmal und hörte immer nur ein Nein. Dazwischen brüllte er ihm die Frage direkt ins Ohr, um Abwechslung reinzubringen, und hörte nichts anderes. Schwitzte wahnsinnig und drückte ihm den Zacken an den Hals.

»Was war los an dem Abend, warum hast du mich von Anfang an hängenlassen? Du kanntest den Jungen, stimmt's? Von irgendeiner Drogengeschichte, du hast von denen Geld genommen, was war los!« Er riss an seinen Haaren. Es kam nichts, immer nur Nein.

»Ich glaube dir nicht, dass du in der Situation einen Aussetzer gehabt hast, erzähl mir nicht diesen Scheiß. Du hast sofort danach ganz ordentlich mit Leuten geredet, ich habe dich genau gesehen, ich kann mich genau erinnern.« Er riss an seinen Haaren, drückte den Zacken stärker in den Hals. Es kam nichts.

»Warum erzählst du diesen Schwachsinn über mich? Ich steh schlecht da, damit du gut dastehst, ist es so? Warum ist es so?« Er riss an seinen Haaren, versuchte aufzupassen, dass sich der Zacken an seinem Hals nicht verselbständigte. Aber es kam nichts.

»Mein Kollege in Berlin sagt, ihr benutzt mich für irgendwas. Was hältst du davon? Ich finde, das ist eine interessante Idee. Aber: Wo steckt 'n da der Sinn drin? Was meinst du, Maier? Was sagt der Chef? Erzähl mir jetzt was, einfach nur Brainstorming. Du weißt, dass ich traumatisiert bin. Ich bin nicht mehr der, der ich war. Ich bin jetzt der, der hinter dir her ist. Außer du kannst mir was Besseres anbieten. Mein Monster will jetzt ein schönes Geschenk von Papa.«

Der Verdächtige hatte beim Verhör in seine Kleidung uriniert. Benahm sich auch sonst nicht gut. Sagte nichts mehr und kein Nein. Fallner stand auf und schüttete sein fast volles Bier über ihn.

»Ich krieg's raus«, sagte er.

Im Aufzug sagte der Junge zu ihm: Zu früh, Mann, zu früh! Mit deinen kleinen Gebeten kriegst du nicht mal aus ihm raus, wie seine Mutter heißt.

Ich weiß, sagte er, ich muss erst wieder in Form kommen.

Willste jetzt so 'n Dalia Lama werden, oder was.

Dirty Harry

»For the loser now is later to win!«

»Will ich schwer hoffen«, murmelte Fallner.

Er hatte nicht auf die Jukebox gehört, den Satz jedoch wie eine Flagge wahrgenommen, die speziell für ihn plötzlich vor seinen Augen entrollt wurde. Er saß am Fenster im Bertls Eck und observierte seinen Hauseingang und die Wohnung im dritten Stock. Die Fenster von Küche und Schlafzimmer konnte er sehen, sie waren dunkel.

Er hatte Sehnsucht nach seiner Wohnung. Aber nicht genug, um reinzugehen und allein zu sein.

Wenn Dylan an der Theke saß, kam ein Berg Dylan aus der Jukebox. Außer Dylan saß schon lange an der Theke und sein Dylanprogramm war von anderen Gästen mit anderen Songs verdrängt worden. Wenn man nicht auf die Jukebox aufpasste, nutzte Dylan seine Chance jedoch sofort und drückte wieder alle sechs Dylansongs. Die sich nach dem Durchlauf eventuell wiederholten. Konnte man irgendwann eigentlich nicht mehr hören, aber es störte niemanden im Bertls Eck, denn die Musik schipperte meistens nur gemächlich dahin. An einem Wochentag um kurz vor acht war es ruhig, deshalb hatte Fallner die Weisheit klar und deutlich wie eine Stimme aus dem All vernommen, dass der Verlierer sich am Ende aus dem Dreck erheben und es allen zeigen würde.

Den richtigen Namen von Dylan kannte er nicht. Dylans bester Kumpel hieß Elvis und war ebenfalls Mitte sechzig. Dylan war jetzt ohne Elvis, der nicht vor neun Uhr kam, während Dylan das

Eck kurz nach Öffnung um sieben betrat. Mit beiden konnte man sich nicht richtig unterhalten, nur so irgendwie, nur Wiederholungen in engen Grenzen abspulen. Wenn man sie gefragt hätte, welche der 9/11-Verschwörungstheorien sie noch am ehesten für möglich hielten, hätte man keine Antwort bekommen. Und nur ein Nicken, wenn man forderte, dass diese verdammten Fußballvereine ihre Polizeieinsätze selbst bezahlen sollten; und ebenfalls ein Nicken, wenn man darauf hinwies, dass die Millionen der Fußballvereine für den Fußball da waren und nicht für Scheißbullen, die aufpassen mussten, dass tapfere Familienväter nicht von Hooligans, die in absehbarer Zeit zu tapferen Familienvätern mutierten, angegriffen wurden. Von Dylan hätte man natürlich ein paar Kommentare mehr zu den großen Themen des Lebens erwartet, aber Dylan war beim alten Dylan einfach stehen geblieben und nie von einem guten Menschen an der Hand mitgenommen worden. Er hatte keinen Schimmer, dass es Dylan immer noch gab und in anderer Form, kannte auch dieses Jetzt-mal-ganz-privat-Interview mit diesem Superbankier nicht, der sich als Superdylanfan enttarnte, weil er sich sicher fühlte, dass ihm niemand in die Eier treten und ihm erklären würde, er habe kein gottverdammtes fucking Recht, Dylan gut zu finden.

War schon irre, wenn man sich fragte, welche Bedeutung ungeschriebene Gesetze hatten – war schon irre, wenn man sich klarmachte, dass der echte Dylan ein paar Jahre älter war als ihr Dylan.

»Er hat eine schwarze Freundin, aber er liebt sie, wie man eine Frau eben liebt, egal, ob sie schwarz oder weiß ist, verstehst du? Das war 1965 ein gefährliches Statement, es hätte Dylan passieren können, dass auf der Straße ein Idiot auf ihn zukommt und ihn deswegen abknallt.«

Erinnerungen an den Dylanunterricht, den er mit fünfzehn von seiner Freundin Johanna bekommen hatte. Sie übersetzte und interpretierte ihm den *Outlaw Blues*, imitierte grotesk überzogen Schulunterricht und hatte sich dafür eine Plastikbrille ohne Gläser aufgesetzt. In seinem von schwerwiegenden Gedächtnislücken durchlöcherten Hirn hatte er absurd genaue Erinnerungen daran, wie sie übertrieben gestikulierend immer wieder die Brille hochschob und so sorgfältig sprach, als ob es sich um ein Diktat handelte. Er hörte ihre Stimme und spürte die Nähe ihres Körpers, als würde sie jetzt neben ihm sitzen.

»Rassistenschweine glauben, es ist eine Todsünde, wenn ein Weißer eine Schwarze küsst, oder wenn er seinen weißen Schwanz in eine schwarze Muschi steckt, verstehst du?«

Es war schwierig, alles zu verstehen, was sie vortrug, weil sie dabei seinen steifen weißen Schwanz in der Hand hielt. Ihn losließ, um die Nadel wieder an den Anfang zu setzen, und ihn wieder in die Hand nahm. Und aufpasste, dass sie ihre Hand nicht zu sehr bewegte.

»Was könnte das bedeuten, don't ask me nothing about nothing or I might tell you the truth? Wenn du 'ne gute Idee hast, dann darfst du, versprochen.«

»Diese perverse kleine Schlampe hat dich für immer versaut«, sagte Jaqueline dazu, »du warst der Toyboy einer früh versauten White-Trash-Nutte.« Deren Herkunft und Spielchen ihr nicht fremd waren. Dass sie ihre Spielchen nie beendet hatten, wusste Jaqueline nicht. Er hatte dazu nie eine Aussage gemacht und war nie so streng dazu befragt worden, dass er mit Dylan geantwortet hätte. Jaqueline hatte ihn in acht Jahren nur einmal bei einem Besuch im alten Zuhause begleitet, das sie ekelhaft fand, weil es sie an ihr eigenes Zuhause erinnerte. Dabei war sie auch kurz Johanna begegnet; eine peinliche Minute mit sich heftig taxierenden Frauen im Mittelpunkt.

»Uiuiui«, sagte sie dann, »mit der spielen aber alle gern, so besoffen kann die doch gar nicht sein, oder legst du die vorher immer unter die Dusche, wie du's auf der Polizeischule gelernt hast?«

Auch für das Eck hatte Jaqueline nicht viel übrig und saß selten eine Stunde mit ihm am Fenstertisch. Stänkerte gelegentlich ohne großen Eifer, es werde sich rächen, dass er in seinem Alter am liebsten in so einem Früh-und-rüstige-Rentner-Schuppen saß, während andere Jungs in seinem Alter, die noch keinen dicken Bauch angelegt hatten, ihre letzten Möglichkeiten genossen, in modernen Bars und Clubs fast nicht aufzufallen. Sein Hang zum Eck wäre nichts als ein dummer romantischer Defekt, eine Art Kabel zu seiner Herkunft, das schon lange kaputt war.

Der Einwand, dass er höchstens einmal pro Woche dort verkehrte und oft nur auf ein schnelles Helles im Vorbeigehen, und dass es im Prinzip nur darum gehe, dass ein ordentlicher Mann eine Eckkneipe brauchte, in der er gegrüßt wurde, interessierte sie nicht. Sie übertrieb maßlos, um ihm dumme Sprüche zu entlocken, die sie zum Lachen brachten, so was wie: Eine White-Trash-Braut kurz vor vierzig, die nichts lieber tat, als runden Arsch und dicke Titten zu präsentieren und bei langhaarigen primitiven Brüll-und-Sauf-Kapellen wie Nashville Pussy stehen geblieben war, sollte bloß ihre große Cop-Klappe halten!

Die Fenster ihrer Wohnung waren immer noch dunkel. Er hatte Sehnsucht nach ihr. War aber nicht in der Lage, sich allein ins Bett zu legen und auf sie zu warten. Fragte sich, wo sie war, und wollte es nicht wissen. Das Familienleben vieler Cops war früher oder später kaputt; die Prognosen waren nicht so gut, wie es im Fernseher aussah, und wer es nicht glaubte, sollte seinen Berufsberater einer ernsthaften Befragung unterziehen. Es kam ihm seltsam vor, dass sie beide es so viele Jahre gut hinbekommen hatten. Weil sie beide Bullen waren. Die mit einem gewissen Spaß Bullen waren. Die kein Kind hatten. Neben gewissen anderen Gründen – zum Beispiel, dass sie lieber in ihrer Altbauwohnung lebten, in der man wochenlang renovieren und modernisieren könnte, als in einem Apartment wie Maier; ihre Wohnung sah nicht nach Bullen aus, sondern eher wie die Tarnwohnung von verdeckten Ermittlern, die nach dreckiger Chemie stanken. Oder dass sie mit einem Typen wie Maier einen Abend abhängen und durchtrinken mochten und über Jaquelines dumme Witze lachten … Er wollte nicht wissen, wo sie war, aber er sah sie ständig bei seinem Partner und suchte nach alten Anhaltspunkten. Sein Kopf ging ihm auf die Nerven, und sein Doc ging nicht ans Telefon. So ergaben sich Dinge, die er nicht geplant hatte.

Jemand klopfte mit seinem Knöchel dreimal auf seinen Tisch, und als er den Kopf hochriss und drehte, sah er die Rückseite von Elvis. Es ging voran, wenigstens hier und jetzt, das Eck war voller geworden, ohne dass er es bemerkt hatte, und auch Elvis hatte das Gebäude endlich betreten, wie immer ohne große Show, in Jeansanzug und rotem Hemd, ein bescheidener Mann von einsachtzig mit Koteletten, die etwa so breit waren wie die Theke. Nach eigenen Angaben war er vor vierzig Jahren auf Partys und Konzerten als Elvis aufgetreten, und wenn er genug intus hatte, war er bereit vorzuführen, dass das keine Erfindung war.

Zu den Stammgästen gehörte auch eine Blondine, die etwas jünger als Dylan und Elvis war und Marilyn genannt wurde. Sie hielt Abstand zu den beiden Rockern, die ihr zu wenig hell im Kopf waren, und drückte in der Jukebox die alten Schlager, die an solchen Orten gebraucht wurden, um sich die Welt und das Leben schöner zu trinken. Marilyn war keine Sozialhilfeempfängerin, sondern eine Dame, die immer ein kleines Weinchen trank und von einem Gläschen zum nächsten hinüber sein konnte. Sie unterhielt sich gern mit dem Mann, der unter den Stammgästen nur eine Randfigur war und Dirty Harry genannt wurde. Wenn er da war, war die amerikanische Geisterbahn, die man in Bertls Eck entdecken konnte, komplett.

Fallner traf sich auch mit Kollegen hier, die in Ordnung waren, und alle fanden es witzig, wenn sie mitbekamen, dass er Dirty Harry genannt wurde. Nur mit Maier hatte er sich oft im Eck getroffen; der ging inzwischen sogar ohne ihn rein, als wollte er es schaffen, Dirty Harry II genannt zu werden. Sie hatten hier am Fenster einen Abend diskutiert, ob Bullen die besten Voraussetzungen hatten, wenn sie ins andere Lager umsteigen wollten. So ernsthaft konnte er das mit niemandem diskutieren. Ihm wurde klar, warum er nicht davon loskam, dass an seinem Fall irgendetwas nicht stimmte, obwohl er es nicht genau benennen konnte – es war der Tritt, den der Freund ihm verpasst hatte, genauer gesagt, die Folge von Tritten, die er ihm seitdem verpasste.

Wie wäre es gelaufen, wenn er sich hier mit ihm getroffen hätte? Weniger gut, denn Maier wäre hier einfach nicht aufgetaucht. Er wollte seine dumme polizeigrüne Jogginghose in seinem ekelhaften Apartment einnässen. Und freute sich jetzt, dass er relativ leicht aus der Nummer rausgekommen war. Weil er nicht wusste, dass er sich täuschte.

Er saß eine Stunde allein am Fenstertisch und starrte aus dem Fenster, als der Wirt es wagte, ihn anzusprechen, nachdem er mit seinem Glas gewunken hatte.

»Harry, wie geht's dir denn? Bist du wieder im Dienst?«

»Nein, die müssen ohne mich aufräumen. Geht schon. Ich darf mir noch etwas Erholung gönnen.«

»Aber auf jeden Fall. Und was machst du so zur Erholung?«

»Bin viel mit dem Zug unterwegs, durch die ganze Republik, kreuz und quer, ist ein alter Jugendtraum von mir.«

»Hast du erzählt, dass du das planst. Weißt du, wann ich das letzte Mal Zug gefahren bin? Kann ich mir aber schon vorstellen, dass das gut ist.«

»Ja, tut mir sehr gut. Du fährst wie im Hotel durch die Gegend.«

»Und bist du dann nachts immer richtig im Hotel oder besuchst du jemand?«

»Wenn, dann Hotel oder Pension. Aber ich fahr auch oft die Nacht durch. Ein Zug kommt spät an und dann steig ich um in einen, der losfährt und dann früh irgendwo ankommt.«

»Du schläfst nachts dann im Zug?«

»Wenn ich schlafen muss, schlaf ich eben im Zug. Aber du weißt ja, schlafen kann ich, wenn ich tot bin.«

»Da ist was dran – wenn's geht, dann geht's halt.«

»In der Nacht ist es etwas blöd, weil du im Fenster nichts mehr siehst, also nur noch die Spiegelung.«

»Hab ich noch nie drüber nachgedacht.«

»Dann ist es aber höchste Zeit.«

»Wie mit allem!«

Der einundsiebzigjährige Wirt ging an seinen Arbeitsplatz zurück, der nicht viel größer als sein großer Bauch war. Sein Lokal war schmal und so lang wie zwei Autos, und es war nicht so liebevoll ausgestattet, dass Zeitgenossen, die auf der Suche nach dem sogenannten Urigen waren, geblieben wären, meistens waren die Resopaltische Abschreckung genug. Angeblich hatte man hier vor fast hundert Jahren zu saufen begonnen, als die Kommunisten das Kommando über die Stadt gehabt hatten. Bertl hatte übernommen, als diese miesen palästinensischen Killer bei den Olympischen Spielen israelische Sportler als Geiseln nahmen und ermordeten.

Fallner war seit fast zwanzig Jahren unter den Gästen, seit er gegenüber eingezogen war. Er hatte niemandem erzählt, dass er den Jungen erschossen hatte, aber die Fragen, die ihm nach dem

Zeitungsbericht vorsichtig gestellt wurden, wahrheitsgemäß beantwortet. War hier kein Problem – allgemeines Nicken, als er sagte, man müsse schießen, wenn jemand auf einen schießen wolle, und das eine Leben, das man habe, sei zu kostbar, um es sich von einem scheiß Dealer und Schläger, der für seine Karriere alle außer Mutti aus dem Weg räumte, nehmen zu lassen. Soweit er sich erinnern konnte, hatte er die peinlichste Rede aller Zeiten ins Eck hineingelallt, laut und mit Biertropfen um sich spritzend; er glaubte, sich an erschrockene Gesichter zu erinnern, und wahrscheinlich war das Nicken weniger verständnisvoll, als er es sich zurechtgebogen hatte. Es war eigentlich der Job des Feuerwehrmanns, regelmäßig heftige Reden zu schwingen, wenn er vom Alkohol über die Schamgrenze gezogen wurde und anfing, über die permanente Angst vor den Einsätzen und die Toten zu klagen und es keine Rolle spielte, ob ihm dabei jemand zuhörte. Es war ein Elend – und ein Rätsel, wie er es angeblich schaffte, seine Schichten durchzustehen.

»Außer dem Dirty versteht das keiner von euch!«, hatte er einmal außer sich, heulend und auf die Theke prügelnd geschrien. »Euer Leben ist doch schon immer ein Rentenabend-im-Eck-Sitzen!«

Dennoch wurde er nie hinausgeworfen, wie es ihm in jedem anderen Lokal passiert wäre. Außer in den Lokalen, die sich wie das Eck unterhalb der Radargrenze der Bürger befanden, die ihr Leben im Kampf für mehr Mitbestimmung im Kindergarten einsetzten. Wenn Dirk, der Feuerwehrmann, einschlief, schob ihm der Wirt ein kleines rotes Kissen unter das Gesicht. Die Aufkäufer und Investoren, die ihm das Kissen wegreißen würden, hatten sich noch nicht bis hierher durchgekämpft, doch bei guter Sicht sah man sie schon kommen. Man konnte sie lachen hören, wenn Feuer-Dirk ihnen erklärte, dass er für diese Stadt für ein lächerliches Gehalt immer wieder sein Leben riskierte und es nicht verdiente, vertrieben zu werden.

»Wenn diese Ärsche reinkommen, dann pisse ich die an und die werden zu zischender Asche zusammenfallen wie Zombies«, pflegte Stammgast Armin zu sagen.

Er war ein Punk der ersten Generation, hatte jedoch für den Hundewahnsinn der Nachkommen nichts übrig. Und er war Spezialist für komplizierte Sätze und Gedankengänge. Er hämmerte Fallner auf die Schulter und sagte: »Dirty Harry, du verdammter Bullengangster, ich frage mich, wer dich erfunden hat, um den Scheißkapitalismus zu verteidigen!«

Der Schrank tat immer, als würde er es nicht in seinen rasierten Kopf bekommen, dass Fallner nicht darauf aus war, ihm etwas anzuhängen. Ein notwendiges Spielchen, um das Herz der Bude in Schwung zu halten; wie sich manchmal jemand verpflichtet fühlte, sich vor Marilyn tief zu verbeugen, um ihr eine kleine Marilynnummer zu entlocken, ehe sie vergaß, warum sie Marilyn genannt wurde. Fallner klemmte sich dann, wie man es von ihm erwarten durfte, den Schädel des zehn Jahre älteren Staatsfeinds zärtlich unter den Arm und erklärte ihm, sein Geheimauftrag sei, ihn und alle anderen verdammten alten Punks einzubuchten und ihnen Delikte anzuhängen, von denen sie noch nie gehört hatten, aber er könne seiner gerechten Strafe entgehen, wenn er sein Informant würde.

»Du glaubst, ich bin so blöd, darauf reinzufallen – aber genauso ist es doch! Mit deiner Nummer kannst du zu einem Comedy-Verein gehen, die finden den Quatsch lustig!«

»Mann Gottes«, sagte Fallner resigniert, »glaubst du ernsthaft, ich habe gelernt, rückwärtszufahren und dabei mit beiden Händen links und rechts aus 'm Fenster zu schießen, um dann Sex-Pistols-Fans kurz vor der Rente wegen Steuerbetrugs in Millionenhöhe und einer Tonne Haschdrogen, die sie von ihren minderjährigen rumänischen Prostituierten verteilen lassen, anzufassen?«

»Das hätte ich aber gern schriftlich.«

»Nur, wenn du einen ausgibst.«

»Der Blitz soll mich treffen, wenn ich einem Bullen einen ausgebe.«

»Ah, die alte Nummer, Polizei-SA-SS. Hätte ich nicht erwartet, dass dein Gedächtnis noch so gut funktioniert.«

»Das hast du gesagt, nicht ich.«

Und so weiter. Konnte eine Weile so dahingehen, wenn sie Gesprächsbedarf hatten.

Feuerwehr-Dirk war nicht da, er hatte sich in einem feuersicheren Raum in seinem Keller aufgehängt. Punk-Armin war nicht da, er hatte sein Motorrad an einen Baum gesetzt. Das Leben ging natürlich weiter, und Fallner registrierte, dass viele Gäste da waren, die er kaum kannte oder nie gesehen hatte. Etwas, das sich seit einem Jahr abzeichnete, hatte sich offensichtlich in den letzten Wochen verstärkt – ein Pulk jüngerer Leute zwischen zwanzig und dreißig amüsierte sich im Eck. Darunter auch die Jungs mit den lustigen Hüten von ihrem Opa, die sie in einem Müllsack im Keller gefunden hatten, und die Mädchen, die so viel Geld in Tätowierungen investierten wie in Klamotten. Allerdings führten sie keine riesigen weißen Fingernägel aus, wie es bei tätowierten Prollfrauen Sitte war. Da heute alle Frauen tätowiert waren, konnte man leider nichts mehr daraus schließen. Außer es handelte sich um schlechte Knastbilder, zu denen sich Frauen selten hergaben, oder den Intimbereich.

Fallner hatte es nicht gestört, als die jungen Leute das Eck entdeckten, was auch immer es für sie bedeutete. Punk-Armin jedoch war kritisch: »Diese Kinder machen unsere White-Trash-

Authentizität kaputt, wenn du weißt, was ich meine, falls Authenzitätü in deinem eindimensionalen Law-and-Order-Wortschatz vorhanden ist.«

»Glaube ich nicht«, hatte Fallner geantwortet, »die ist doch schon mit mir hier kaputt gegangen, komplett dekonstruiert unter Berücksichtigung aktueller Gender-Tendenzen, wenn du weißt, was ich meine.«

»Niemand wagt es, mir mit derartig unhaltbaren Argumenten zu kommen wie du!«, sprach der Punkveteran.

»Das ist mein Job, Bruder.«

Und weil es nicht irgendein Job war, hatte er ihm zweimal Tipps geben können. Der eine betraf ein unauffälliges kleines Drogencafé am Bahnhof, der andere seine Online-Geschäfte. In Fallners Augen war das alles harmloses Zeug, mit dem ein schlauer Außenseiter überlebte. Er hatte ihn zuvor überprüft. Er hatte keine Ahnung, was seine Tipps wert waren, aber der Kneipengenosse übergab ihm später fünf Scheine. Machte es, wie man es machen musste, offen in der Kneipe mit der für den Wirt und ein paar Leute hörbaren Bemerkung, er bedanke sich fürs Leihen. Ob die Scheine fünfzig oder fünfhundert wert waren, konnte niemand erkennen.

Fallner erinnerte sich – seine Wohnung immer noch dunkel, keine Wir-sind-Cousins-von-Maarouf-Gestalten vor dem Haus und, soweit er sehen konnte, niemand auf Posten in einem Auto, um ihn abzupassen – an den Kleinkram präzise, aber nicht an das, was wichtig war. Die Götter hatten mies gearbeitet, das war die Geschichte der Menschheit, sonst nichts, und jemand setzte sich neben ihn und schlug ihm freundschaftlich auf die Hand – der verdammte Maier hatte gepetzt wie ein kleiner Junge.

»Ist ja nett hier«, sagte der Chef, »ich dachte, ich sehe mal nach Ihnen, ohne die Dienststelle und so weiter.«

»Was meinen Sie mit und so weiter?«

»Mensch, Fallner, jetzt beruhigen Sie sich. Sie tun ja so, als wäre ich hinter Ihnen her. Das ist ein kollegialer, rein privater Besuch in Ihrer Stammkneipe.«

Er trug neue Jeans, einen dünnen grauen Pullover und ein blaues Jackett. Man hatte ihn gemustert, aber die Gespräche verstummten nicht. Wer konnte, zählte zwei und zwei zusammen, und wusste, dass ein unbekannter Bulle Dirty Harry konsultierte, ohne eingeladen zu sein.

Bertl war sofort bei ihnen, aus reiner Neugier, denn Bestellungen an den Tischen nahm er nur auf, wenn er Lust dazu hatte, was nicht oft vorkam. Fallner stellte ihm den Chef als den wahren König der ehemaligen Hauptstadt der Bewegung vor. Der alte Arbeitersozialist Bertl verstand das Signal, dass man ein wenig aufpassen sollte. Sagte in einem mürrischen Auch-der-soll-mir-bloß-nicht-blöd-kommen-Tonfall, es gebe doch nur einen wahren König und schon mit dem hätte man damals kein Glück gehabt. Der Chef wollte einen Stein im Brett des Lokalchefs haben und bemerkte, er hätte da eine urige Kneipe, von der es heutzutage in der Stadt viel zu wenige gebe. Er bestellte mit großer Geste Klare und Biere, als würde er ein Acht-Gänge-Menü ordern.

Der Chef löcherte ihn kumpelmäßig. Wie er sich fühlte, ob er Abenteuer im Zug erlebte, sich erholte, es ihm besser ginge, ihm der Abstand gut täte, er etwas für ihn tun könne, andere etwas für ihn tun sollten, er irgendetwas brauche, Pläne, Ziele, neue Erkenntnisse habe. Sie kippten die nächste Runde, während oben in seiner Wohnung kein Licht anging, und der Chef benahm sich wie auf einer Faschingsfeier, fragte, ob er die Leute hier gut kannte, spezielle Verbindungen habe, Freunde, Kontakte. Er selbst vermisse tatsächlich ein Lokal wie dieses, in dem er ein ganz normaler Mensch, Mann, Typ sein könne, mal Scheiße reden, einen über den Durst trinken, Leuten auf die Schulter hauen und sich dumme Witze anhören, ohne befürchten zu müssen, mit einem Foto in der Zeitung zu landen. Was für ein Bullshit. Der Chef trank mit seinem Chef und manchmal sogar mit dem Innenminister einen Wein, der vermutlich so teuer war wie eine Lokalrunde hier. Er hatte zehn Studiengänge mit Sternen abgeschlossen und vergessen, wie es war, wenn man von besoffenen Hooligans angebrüllt wurde, denen man nicht die Fresse polieren durfte. Er war nicht viel älter als Fallner und hatte gute Aussichten, weiter nach oben zu kommen. Verdiente Respekt, dass er hier einen Lockeren machen und wie ein einfacher Bürger daherkommen konnte. Auch deshalb war er gefährlich – undurchschaubar, unberechenbar. Sah aus wie der Investor, der sich endlich bis hierhin durchgekämpft hatte und noch nicht erkannt werden wollte. Lieferte einen Sermon, der an einem vorbeiplätscherte, und sagte plötzlich, ohne die Stimme zu ändern, etwas, das man besser nicht verpasste: »Machen Sie sich keine Sorgen bezüglich der Ermittlungen. Wir bekommen das hin, Sie sind ein wichtiger Mann. Sie haben sich nichts zu Schulden kommen lassen, das steht fest.«

Fallner drehte sich um, winkte Marilyn zu. Entdeckte neben ihr Punk-Armin, der sich ohne Begrüßung eingeschlichen hatte und sie beobachtete. Er dachte Folgendes: Fehlt nur noch die Therapeutin, die jetzt reinkommt und auf den Tisch steigt, um zu tanzen. Dann würde er sich ohne Widerstand einliefern lassen – und hätte damit endlich die alte Frage, ob er schon längst drinsaß, während die anderen draußen saßen, oder ob es umgekehrt war, beantwortet. Ein weiser Chinese hatte gesagt: Wer sich die Frage stellt, sitzt drin.

Reinkam eine SMS um 22:14 Uhr von Jaqueline: »Bin zu Hause in der Küche einsam bei Rotwein, und du?« Er sah hoch zur Küche: dunkel. Er schrieb zurück: »Zug nach Dortmund.« Und ein paar nette Floskeln. Glaubte auch nicht, dass sie noch nichts von seiner Unterhaltung mit Maier wusste. Er schaltete sein Telefon aus – sie konnte natürlich herausfinden, dass er nicht dort, sondern genau hier war, aber in dieser Sekunde würde sie die Information nicht bekommen, selbst wenn sie um diese Uhrzeit noch im Büro war.

Der Chef beobachtete das Lokal und informierte ihn dann, dass sie keine neuen Erkenntnisse hatten, ob Familie und Freunde des Jungen hinter ihm her waren; man konnte es nicht ausschließen; auch deshalb unterstütze er seine ausgedehnte Zugfahrt.

»Sind Sie eigentlich bewaffnet?«, fragte der Chef.

»Sicher, Messer und Tränengas.«

»Ja, genau das dachte ich mir. Ich hatte übrigens vor einigen Tagen einen interessanten Anruf aus Berlin, Ihr alter Freund ist um Ihr Wohl besorgt. Und ein Mann, der hochinteressante Ideen hat, das muss man wirklich sagen. Seine Idee, man könnte in die Offensive gehen, halte ich für bedenkenswert: Sie als den Beamten präsentieren, der in die Gefahrenzone geht, ohne an seine persönliche Sicherheit zu denken, ohne auf die Verstärkung zu warten, die wahrscheinlich nicht rechtzeitig eintrifft. In der Wohnung eines massiv kriminellen Typen ist ein Schuss gefallen, und Sie gehen rein. Viele Beamte wagen es nicht, eine Gruppe von Nazis zu kontrollieren – Sie würden mit vorgehaltener Waffe an die Freunde herantreten und eine Anzeige riskieren, ohne zuerst an die Folgen zu denken und so weiter. Wäre ein guter Aufbau, um es den Medien zu verkaufen. Als Gegensatz zu den Fällen, mit denen wir in letzter Zeit überschwemmt wurden. Eine mit Handschellen fixierte Frau wird von Beamten verprügelt, keine Bedrohung weit und breit, außer dass sie wohl ein paar unschöne Worte geäußert hat. Und so weiter. Zum Teil musste ich diese unglaublichen Verfehlungen auf Anweisung von oben verteidigen, ich kann Ihnen versichern, dass mich das nicht glücklich macht. Das heißt, man bringt Sie sozusagen gegen diese katastrophale Werbung in Stellung.«

Der Chef konnte schnell umschalten und sprach im Lärm des Lokals wie im Besprechungsraum. Fallner wartete auf die echten Meldungen.

»Mit diesen Vorfällen hat es zu tun, dass sich auf unserer Seite eine andere Tendenz abgezeichnet hat, die der Planung Ihres Freundes konträr entgegensteht: Ihre Geschichte wird als Fortsetzung dieser spektakulären, völlig schiefgelaufenen Einsätze interpretiert, diesmal gibt es jedoch eine strenge Handhabung, heißt, dass es Sie richtig hart trifft, um zu zeigen, dass Beamte nicht mehr so leicht davonkommen – heißt: Sie haben fahrlässig gehandelt, einen Jungen erschossen, der in seinem Leben noch keine Pistole gesehen hat. Mehr noch: Sie haben Ihren allgemeinen Hass auf Dealer und Ausländer auf den armen Jungen projiziert.«

»Was ist denn das für ein beschissener Blödsinn«, sagte Fallner.

»Ich bin doch auf Ihrer Seite«, sagte der Chef. »Aber wenn man es darauf anlegt, kommt man damit durch, das ist klar. Wir haben keine Waffe. Und die Vorstrafen des Jungen können sozusagen sehr weit runtergespielt werden, wenn es jemand darauf anlegt.«

»Totaler Blödsinn«, sagte Fallner sehr viel lauter.

»Das müssen Sie mir nicht sagen! Das Problem ist: Falls man Sie auf die Art verkaufen will, um bessere Presse zu bekommen, werde ich nicht mehr viel oder ausreichend viel zu sagen haben, allenfalls beratende Funktion. Wobei auch der Vorschlag Ihres Freundes mit einem gewissen Risiko verbunden ist, falls Sie mal etwas mitdenken könnten, anstatt sich volllaufen zu lassen.« Fallner beherrschte sich. »Sie könnten am Ende als eine Art Held für die Rechten dastehen.« Welche Erkenntnis, das war das Erste, an das er gedacht hatte. »Der Bulle hat sich nicht ganz korrekt, aber absolut nachvollziehbar und zum Nutzen und Schutz unserer Gesellschaft verhalten. Er hat etwas riskiert, wo viele andere zögern, und er war nicht etwa mit einem Normalbürger konfrontiert, sondern mit einem erwachsenen Gewaltprofi ausländischer Herkunft, der unser Sozialsystem und so weiter.«

Fallner beobachtete den Tumult an der Musikbox. Die jungen Leute waren verliebt in die Maschine und konnten nicht genug mit ihr spielen – würde ich auch gerne mitspielen, sagte der Junge zu ihm mit trauriger Stimme. Dylan lauerte im Hintergrund, aber es sah nicht so aus, als würde er bald seine Chance bekommen. Fallner fühlte sich wie Dylan – die Frage war, was der Chef wirklich wollte, hier, von ihm. Oder ob er für jemanden sprach, den er nicht erkennen konnte.

»Mein Unfall hat mit diesem politischen Scheiß nichts zu tun«, sagte Fallner.

Der Oberkriminalrat schlug mit der Faust auf den Tisch und schüttelte den Kopf – Mann, wenn das so einfach wäre! Er habe ihn noch in der Tatnacht auf etwas hingewiesen, das er verständlicherweise nicht beachtet und vergessen habe. Sie hatten nicht nur Besuch von hundert sinnlos herumstehenden Normalcops, sondern auch von zwei Superbeamten, die von einer hochrangigen Veranstaltung kamen. Hatten die Aktion zufällig mitbekommen und die Idee gehabt, Nähe zur Truppe zu demonstrieren.

»Wenn du genug Mut hast, kannst du derart hohe Beamte vom unmittelbaren Tatort fernhalten, aber du bekommst sie nicht aus der Absperrung raus. Sie waren dabei wie alle anderen, sie waren von Anfang an sehr interessiert an dem Fall. Und das sind Medienprofis. Reines Pech, dass die das sofort mitbekamen und sich außerdem dachten, ach, die Party ist langweilig, da fahren wir jetzt mal hin, das sehen wir uns an. Das ist der Punkt, an dem ich vermutlich nicht viel für Sie tun kann, aber Sie können auf mich zählen.«

Fallner ermahnte sich, die Klappe zu halten und sich nicht provozieren zu lassen.

»Was ist mit Ihrer Therapeutin?«, fragte er, »was halten Sie von ihr?« Jetzt kam der Ausflug auf die Eisbahn, und Fallner zuckte nur mit den Schultern. »Also ich weiß nicht, was ich von ihr halten soll, wir haben noch zu wenig Erfahrung mit ihr – aber man kann mit Beamten wie Ihnen und Maier nicht umgehen wie mit seinem lieben alten Onkel, das ist meine bescheidene Meinung. Deshalb habe ich Maier mein Okay gegeben, als er die Therapie bei ihr beenden wollte, verstehen Sie? Wir sind die Laien, ganz klar, aber wir haben mit unserer Erfahrung doch einigen gesunden Menschenverstand mitbekommen.« Er wartete auf eine Ergänzung, aber Fallner hielt sich, das sagte ihm sein gesunder Menschenverstand, an seine eigene Ermahnung. »Ich weiß, dass es zwischen euch Spannungen gibt – Moment, lassen Sie mich ausreden. Aber das ist normal, nach einer Extremsituation, die aus dem Ruder gelaufen ist. Ich bin auch über Gerüchte informiert. Gerüchte sind Gerüchte, mehr nicht, das sollten Sie nicht vergessen. Ganz unter uns, das dürfte ich Ihnen nicht sagen, ich habe mich mit Ihrem Freund Maier sehr, sehr ernsthaft unterhalten, und ich bin mir sicher, Sie liegen falsch.«

Fallner hielt sich, das sagte ihm sein gesunder Menschenverstand, an seine eigene Ermahnung.

»Er hat mit dieser Sache nicht weniger zu kämpfen als Sie. Lassen Sie ihn nicht hängen, sondern nehmen Sie ihn mit, Sie beide sollten sich gegenseitig stärken, Herrgott, ist das so schwer zu verstehen? Sie kennen doch dieses Iwojima-Kriegerdenkmal, diese Weltkrieg-Zwei-Marines-Helden, die sich gegenseitig stützen, nachdem sie diese Schlacht überlebt haben, das meine ich.«

Fallner hielt sich, das sagte ihm sein gesunder Menschenverstand, an seine eigene Ermahnung.

»Wenn es das ist, was Sie hören wollen, ich kann es mir nicht leisten, auch nur einen von diesen beiden guten Männer zu verlieren. Ist das klar? Können Sie das im Kopf behalten, während Sie von mir aus noch eine Weile zugfahren?«

Fallner nickte. Und sagte: »Sie können auf mich zählen.«

Der Chef sah ihm in die Augen, drückte ihm die Hand, klopfte auf den Tisch, drängte sich durch zur Theke und bezahlte.

Und sagte beim Hinausgehen: »Entschuldigen Sie sich bei Maier, das ist eine Dienstanweisung, schönen Abend noch.« Er grinste: »Herr Dirty Harry!«

Familienpathologie

Das sei eine Sache, von der sich kein Mensch befreien könnte, kein Millionär und keine Professor-Doktorin, kein Straßenkehrer und keine gefeierte Filmtante, hatte ihm seine Therapeutin mitgegeben. Es ginge ihnen allen gleich, wenn sie an Weihnachten oder zu einem ähnlich bedeutenden Anlass ihre Eltern besuchten. Es spiele keine Rolle, wie unabhängig oder schlau jemand als Erwachsener geworden sei – wer zwei Tage bei seinen Eltern abhänge, werde auf die tiefste Ebene der Familienpathologie zurückgeworfen. Darüber sollte man sich klar sein und sich gegebenenfalls nicht darauf einlassen, wenn man zum Beispiel durch ein Ereignis bereits zurückgeworfen wurde und durch einen Besuch Gefahr lief, noch weiter zurückgeworfen zu werden.

Damit reagierte sie auf sein Geständnis, dass er seit dem Unfall verstärkt an seine Familie oder Ex-Familie dachte, genauer gesagt an die Zeit, als seine Mutter noch lebte, und an die Zeit einige Jahre später, als sein Bruder zur Polizei ging und ihn allein mit dem Alten zurückließ.

Er zuckte nur mit den Schultern: »Du bist plötzlich wieder der kleine Idiot, der du mal warst, das kennt doch jeder. Du glaubst, du bist eine tolle Nummer, und plötzlich fühlst du dich wieder wie der kleine Idiot, und so behandeln sie dich auch. Sie erlauben es nicht, dass du jemand anderes bist. Das ist die Macht, die ihnen niemand nehmen kann. Nur echte Psychos sind irgendwie unempfänglich für diese Art von staatlich sanktioniertem Terror, genauer gesagt sie benutzen ihn, weil sie ihren Psycho genau darauf aufgebaut haben. Geben Sie mir meinen Schein, Doc, oder soll ich weitermachen?«

»Und was, glauben Sie, könnte das in Ihrem Fall bedeuten?«

Es bedeutete, dass er mit einem dröhnenden Schädel am frühen Freitagnachmittag in einen Nahverkehrszug gepresst war und in das hinterste Kellerloch seiner Familienpathologie fuhr, obwohl er keine Lust dazu hatte und nicht wusste, zur Hölle, warum er anders handelte.

Weil sein Bruder ihn mit hundert Anrufen getreten hatte, den kranken Alten zu besuchen? Und um damit der Beschwerde seines Bruders, er würde nicht bei ihm aufkreuzen, obwohl er ihn dringend darum gebeten und er es versprochen hätte, etwas Wind aus den Segeln zu nehmen? Das klang doch logisch. Der miese Bastard schob ihn, wie immer, vor, ehe er dann mit seiner großen Familienshow bei ihrem Vater einfiel und den strahlenden und besorgten älteren Sohn machte. Fallner der Jüngere erledigte den üblichen Kleinkrieg mit dem Alten, dann kam der Ältere und spielte sich als Friedensstifter auf. Seine Versöhnungsnummer war lächerlich, aber er zog sie seit Jahrzehnten eisern durch – musste damit zu tun haben, dass der Vater für den ersten Sohn tatsächlich ein paar Spurenelemente von Zuneigung gehabt hatte. Weshalb er für den Rest der Familie nur noch einen Dreck übrig hatte, für seine Frau weniger als nichts, für den jüngsten Sohn nicht viel mehr. Denn der sei nicht von ihm, den habe die Zigeunerschlampe sich woanders geholt, brüllte er gern, wenn er zu viel gesoffen hatte, und das hatte er, wenn sich Fallner halbwegs richtig erinnerte, jeden zweiten Abend. 1931 hatte jemand diese Missgeburt in die Welt geworfen. Die Nazis hatten ihn mustergültig sorgfältig ausgebildet, und niemand hatte diese Ausbildung je aus ihm herausgeprügelt oder ihn auf andere Art entnazifiziert. Außerhalb von den Seinen hatte er nur deshalb keinen Schaden angerichtet, weil er dafür nicht genug im Kopf hatte.

Die Mutter war elf Jahre jünger als er, hatte mit zweiundzwanzig den ersten, mit siebenundzwanzig den zweiten Sohn geboren und war mit fünfunddreißig an einer Lungenentzündung gestorben. Im Fenster sanft geschwungene grüne Hügel, am Horizont der helle Streifen der Alpen. Die hatte sie als Kind nicht sehen können, ihr Dorf lag vierzig Kilometer nordöstlich der Bahnstrecke in einer Senke. Sie war das neunte von zwölf Kindern, die vor, während und nach dem Krieg nie genug zu essen hatten. Sie waren arm wie Kirchenmäuse. Woher kam der Spruch? Sie wurden dumm gehalten wie Kirchenmäuse und bekamen eine Ladung Weihrauch ins Gesicht, wenn sie eine Frage stellten. Heiraten war ihre einzige Chance – der miese Rangierer aus dem eine Zugstunde entfernten Dorf ihr Pech. Ein kurzes Leben, zerteilt in zwei miese Hälften.

Wie die Hochzeitsnacht ausgesehen hatte, wurde ihm nie angedeutet; die Mutter war die schweigsamste Frau, der er in seinem Leben begegnet war – aber zu seinen Kindheitserinnerungen gehörte, dass der Alte sie schlug und verprügelte, mal verpasste er ihr einen Schlag, manchmal schlug er sie zusammen. Als Vorbereitung beschimpfte er sie als Zigeunerschlampe, weil ein Teil ihrer Vorfahren irgendwann aus dem Osten gekommen war, dann als Hure, die ihm einen Bastard ins Haus geschleppt hatte, dann schlug er zu.

Halt auf halber Strecke in Wailsheim. Hier hatten sie hin und wieder weiche Drogen eingekauft; jemand hatte die Information aufgeschnappt, dass man am eigenen Ort besser nichts einkaufen sollte. Sie wussten damals nicht, dass es nur darauf ankam, am *richtigen* Ort einzukaufen – immerhin, sie waren ohne große Verluste damit durchgekommen.

Die Bahn leerte sich und füllte sich mit den Pendlern für die Weiterfahrt, und es wurde so voll, dass er den Koffer, den er auf dem Platz neben sich abgestellt hatte, wieder auf seine Oberschenkel stellen musste und dass er an die Reisetasche oben nicht mehr so leicht rankommen würde. Es war so voll, dass die Hosenanzug-Bürofrau, die neben ihm am Gang saß, einen Schülerhintern im Gesicht hatte und sich an ihn presste, nachdem aus ihren Beschwerden nichts wurde. Alles war mit Schülern zugekleistert, mit ihrem hysterischen Freizeitgeschrei, dazu das Knallen von Kaugummis und das Klicken von Techno in Kopfhörern – und er hatte nun Sehnsucht nach seinem Heft, ein banales Schulheft, war das nicht komisch? Obwohl er nicht wusste, was er in dem Moment reinschreiben wollte, vielleicht als Einstieg fuck da fuckin hoimatshit in da fuckin train.

»Vielleicht gingen Ihr Bruder und Sie deshalb zur Polizei«, hatte der Doc gesagt. Besonders vorsichtig, war ihm aufgefallen. »Also nur mal so angedacht, haben Sie sich diese Frage schon einmal gestellt?«

»Ah, ich weiß, was Sie meinen.«

»Das freut mich. Und könnten Sie das ausführen?«

»Mein Bruder wollte prügelnde Ehemänner kassieren, um Frauen vor dem zu bewahren, was unsere Mutter erdulden musste, und dann wurde ich ebenfalls Bulle, um die Typen zu bearbeiten, die ihm entwischt sind.«

»Wäre doch naheliegend, finde ich. Und dann geraten Sie in eine Familiensituation, in der möglicherweise Gewalt, vielleicht sogar mit einer Schusswaffe, stattgefunden hat. Warum sollte Ihre Mutter nicht sozusagen im Raum gestanden haben?«

»Doc, ich mache drei Kreuze, dass ich Sie nicht als Staatsanwältin gegen mich habe. Sie würden es sogar schaffen, mich heute noch dafür zu verknacken, dass ich es nie geschafft habe, die Nazischeiße aus meinem Vater rauszuprügeln. Unterlassene Hilfeleistung.«

Er konnte zwischen diesen Kindern und Teenagern im Zug seine alten Schulkameraden erkennen. Schauten ganz anders aus der Wäsche inzwischen und sahen ihn böse an, wie sie ihn damals böse angesehen hatten. Als hätte er hier nichts mehr zu suchen, wie er schon damals unter ihnen nichts verloren hatte, und sollte dorthin verschwinden, wo Totschläger wie er in der Masse der Großstadt nicht weiter auffielen.

Der Gedanke schreckte ihn nicht – es war nur die Fortsetzung der alten Zeiten, die Straßen, aus denen er kam, galten als das Letzte. Er hatte seit langem keine Verbindung mehr. Außer der einen, die anscheinend ewig halten sollte, mit der schießwütigen Nachbarstochter, seiner speziellen Nachhilfelehrerin. Es war ein fieser Zug des Schicksal, dass ausgerechnet sie kein Bulle geworden war, sondern eine Hausfrau und Mutter, die nebenbei Vierhundert-Euro-Jobs machte und von Jahr zu Jahr mehr Probleme anhäufte und Niederlagen abfangen musste. Wenn sie sich an Weihnachten trafen, überprüften sie genau, wie sich ihre Körper verändert hatten. Was in den Zeiten, als Johanna in Begleitung von Ehemännern und Kindern den obligatorischen Besuch zu Hause machte, ein kompliziertes Abenteuer war. Gestrichen wurde es niemals.

Sie waren wie aneinandergekettet, und Fallner hatte sich nach jedem Treffen geschworen, sie nie wieder zu treffen, weil es ihm unheimlich vorkam, und wenn sie dann in Reichweite war, nichts dagegen tun können. Bis zum nächsten Jahr war er nicht besessen von ihr, aber wenn das Christkind wieder zu krähen anfing, dachte er an sie und ihre gemeinsamen Erlebnisse. Ein erwachsener Mann, der das Christkind in seinem Elternhaus besuchte.

»Sie fragen mich, ob das normal ist? Ich versuche seit dreißig

Jahren eine Ahnung davon zu bekommen, was man unter Umständen vielleicht normal nennen könnte, wenn dieser Ausdruck nicht so furchtbar dämlich wäre. Was sagt denn Ihre Frau dazu?«

»Du fährst da nur hin, um deine Schulmuschi zu treffen.«

»Und was sagen Sie dazu?«

»Wer das Christkind Schulmuschi nennt, wird in der Hölle brennen bis zum Jüngsten Tag.«

Mit jedem Dorf wurde der Zug etwas leerer, und als das Klo endlich erreichbar war, machte er sich auf den Weg. Fragte sich, ob die Freunde und Verwandten des Jungen, falls sie tatsächlich nach ihm suchten, herausfinden konnten, dass er aus dieser Gegend kam, aus einem Kaff, das nichts anderes als eine Endstation war. Wo man nicht tot über dem Zaun hängen wollte, unter dem der Hund begraben war. Ein Computercop hatte ihm versichert, er würde ohne jede Information, außer dem korrekten Namen, in zehn Minuten mehr über ihn herausfinden, als seine Süße von ihm wüsste und natürlich auch, wann er dieses kaputte Fahrrad in seinem Kellerabteil gekauft hatte, was man auch positiv interpretieren könne, wenn man an die rapide Zunahme von Alzheimer-Erkrankungen dachte.

Auch das, was er im Spiegel des stinkenden und vermüllten Klos sah, gefiel ihm nicht – aber was er haben wollte, würde er nicht bekommen.

Die Zigarette schmeckte ihm nicht, er warf sie nach drei Zügen in die Schüssel und setzte sich auf den Deckel. Früher hatte man den Kopf in den Fahrtwind halten können, heute hatte man aus Angst, dass jemand sein Baby rauswarf, alle Fenster verschlossen. Eine einfache Geschichte – wie die von gestern.

Armin Altpunk hatte ihm versichert, dass er im Lokal tatsächlich Besuch von seinem Chef gehabt hatte. Nachdem der abgezogen war, sei er zu ihm an die Theke gekommen und habe so lange lautstark Ruhe gefordert, bis die ganze Wirtschaft schwieg. Dann seinen Ausweis hochgehalten und gebrüllt: »Niemand verlässt den Raum, ohne zu bezahlen!« Er habe dafür rasenden Applaus bekommen.

Jemand schlug an die Tür und er schrie was von Problemen und Durchfall. Man musste mit allem rechnen. Er hatte kürzlich eine Meldung gelesen, dass ein Rentner in einer Regionalbahn hier in diesem netten Landstrich zwei kleine Teenagermädchen ins Klo gezerrt und sich entblößt und sie verbal bedroht hatte; bekam vom Gericht Rabatt wegen langjährigen Dauerdachschadens und war außerdem gehbehindert.

Satansbraten

Übernachtet hatte er auf dem Wohnzimmersofa, nachdem er noch lange seinen Fall geschildert hatte und warum er nicht in der Lage sei, in seine eigene Wohnung zu gehen. Er konnte sich mittags bei der Besprechung mit Frühstück an nichts erinnern. Und musste sich daran gewöhnen, wie bürgerlich die Wohnung eingerichtet war, gediegene altmodische Schränke, alles sehr ordentlich, gesunde hohe Pflanzen. Ein Konzertplakat von den Dead Kennedys: hinter Glas in einem Rahmen!

»Habe ich sehr viel Mist erzählt? Wenn's einen Grund gibt, entschuldige ich mich«, sagte Fallner, »ich weiß, ich bin zur Zeit in keiner guten Verfassung, es tut mir leid.«

»Du hast einen langen und klugen Vortrag über deinen, seit einem gewissen Vorfall übermäßigen Alkoholkonsum gehalten, der uns alle sehr zum kritischen Nachdenken angeregt hat«, sagte Armin.

Die Antwort auf die Frage, wen er mit alle meinte, kam durch die Tür, auf ihre Art ein Alien, Marilyn mit schwebendem Gang, in einem schwarzen Morgenmantel mit roten Blumen und einer schmalen roten Brille, elegant und verblüffend frisch. Sie hätte in einem nostalgischen Kostümfilm mit fauchenden schwarzen Dampflokomotiven als Puffmutter überzeugt – meine ehrbaren Mädchen sind unbescholten, und ich lege meine Hand für sie ins Feuer, Inspektor!

Armin war etwas verlegen, und sie bemühte sich, den Eindruck zu machen, sie wäre so was wie seine ältere Schwester (die üblichen Probleme, wenn Kneipenbekanntschaften sich in der Fremde begegneten), ein Versuch, der schnell aufgegeben wurde.

Zwei Überlegungen drängten sich Fallner auf: Wusste sie von ihrem Punk, dass der Bulle ihm Informationen geliefert hatte? Und was alles hatte der Oberkommissar außerdem falsch eingeschätzt, wenn er im Bertls Eck auf Beobachtungsposten saß und alle Gäste nach den fragwürdigen Kriterien seiner Vorurteile einordnete? Seine Berechnungen und Vermutungen konnte er also vergessen. Mögliche Erklärung: Sie waren sich in den Wochen, in denen er unterwegs war, nähergekommen.

Marilyn umarmte ihren Punkveteran von hinten, küsste ihn auf den Kopf und sagte beschwingt: »Ach, mein kleiner Herr Polizist, wir mögen nur Verlierer sein, doch werden wir am Ende schon auch etwas Freude gehabt haben.«

Da hörte der Polizist auf, an dem Stück Trockenbrot zu kauen, mit dem er nach seiner bewährten Methode den Alkoholmissbrauch bekämpfte. Obwohl ihm bekannt war, dass sie, wie alle anderen, nicht alle Tassen im Schrank hatte. Sie glitt zu dem alten Küchenschrank hinter ihm, berührte ihn sanft an der Schulter, öffnete eine Schublade, wühlte in klapperndem Zeug und schob dann eine Kassette in einen Rekorder.

»Mein echter Name ist Maria Linder und ich gestehe, dass ich ungefähr in den Jahren 1968 bis 1973 irgendwo stehen geblieben bin, Inspektor«, sagte sie, »und deshalb ist es mir möglich, genau zu erkennen, dass Sie von allen Sünden freigesprochen sind.«

Die Musik fing zu wispern an, kaum lauter als eine schnurrende Katze, die im Traum mit Velvet Underground spielte, und sie sah ihn an wie ein Mädchen, das erst vor kurzem entdeckt hatte, was es bedeutete, einen Mann mit großen Augen wohlwollend anzusehen.

»Freut mich zu hören«, sagte Fallner. In der Hoffnung, sie

würde eine Glaskugel aus der Backröhre holen. Er sprach mit einem toten Jungen – warum sollte er nicht ihren übersinnlichen Fähigkeiten vertrauen?

Sie hob beide Hände und zeigte ihm ihre Handflächen: »Die Hexen gingen als Jungfrauen verkleidet durch die Massen, die sich um den wild auflodernden Scheiterhaufen scharten, und während der Prediger mit vor Hass sich überschlagender Stimme die gequält heulenden Opfer beschimpfte, flüsterten sie die Worte, die ihnen Satan diktierte: Kommet alle zu mir, ihr kleinen Ratten.«

Sie klatschte in die Hände und strahlte ihn an: »Ich habe drei Monate lang einen fetten Gothic-Horror-Schinken übersetzt, wie ich dir gestern Nacht lang und breit erzählt habe, wie du dich sicher erinnerst, egal, deswegen bin ich nicht mehr ganz dicht, also noch etwas weniger als sonst. Aber mein Herr und Meister steht auf Gothic-Horror.«

»So ist es, Staatsdiener, ich bin diesen Mittelalter-Schnulzen zugetan – wenn der Satan zweimal klingelt!« Er hob beide Fäuste vors Gesicht, an denen, wie immer, ein Berg von Ringen steckte.

Fallner nahm alles hin. Einem angeschlagenen Mann konnte man alles erzählen.

»Wir haben übrigens auch darüber nachgedacht und diskutiert, ob es bei deiner Angelegenheit sozusagen ein Geheimfach geben könnte«, sagte Armin.

»Und wir haben immer wieder denselben Schlüssel vor den Augen gehabt«, sagte sein blondiertes Girl, »und als hätten wir ihn angerufen, steht er auch jetzt wieder im Raum, dein Freund und Kollege. Du hast ihn mir im Eck einmal vorgestellt, und ich dachte, nein, er ist nicht koscher, Marilyn, also nein, mit dem wirst du nicht warm werden.«

»Das ist zu einfach, das sagst du nur jetzt, weil ich besoffen irgendwas erzählt habe«, sagte Fallner.

»Einfach, aber klar«, sagte der Punk, »der sieht die Kanone da liegen und denkt sich, dass er die privat gebrauchen könnte, alle sind panisch, niemand achtet auf das Scheißding, fertig.«

Seine Geliebte nickte lächelnd, und Fallner versuchte sich vorzustellen, wie es die beiden miteinander machten. War nicht leicht. Vielleicht verkleidete sie sich als Gothic-Marilyn, mit Kopftuch, Ukulele und Sackkleid, und er kam als Henker. Störte ihn nicht. Vermutlich waren sie die angenehmsten Leute in seiner persönlichen Geisterbahn und er musste sich nur stärker an sie gewöhnen.

»No one is innocent, hat schon Ronnie Biggs gesagt.«

»Ich weiß«, sagte Fallner, »als mein Bruder damals als Erster zu den Bullen ging, hat er mir das T-Shirt vermacht, und ich habe zu ihm gesagt, dass Biggs für mich ein größeres Vorbild ist als alle seine Scheißbullen zusammen. So kann's gehen – das Leben ist kein Raubüberfall.«

»Ein Vorschlag unter uns Alt-Punks«, sagte Armin, »die Bullen-Nummer hast du durchgezogen und jetzt nimmst du dir die Biggs-Nummer vor, auch für die zweite Lebenshälfte muss man sich edle Ziele setzen.«

Der Vorschlag machte Fallner unsicher – hatte er im Suff so viel Verstand verloren und auch noch darüber schwadroniert, dass ein Cop mit seinen Kenntnissen gute Aussichten hätte, wenn er die Seiten wechselte?

»Wobei du dich etwas besser anstellen solltest, denn wenn man die kriminelle Karriere des geschätzten Biggs genauer betrachtet, macht sie eigentlich nicht viel her, von den Sympathiewerten abgesehen natürlich.«

Fallner verabschiedete sich mit dem Versprechen, beim nächsten Treffen einen detaillierten Plan in der Tasche zu haben.

»Ich möchte erwähnen, dass wir uns Sorgen um dich machen«, sagte der Satansbraten, und ihr Diener nickte.

Als es wieder und mehrmals an der Tür der Regionalbahntoilette hämmerte, machte er den Weg frei und wies einen alten Mann vom Typ Rüstiger-Rentner-der-jeden-Tag-drei-Leserbriefeschreibt-obwohl-er-gehbehindert-ist darauf hin, dass der Rauch nicht auf seine Kosten gehe. Er war sich ziemlich sicher, dass er ihn Scheißausländer murren hörte. Fallner hatte sich seit Tagen nicht rasiert, steckte nicht in seinem Anzug und wirkte, nach den Wochen ohne geregeltes Beamtenleben, auf den ersten Blick nicht mehr wie ein Gesetz-und-Ordnungs-Mann – aber die Bemerkung überraschte ihn. Ein plötzlicher Wurf aus dem Hinterhalt.

Er sah den Jungen sich auf dem Boden wälzen und lachen.

Sagte zu ihm: Wenn du wüsstest, wie recht der alte Sack hat, aber das geht dich nichts an. Die Frage ist, wie könnte ich dich als Geisel nehmen? Psychologisch gesehen. Kann man eine Fata Morgana als Geisel nehmen? Einen Bankkaufmann kann jeder Idiot als Geisel nehmen.

Geiselnehmen war reine Dummheit, führte zu nichts als Problemen, die in einer Sackgasse endeten. Außer man wollte in die Politik.

Sie waren bis auf neunhundert Meter raufgefahren und fuhren jetzt durch dichten Wald wieder nach unten. Es sah großartig aus – an einigen Streckenabschnitten zerklüftet, gefährlich, undurchdringlich. Wie der Ort, an dem sich Satan ausruhte, wenn er sich vollgefressen hatte.

Weit davon entfernt lag der Ort, an dem der Hammermörder aufgetreten war. Er war dreiunddreißig Jahre alt, hatte eine Frau und zwei kleine Söhne. Auf einem einsamen Parkplatz bei Marbach organisierte er sein Fluchtfahrzeug, den Besitzer des weißen BMW erschoss er. Dann maskierte er sich und überfiel eine Volksbank in der Nähe. Mit einem Vorschlaghammer zertrümmerte er die Sicherheitsglasscheibe des Kassenraums und nahm von der Angestellten 4790 Mark entgegen. Seine Flucht wurde von der Tatsache begünstigt, dass die Alarmanlage defekt war.

Den Ermittlern fiel auf, dass der Täter mit einer Pistole gemordet hatte, die ein bei der Polizei gängiges Modell war, und dass die Tat kurz vor Schichtwechsel bei der Polizei geschehen war und der Täter über Ringalarmgrenzen flüchtete. Der Typ kannte sich aus. Als er nach einem halben Jahr wieder zuschlug, erkannten sie seine Handschrift.

Auf einem Parkplatz erschoss er den Fahrer eines Golf. Der folgende Überfall auf eine Volksbank scheiterte jedoch, weil Anwohner dachten, er wäre der erwartete Besuch und ihn schon am Auto in Empfang nehmen wollten. Nur eine Woche später war die Wiederholung des Überfalls erfolgreich. Der Täter benutzte wieder einen Hammer, um den Kassenraum zu öffnen. Die Videokamera war defekt, die Beute betrug 79 000 Mark. Die Ermittler waren überrascht, dass der Täter unzählige Spuren hinterlassen hatte. Ein halbes Jahr später beging der Hammermörder seinen dritten Mord, um an ein Auto zu kommen, wurde beim Überfall jedoch vom Leiter einer Raiffeisenbank in die Flucht geschlagen, ehe er Beute machen konnte. Wenige Wochen später benutzte der Serientäter weder ein Privatfahrzeug noch einen Hammer und verließ eine Raiffeisenbank mit 11 000 Mark.

Die Ermittler hatten inzwischen mehr Indizien für ihren ersten Verdacht bekommen und alle Polizeibeamten in der Region aufgefordert, ihre Dienstwaffen für Schussproben einzureichen. Als der Hammermörder zum zweiten Mal aufgefordert wurde, sah er keinen Ausweg mehr und ermordete seine schwangere Frau und den älteren Sohn. Anschließend gelang ihm die Flucht nach Italien. Dort tötete er seinen jüngeren Sohn und sich selbst.

Der bei einer Hundestaffel tätige Polizeiobermeister hatte

einen Lottogewinn von 35 000 Mark dazu verwendet, um sich in nicht mehr zu tilgende Schulden zu stürzen. Er hatte in nicht ganz zwei Jahren nicht ganz 100 000 Mark erbeutet und dafür sechs Menschen ermordet.

Damit stand der Hammermörder seit einem Vierteljahrhundert an der Spitze der Liste der durchgedrehten Polizisten – und Eric Maier war der Überzeugung, dass es keiner je schaffen würde, ihn von dieser Position zu verdrängen; eine unfassbare Mordserie, die von einem Lottogewinn ausgelöst worden war! Fallner war sogar der Ansicht, dass streng genommen nicht sechs, sondern acht Morde auf sein Konto gingen, wenn man das ungeborene Kind im Leib seiner Frau und den Hammermörder selbst mitzählte.

Maier hatte dieses geniale Buch *Vabanque* (Theorie, Praxis und Geschichte des Bankraubs) entdeckt, und sie hatten es studiert und diskutiert, Fälle analysiert, Verbesserungen durchdacht. Sie konnten sich stundenlang über einzelne Geschichten kaputtlachen, und der Hammermörder war ihre Lieblingsgeschichte. Sie waren Bullen, die der Meinung waren, dass man sich fortlaufend fortbilden musste, und das war einer der Gründe, warum sie Freunde geworden waren.

Ein Kriminologe hatte schon 1949 den Zusammenhang zwischen Beruf und Straffälligkeit erforscht. Polizisten waren prädestiniert für gewisse Verbrechen. Sie besaßen legal eine Schusswaffe und hatten gelernt, damit umzugehen. Sie kannten Ermittlungsmethoden bis ins Detail. Sie waren an Verbrechen, Waffen, Gewalt gewöhnt. Mit ein wenig Grips hatten sie gute Chancen, und man musste nicht viel Grips haben, um zu erkennen, dass ein Banküberfall heute etwa so erfolgversprechend war, wie ein Überfall auf einen Zug. Dann konnte man auch gleich mit dem Pferd kommen.

Wer ein wenig Grips hatte, dachte natürlich sofort an die Ausnahmen.

Anscheinend war die Gefahr jedoch groß, dass sich die Gripsmasse erheblich veränderte, wenn man sich entschlossen hatte, die Seiten zu wechseln. Das musste nicht heißen, dass man verblödete – man tickte nur anders. Und konnte dann leicht auf die Idee kommen, dass man die Seiten wechseln könnte, ohne seine Seite zu verlassen.

»Wichtig ist nur, mit beiden Beinen schön auf dem Boden zu bleiben«, hatte Maier gesagt.

»Und sie im richtigen Moment in die Hand zu nehmen«, hatte sein Freund ergänzt.

Wenn der Herr
nicht sprechen will

Auf dem Weg zu seinem Platz passierte er die bösen Hiphop-Jungs, die davon träumten, einem Bushido die Herrenhandtasche tragen zu dürfen, ohne sich die Finger schmutzig zu machen, und hörte, als er an ihnen vorbeigekommen war, in seinem Rücken etwas, das ihn von der interessanten Frage ablenkte, ob man in seinem Kopf einen Toten als Geisel nehmen könnte.

»Jetzt hör doch auf, dann geh doch endlich zu deinem schwulen Scheißausländerfreund abkacken!«

Gut zu wissen, dass er tatsächlich in der Heimat war und nicht im falschen Zug saß. Diese Kinder hingen vielleicht tot über dem Zaun, aber sie waren immerhin im aktuellen Trend des Vaterlands, und das war beim Strafmaß zu berücksichtigen.

Fallner drehte sich um. Sie hatten zwei Vierertische eingenommen. Der Chef war klar zu erkennen. Ein massiger Quadratschädel, in viel Geld eingepackt, dünner stahlgrauer Anorak über einem T-Shirt, weiße Turnschuhe, schwarze Wollmütze. Im fünfzehnjährigen Gesicht totale Sattheit und diffuse Aggression.

Dieses Hinterland wurde seit einigen Jahren von immer mehr reichen Leuten zugepflastert, die in Frieden ihre stattlichen Kontoauszüge lesen und durch fruchtbare Wälder und Wiesen mit starken Jeeps wandeln und am Abend eine entfernte Kirchenglocke bimmeln hören wollten. Was sie einschleppten, waren diese Großmäuler beiderlei Geschlechts, die sie mit dünnen Superanoraks versorgten und ihnen erklärten, sie wären die kommenden Chefs und sollten den alteingesessenen White-Trash-Pennern in den Arsch treten. Fallner kam aus dem Müll und hatte die Anfänge dieser Entwicklung noch mitbekommen. Und er hatte immer noch keine Lust, sich von diesen großen oder kleinen Geldsäcken dumm anquatschen zu lassen.

Er ging so unauffällig zurück, dass er dem kleinen Chef nicht auffiel, und als er vor ihm stand, hielt er ihm seinen Ausweis ins Gesicht und sagte: »Ich weiß nicht, wie lustig eure Dorfpolizisten solche Sprüche finden, aber ich kann's nicht ausstehen, wenn man mir blöd kommt, also sei lieber vorsichtig, Kleiner – halt's Maul … Ich sagte Maulhalten! Ich bin nicht von hier, falls du lesen kannst, und es ist mir scheißegal, wer in die Ärsche deiner Eltern kriecht.«

Ein Mädchen kreischte ihm hinterher, aber er hatte jetzt Freizeit und drehte sich nicht um. Langsam wirste ja wie so 'n komischer Jugendarbeiter, sagte der Junge zu ihm, und er bedankte sich, denn der Job stand nicht auf der Liste der Jobs, die er sich als Plan B vorstellen konnte.

Fallner musterte die Erwachsenen, die an der Endstation ausstiegen. Er erkannte niemanden, und in wenigen Sekunden waren alle verschwunden, um Ecken oder in Autos. Der Himmel war dunkelgrau. Er konnte sich nicht entschließen, den Weg nach Hause anzutreten. Setzte sich auf eine Bank unter dem Bahnhofsvordach mit Blick auf das Bahngelände.

Am Rand der Gleisanlagen standen alte, dunkelbraune Waggons, die wohl schon sein Vater, der Rangierer, aneinandergekoppelt hatte. Wurden heute nicht mehr benutzt, wie einige kleine, verrottete Gebäude. Es gab keinen Güterverkehr mehr, nur noch Reste und Metallschrott. Übrig geblieben war nur eine Verbindung für Personenverkehr; von fünfzehn Gleisen wurde noch eines benutzt.

Er ging in den Schalterraum, der immer noch so aussah, wie er ihn seit Jahrzehnten kannte. Das große Fenster der Fahrkartenausgabe war mit dunklem Stoff abgehängt. Ein Automat hatte den Verkauf übernommen. Ein Penner döste auf der einzigen Holzbank. Bahnhofswirtschaft und Kiosk waren seit Jahren geschlossen. Dennoch blühte die kleine Stadt angeblich – Unsinn, ein Ort mit einem derart tristen und so gut wie aufgegebenen Bahnhof konnte nicht blühen. Fallner stellte sein Gepäck in eine Ecke und ging durch den Haupteingang zur Straße. Er musste kotzen, wenn er nur daran dachte, den Alten zu besuchen. Er war kein Arzt, er konnte nichts für ihn tun. Würde keine freundlichen Worte finden und keinen Wert auf die legen, die der Alte sabberte. Beim letzten Mal hatte er gesagt, er und sein Bruder hätten die Mutter so früh ins Grab gebracht – wenn er dafür keine Kugel verdiente, hatte niemand auf diesem Planeten eine Kugel verdient. Wenn er ihn besuchte, würde er den letzten Zug verpassen und übernachten müssen. Wenn er übernachten musste, konnte er nicht zu seiner Freundin flüchten, die um diese Zeit, fünf Wochen vor Weihnachten, nicht hier war.

Er war trainiert, nach Möglichkeiten zu suchen, und soweit er sehen konnte, hatte er hier nur zwei. Zwanzig Minuten rechts runter war die Falle aufgebaut, links waren es nur hundert Meter bis zur Kirche. Es war nicht die Haupt-, sondern eine Nebenkirche; eine Kaschemme im Vergleich zum prunkvollen Barockschiff im Ortszentrum. Das ärmliche Kirchlein wie aus dem Bilderbuch für katholische Früherziehung hatte irgendwas mit Nonnen zu tun, vielleicht das Gebetshaus, in dem sie unter sich sein konnten, er hatte seine Bedeutung vergessen – seine Mutter war in diese Kirche gegangen und in keine andere. Sie war sehr gläubig gewesen. Er hatte den großen Meister und seine beiden Kumpane, mit denen er angeblich eine Einheit bildete, seit vielen Jahren nichts gefragt oder um etwas gebeten oder ihm gebeichtet. Jetzt war es an der Zeit.

Er stieß das Portal auf, als würde er Rauchwolken erwarten und hätte seine Makarow an der rechten Hand hängen. Es war kälter als im Arsch einer alten Nonne, wie sein Vater zu sagen pflegte, wenn er den Kirchgang seiner Frau verhöhnte. Außer Fallner wollte im Moment niemand in Kontakt mit den höheren Mächten treten. Er setzte sich in die letzte Reihe.

Oh Herr, sagte er in seinem Inneren, viele halten mich für einen Psycho, aber ich denke, du solltest auf diese miesen Ärsche nichts geben, wenn mir der Ausdruck gestattet ist. Wie dir bekannt, war meine Mutter deiner Glaubensgemeinschaft sehr zugetan. Dennoch hast du sie, nach einem Leben, das auch etwas angenehmer hätte verlaufen können, schon in jungen Jahren zu dir gerufen. Vielleicht kann ich deshalb auf eine hilfreiche Antwort hoffen. Eine kleine Wiedergutmachung für den Sohn der alten Dame, könnte man sagen.

Ich möchte auch in Erinnerung rufen, falls du das vergessen hast, dass ich am Anfang meiner Berufsausübung in einem deiner Häuser einen besonders gläubigen Kandidaten daran gehindert habe, einige deiner Schafe abzustechen, von denen er behauptete, sie seien nicht von deinem, sondern des Satans Glauben. Die Folgen waren für mich nicht einfach, denn nicht wenige behaupteten, ich hätte ihn nur in die Beine schießen sollen, ohne zu bedenken, dass ich ihm bereits in die Beine geschossen hatte, was jedoch keine Wirkung zeigte. Oh Herr, falls du es nicht weißt, möchte ich erwähnen, dass die Typen, die ihren Auftrag mit einem Messer erledigen wollen, die schlimmsten sind. Aber das nur zur Erinnerung. Wie du weißt, habe ich kürzlich einen Typen erschossen, von dem ich dachte, dass er auf mich schießen würde. Diese Angelegenheit ist jedoch, auch was mich betrifft, unklar, und deshalb bin ich heute hier, um Klarheit zu erbitten. Wie auch wir vergeben unseren Schuldigern, Amen.

Er wartete ein paar Minuten – und ging zum Bahnhof zurück. Der Penner saß immer noch allein im Fahrkartenautomatenraum und sagte zu ihm, er hätte aufgepasst, dass niemand an sein Gepäck ginge. Er gab ihm einen Zehner.

Er las die Meldung seiner Frau auf dem Telefon: »Bist du jetzt völlig am Durchdrehen? Warum hast du das gemacht?«

Er schrieb zurück: »Darum. Klarheit. Fortschritt.«

Er wählte die Nummer von Johanna.

»Ja, hallo? Wer da?«, sagte sie.

»Hier ist Robert. Bist du daheim, ich meine bei uns daheim? Ich bin hier am Bahnhof …«

»Robert! Bissn du! Robert!«

»Am Bahnhof, bei uns daheim. Bist du zufällig hier, dann besuch ich dich, wenn nicht, hau ich gleich wieder ab.«

»Komma hea, alta Scheißbulle!«

»Wo bist du, bist du daheim oder bei dir zu Hause?«

»Wo 's suuhause, Mama?«

»Johanna, reiß dich zusammen, bist du bei uns daheim, oder wo bist du jetzt?«

»Aufda grooosn Straase!«

Der kritische Bankier

Am Seiteneingang zur Bahnhofshalle machten ein paar Kinder Party. Sie spielten mit Bierflaschen, Handys und Zigaretten und warfen sich Worte zu, die Fallner nicht erreichten. Er konnte auch nicht erkennen, ob sie Spaß hatten oder schlechte Laune und darauf warteten, sich an jemandem zu rächen. Vermutlich hingen sie auf der schmalen Linie dazwischen. Der Zustand, den man mit vierzehn für den einzig möglichen hielt. Das war so seit der Steinzeit.

Manchmal schubsten sie sich gegen Passanten, um für etwas Action zu sorgen, aber besonders engagiert waren sie dabei nicht, als wollten sie nur die Hoffnung am Leben halten, dass es in ihrem Partykeller bald richtig losgehen würde. Die Party verlangte nach mehr Dunkelheit; sie mussten nur noch sechs Stunden durchhalten. Im Moment reichte ihr Eifer nicht mal, um jemanden an einem Bildschirm aufzuwecken.

Die kleinen Knastkandidaten ließen Fallner an die Partys denken, mit denen er zu viel Zeit verschwendet hatte. Es kam ihm so vor, als hätte er seit ewigen Zeiten nur noch Verschwendete-Zeit-Partys erlebt. Mehr Spannung als die Frage, warum er denn Polizist geworden sei, konnte er auf diesen Partys nicht erwarten. Die beste Antwort, die ihm einmal eingefallen war, lautete: »Damit gute Menschen nicht von so Figuren wie dir gequält werden.«

Wann hatte er mit Jaqueline zuletzt eine echte Party besucht? Abgesehen von einigen Bullenpartys, wo es zu intensiven Diskussionen führte, wenn man dumm genug war, auf die Frage, warum man Polizist geworden war, ernsthaft zu antworten. Zuletzt saß man dann mit einem Schwerbeschädigten am Tisch, in dessen halb vollem Glas mehr Tränen als Schnaps waren und der seinen Kopf auf die Unterarme gelegt hatte. Und er stand am Geländer über den Gleisen, was nichts anderes war, als den Kopf auf die Arme am Tisch zu legen.

Kam ihm vor wie tausend Jahre, dass sie, anstatt Party zu machen, nur noch an Esstischen saßen, und es war meistens eine Katastrophe, wenn man am Tisch buchstäblich festsaß und aus Höflichkeit nicht durch die Wohnung spazieren konnte. Mehr als zwei Ausflüge ins Bad, um an der Wäsche der Gastgeberin zu schnüffeln, waren kaum drin. Er würde diesen Unsinn nicht länger mitmachen.

Diese Am-Tisch-Partys hatten nur den Vorteil, dass man den Tisch jemandem in den Bauch rammen konnte. Er war selten betrunken genug, um eine derartige Unhöflichkeit ins Auge zu fassen – und erinnerte sich an den Abend, als es knapp war. Mit diesem Bankier, der sich selbst Banker nannte. Tat ihm bis heute leid, dass er ihm weder mit Tisch noch Hand etwas verpasst hatte, um seiner Frau eine Peinlichkeit zu ersparen.

Gott schütze die höflichen Bullen!

Der so lässig wie teuer gekleidete Bankomat unterhielt den ganzen Tisch mit zehn Personen und war unfassbar stolz darauf, nicht der Bankier zu sein, den die anderen sich eventuell unter einem Bankier vorstellten, sondern eher der Moderator einer pseudo-intelligenten Spielshow zur besten Sendezeit, der über alles, von den polnischen Wurzeln Andy Warhols über die privaten Vorlieben der Kanzlerin zu ihren Ossi-Zeiten im Spiegel der Boulevardpresse bis zu den Hiphop-Einflüssen bei Lady Gaga Bescheid wusste und sein Wissen mit einem Feuerwerk charmanter Witze auszuschmücken verstand.

Als ihn alle mehr lieb gewonnen hatten als die Jünger ihren

Jesus und sich langsam ein Hauch von Ermattung anzudeuten schien, ließ er seinen dezent parfümierten Esprit auf Fallner los, der ihm gegenübersaß und sich so intensiv mit Essen und Getränken beschäftigte, als ginge es um sein Leben.

»Und womit verdienen Sie denn die berühmten Brötchen, wenn ich fragen darf? Tun Sie mir den Gefallen, mein Bester, schon ein kleines Statement würde mich glücklich machen.«

Jaquelines Hand hüpfte auf seinen Oberschenkel, um ihn zu beruhigen. Sie hatte sich in die andere Richtung unterhalten, aber sie war hellwach und hatte die Gefahr sofort bemerkt. Ihre Hand erinnerte ihn daran, dass sich ihre Freundin eine Menge Arbeit mit der Einladung gemacht hatte.

»Wo zocken Sie denn so, wenn Sie nicht als Partyhai unterwegs sind?«

Fanden alle ziemlich lustig.

»Polizei«, sagte Fallner.

»Nein, ich bitte Sie! Hab ich doch gesagt. Das ist ja interessant. Wie sind Sie denn in der Firma gelandet? Hat Sie Ihre Mutter dazu gezwungen? Ich habe gelesen, dass die Mutter den größten Einfluss bei der Berufswahl des Sohnes hat.«

Und Fallner musste daran denken, dass er von Leuten gelesen hatte, die ermordet wurden, weil sie ihre Klappe nicht halten konnten. Es waren die einzigen Mörder, die er verstehen konnte.

»Ich glaube, ich wollte Abenteuer erleben«, sagte er, »aber ich weiß es nicht mehr genau.«

»Sie schlagen Teenager krankenhausreif, die ein Gramm Dope in der Tasche haben, und das nennen Sie Abenteuer?«

»Nicht nur. Manchmal müssen wir uns leider auch mit Jungs beschäftigen, die es auf Ihr sauberes Geld abgesehen haben.«

»Und wenn ich Ihnen sage, dass mir das scheißegal ist, schlagen Sie mich dann auch krankenhausreif?«

»Das ist in der Regel zu wenig. Es macht mir auch nicht mehr so viel Spaß wie früher. Haben Sie wahrscheinlich auch schon beim Chillen gecheckt, man wird nicht jünger.« Er hob sein Glas und prostete ihm zu. »Aber ich werde meine dumme Fotze von Alte erwürgen, wenn sie mich noch einmal zu so einer Einladung mitschleppt.«

»Das muss ich mir nicht bieten lassen!«, brüllte seine Jaqueline.

Man konnte von ihr halten, was man wollte, aber er konnte sich auf sie verlassen. Wer ihm dumm kommen wollte, musste auch mit ihr fertigwerden. Sein Pech, dass sie zu viele gute Freundinnen hatte, von denen zu viele ganz toll und locker waren, mit tollen Lockermännern liiert, die mit riesigen Jeeps durch die Stadt pflügten und Sportarten betrieben, bei denen sie auch Frauen wie Jaqueline trafen, die trainierten, Gruppen von besoffenen Schlägern aufzuhalten. Danach gingen sie in tolle Bars, um ziemlich laut zu diskutieren, ob sie bei Themen wie Tattoo und Intimrasur ihre Männer einbeziehen oder zuerst eine Schwanzverlängerung von ihnen einfordern sollten. Sie waren so selbstbewusst wie beknackte Hools und so aufgedreht wie die Braut mit ihren Freundinnen am letzten Abend.

Aber Jaqueline ließ nicht zu, dass er an ihren Freundinnen kratzte: »Meine Schnallen gehören mir!«

Wenn ihm das nicht passte, sollte er sich doch in seinen schwitzigen Stehausschank gegenüber hocken und in der Jukebox *Six Days on the Road* drücken.

Jaqueline hatte sich kaputtgelacht, als sie ihn auf dem Nachhauseweg nachmachte. »Meine dummä Fotzä von Altä erwürrgkänn!«, sagte sie mit krächzender Monsterstimme. Weil der Taxifahrer so unglücklich aussah, sagte sie es immer wieder. Sie wusste, wann eine Frau Öl ins Feuer gießen musste. Und sie wusste, dass er gegen ihre Truppe nicht so viel hatte, wie er vorgab.

Sie krächzte es im Treppenhaus vor sich hin und ein letztes Mal, als sie im Bett betrunken mit den Augen rollte und sich über seinem Gesicht aufbaute: »Meine schlauä Fotzä erwürrgkänn dich jätz!«

Es war ihm ein Rätsel, wie sie es immer schaffte, stundenlang zu essen und zu trinken und nicht ein Mal pissen zu müssen.

»Wenn's nach dir ginge, hätten wir bald nur noch mit Bullen zu tun«, hatte sie am nächsten Morgen zu ihm gesagt, und das sei ihr zu langweilig, denn sie habe bei der Arbeit genug mit Bullen zu tun.

»Vielleicht solltest du dir 'nen anderen Mann suchen. Mehr Abwechslung, weniger Bullen.«

»Aber ich hasse Abwechslung! Und ich liebe Bullen! Besonders meinen privaten!«

Das war lange bevor er den Jungen erschossen hatte.

Nachdem das passiert war, hatte es für ihn zunächst ausgesehen, als würde ihn der Unfall nicht weiter beschäftigen. Dann musste er sich eingestehen, dass er sich täuschte. Dann erklärte ihm seine Psychologin, dass er die Sache unterschätzte. Dann hatte er den Eindruck, dass sie recht hatte. Und dann wusste er, dass er immer noch weniger damit zurechtkam.

Jetzt war ihm das Risiko zu hoch, seiner Frau den Vorschlag zu machen, sich nach einem anderen Mann oder Beamten auf Lebenszeit umzusehen.

Jaqueline Jaqueline

Sie trafen sich im Café auf dem Balkon über den Gleisen. Fallner, ganz alte Schule, etwas zu früh und vor einem Geschäft am anderen Ende wartend, um zu beobachten, wie sie ankam. An ihrem Gang sah er, dass sie wütend war. Sie stapfte, als müsste sie eine Tür eintreten. Sie trug Cowboystiefel, Jeans, einen dicken grünen Pullover, und ihr blonder Haarberg donnerte um sie herum. Sie sah aus wie die Sicherheitschefin einer großen Landdiskothek, deren Drogengeschäfte bedroht waren. Sie ging wie eine verdeckte Ermittlerin, die sich nicht mehr sicher fühlte. Sie sah aus wie die Parodie auf eine verdeckte Ermittlerin in einem Film von 1976, die Drogen verticken wollte. Sie ging, als wollte sie ihn aus dem Weg räumen. Sie sah aus wie die Frau, in die er sich verliebt hatte.

Sie holte bei seiner Freundin zwei Kaffee, und als sie sich an den letzten Tisch am Geländer setzte, war er bei ihr. Sie umarmten sich heftig, doch der Kuss war schwach.

»Du siehst toll aus«, sagte er, »wie ein Cop, den ich heiraten würde.«

»Ach ja? Soll das ein Kompliment sein? Wie geht's dir? Du siehst aus wie ein Penner, der mal Cop werden wollte.«

»Mir geht's besser, ehrlich, und seit ich mich mit Maier unterhalten habe, geht's mir noch besser. Wie geht's dir?«

»Eigentlich nicht schlecht. Wenn's dir besser geht, wird's mir auch wieder besser gehen. Kommst du nach Hause oder machst du nur einen Besuch?«

»Ich wollte nur mal fragen, wer ist der Glückliche? Kenn ich ihn? Ich würde zuerst im Sportcenter ermitteln.«

Sie sagte nichts, warf ihre Haare um den Kopf und überlegte, was sie sagen sollte. Tiefes Ein- und Ausatmen, an dem die letzten Monate hingen.

»Ja, Sportcenter. Du kennst ihn nicht.« Pause mit Blick in den schwarzen Kaffee. »Es ist nicht so wichtig, wie du denkst. Es geht nur um ein bisschen Sport, mehr nicht.«

Es überraschte ihn, dass es sein Herz nicht durchbohrte. Wahrscheinlich weil der Junge ihm immer wieder einen Stich mit derartigen Meldungen versetzte. Dass es dabei eher um Sport ging, glaubte er ihr; dass ihr Sportkamerad aus dem Sportcenter kam, nicht.

»Lass mich raten, es ist der Masseur.«

Sie nickte – und Fallner glaubte noch weniger an den hilfsbereiten Mann im Sportcenter. Wütend ließ sie ein paar Informationen raus. Sie habe es nicht schon länger getan, sondern erst seit einem Monat, und keineswegs jedes Mal, wenn sie im Center trainierte, sondern nur wenige Male. Er hielt die Klappe – er schob sich seine Makarow in den Mund, um nicht nach Details zu fragen.

»Du hast doch sicher auch ein bisschen Sport getrieben.«

»Meine Therapeutin krieg ich schon seit Wochen nicht mehr ans Telefon, und jetzt ist sie auch noch in Urlaub. Ich glaube, sie hat mich gefeuert. Und Maier hat mir erzählt, dass er die Sitzungen bei ihr abgebrochen hat.«

»Und Telling hat mir erzählt, dass du sofort wieder verschwunden bist, ohne ihm was zu sagen. Dieser dumme Arsch flüchtet sogar vor seinen Freunden, auf welcher Spur ist der denn! Konnte ich ihm auch nicht erklären.«

»Wenn sich mein Doc um jemanden kümmern sollte, dann um Telling, das kann ich dir sagen.«

»Und hat sich das polnische Zimmermädchen gut um dich gekümmert?«

»Telling heißt Telling, weil er gerne viel erzählt, wenn der Tag lang ist, vergiss das nicht.«

»Er wollte dir ein Geschenk machen, weil er wusste, dass du vergessen hast, wie's geht. Ging mir genauso. Ich wollte wissen, ob's noch geht. Und ging's gut mit ihr?«

»Ging gut. Aber nicht sensationell. Ich war einfach froh, dass es ging. War eher Therapie als was anderes.«

»Ach ja. Hätte ich auch gesagt, wenn du mich gefragt hättest. Solider Hüftschwung, aber keine neuen Erkenntnisse. Haben wir wohl beide gebraucht, um wieder weiterzukommen.«

Sie beobachtete die flackernde Masse unter ihnen. Möglich, dass sie, wie er, ein paar Bilder von ihrer ersten Nacht nach Nashville Pussy im Kopf hatte. Als er nicht glauben konnte, dass sie dermaßen viele Tätowierungen auspackte. Wie er jetzt kaum glauben konnte, dass sie dachte, sie hätte ihn mit ihrem Gerede eingewickelt und eingesackt.

»Hör mal«, sagte er, »den kennst du garantiert nicht, weil er von mir ist, also, zwei Bullen sind im Einsatz. Heikle Sache, nichts Weltbewegendes, aber auch nicht ohne. Ach komm, Unterstützung, was soll's, sagen die beiden, die keine Anfänger sind, dann sitzen wir vielleicht morgen noch da. Also rein in die Wohnung. Auftritt der Klassiker: im Prinzip alles in Ordnung, nur wenn man eine Sekunde nicht aufpasst, könnte die ganze Chose schnell kippen. Und siehe da, plötzlich zieht der Böse doch tatsächlich eine Pistole! Aber eine Riesenüberraschung ist das nun auch nicht, weil man sie sogar vorgewarnt hat. Und deshalb ist der eine Bulle schneller und erschießt ihn. Ja, Mensch, warum hast du das denn getan?, fragt jedoch sein Kollege. Du bist ja lustig, Mann, du hast doch gesehen, dass der seine Waffe gezogen hat und auf uns schießen wollte. Plötzlich bellt ein Hund neben seinem Kollegen und er fragt: Kollege, was ist denn das für ein Hund neben dir?

Na, das ist doch mein Hund, sagt der Kollege. Sagt der, der geschossen hat: Aber wieso hältst du denn deinen Hund an so einem Gestell fest? Na, damit er mich führen kann, sagt der Kollege. Ist ja interessant, sagt der andere, und seit wann hast du deinen tollen Hund? Lass mich mal überlegen, sagt sein Kollege und sieht auf die Uhr, so mindestens seit drei Minuten sicher. Interessant, sagt der andere, aber so ein Spezialhund, der ist doch sicher ziemlich teuer, oder?«

Sie hatte ihm jede Sekunde in die Augen gesehen, ohne die kleinste Regung, wie eine Statue. Er musste den Blick immer wieder abwenden, um den Witz durchzubringen.

»Das ist ja wohl nicht dein Ernst«, sagte sie.

»Was meinst du damit? Natürlich nicht.«

Sie stand auf: »Du tickst doch nicht mehr richtig. Wenn du mal wieder halbwegs normal bist, nur halbwegs, verstehst du, dann lass uns besprechen, wie es weitergeht. Ich glaube, das macht dir auch noch Spaß.«

»Jaqueline, Jaqueline, was ist los? Klar war's nur Spaß.« Er stand ebenfalls auf, versperrte ihr den Weg. »Du musst mir helfen, du hast doch mit Maier geredet, was ist mit ihm, irgendwas stimmt da nicht, das musst du mir glauben, was hat er dir erzählt? Der Idiot redet nicht mit mir. Du weißt doch, dass …«

Sie schob ihn weg. »Mit einem Vollidioten wie dir kann man nicht reden. Das hat mit deinem Scheißunfall gar nichts zu tun, das ist nur vorgeschoben.«

Als sie losrennen wollte, berührte er sie vorsichtig an ihrer Jacke – sie schrie: »Fass mich nicht an!« Dann rannte sie los. Drehte wieder um, kam zwei Schritte zurück: »Hau ab nach Berlin und fick deine polnische Nutte!«

Er blieb am Tisch und sah sich die Bahnhofsshow weiter an. Er war nicht unzufrieden. Und dann wurde ihm eine Tasse Kaffee hingestellt und eine angenehme Stimme sprach über seinem Kopf.

»Sand Sie in Ordnung, Herr Fallner?«

»Wenn ich Ihre Stimme höre, ja, Frau Hallinger. Aber ich hör sie ja viel zu selten. Und wenn, dann immer nur mit diesen wahnsinnig vielen Nebengeräuschen.«

»Sie sand mir schon so einer.«

»Kennen Sie vielleicht *Mad Detective* von Johnnie To?«

»Nein« – sie lachte –, »aber ich habe *Vengeance* mit Johnny Hallyday gesehen, und danach habe ich nicht schlafen können, wann Sie's genau wissen wollen, Herr Fallner.«

»Der Mad Detective wird auf seinem Weg durchs Leben von seiner verstorbenen Frau begleitet.«

»Ja, die Toten begleiten uns. Aber nur wann's einer möchte, wird er begleitet. Wir treffen uns in einer Stunde drüben im Schiller-Café und dann schauen wir uns die Boxerfotos an und Sie erzählen mir vom Mad Detective.«

»Schön. Und was erzählen Sie mir?«

»Woher ich weiß, wie Sie heißen und wer Sie sand?«

Einsatz

Nachts im Zug, frühmorgens. Wenn jeder Zug wie ein Geisterzug wirkt.

Er wachte immer wieder auf von einzelnen Sätzen. Zwei Männer zwischen vierzig und fünfzig in einem Gespräch, das ablief wie ein spärlich tropfender Wasserhahn. Sie redeten mit ruhiger Stimme.

Dann ein kaum hörbar sirrendes Telefon, und mit scharfer Stimme: »Ich weiß, dass es brennt. Wir sind unterwegs.« Dann schien er jemandem zuzuhören, sagte nach wenigen Sekunden: »Wissen wir alles. Ende.«

Nach einigen Minuten, in denen sie schwiegen, wieder ein Anruf: »Wir sind im Zug, Mensch. Hört auf, mich anzurufen, kümmert euch um die Vorbereitungen, das ist wichtig, sonst nichts.«

Der zweite Mann sagte nichts dazu. Er hätte seinen Pensionsanspruch darauf verwettet, dass er der Boss war. Die Leute, die ihre Hilfe benötigten, hatten seine Telefonnummer nicht bekommen.

Später sagte er: »Es gibt dort nur eine Linie. Und niemand weiß, wann der Zug kommt.«

Der dritte Polizist

Die Hälfte der Tische im Speisewagen war frei. Doch die Aussicht auf etwas Unterhaltung reizte ihn und er setzte sich zu den zwei uniformierten Cops, von denen die Frau jung, der Mann um die sechzig war.

Fallner fragte nicht, ob er den dritten Mann am Vierertisch spielen durfte, das hätte es ihnen leicht gemacht, Nein zu sagen. Die junge Polizistin las etwas aus der Zeitung vor und hörte damit auf, als er sich setzte und nebenbei einen guten Tag wünschte. Sie starrten ihn misstrauisch an, warum setzte er sich nicht an einen freien Tisch? Sie schätzten ihn sofort so ein, wie er sich mit seinem Freizeitlook selbst eingeschätzt hätte, als einen dieser Oberbürger, die von Uniformierten magisch angezogen wurden. Die meisten von ihnen machten den Eindruck, dass sie selbst Bullen sein wollten, und weil sie es irgendwie vermasselt hatten und glaubten, die Welt schulde ihnen mehr Respekt, versuchten sie, möglichst vielen Leuten ins Kreuz zu treten. Wenn sie zu dumm für große Aktionen waren, konzentrierten sie sich auf den Nachbarn. Und geriet ein echter Polizist in ihre Nähe, war es Zeit für einen Erfahrungsaustausch unter gleichgesinnten Spezialisten.

Der Austausch begann in der Regel damit, dass der Hobbypolizist etwas melden oder endlich einmal fragen wollte (»das trifft sich gut, gleich zwei Beamte vom Fach im Speisewagen, also ich hätte da mal …«) und es ihn nicht im Geringsten störte, wenn sie ihm sofort signalisierten, dass er an ihren Nerven sägte und abziehen sollte. Im Gegenteil, das baute solche Leute auf. Jeder Uniformierte kannte und hasste sie. Nur bei netten alten Damen und Behinderten blieb der Polizist ein wenig geduldig.

Aber Fallner sagte nichts, holte selbst eine Zeitung raus und markierte den völlig vertieften Leser, der mit seinen Gedanken schon länger woanders war und die freien Tische nicht bemerkt hatte.

Die Frau hakte ihn ab und las weiter aus der Zeitung vor. Sie war der gute Cop, sie hatte ein reines Herz, sie wollte mit jedem vernünftig reden und niemals jemanden erschießen. Jaqueline hätte sie Pferdeschwanzpolizistin genannt, obwohl sie selbst in den ersten Jahren als Pferdeschwanzpolizistin aufgetreten war.

»Die Gewalt gegen Polizisten nimmt weiter zu«, sagte sie, »im Vergleich zum Vorjahr stieg sie laut Landeslagebild um zehn Prozent auf 6909 Fälle.«

»Landeslagebild!«, sagte der böse alte Cop.

»Statistisch gesehen bedeutet das neunzehn Übergriffe auf Polizisten am Tag. 14645 Frauen und Männer wurden im Dienst verletzt oder wenigstens beleidigt und beschimpft. Das ist jeder dritte Polizist.«

»Wenn wir jede Beleidigung anzeigen, haben wir sonst nichts mehr zu tun«, sagte er.

Sie wartete einen Moment, ob er noch eine Erfahrung für sie bringen wollte. »Die meisten der Fälle passieren im ganz normalen Polizeidienst …«

»Unglaublich! Im normalen Polizeidienst!«

»… oft an den Wochenenden, oft mitten in der Nacht.«

»Mitten in der Nacht! Ein Wahnsinn!«

»Am häufigsten werden Polizisten beleidigt, aber mehr als ein Drittel der Fälle machen Körperverletzungen aus.«

»Ein Pils«, sagte Fallner zum Kellner. Als er einen Moment zum Fenster schaute, bemerkte er, dass ihn der böse Cop die ganze Zeit gemustert hatte. Das hatte er nicht anders erwartet. Der böse Cop war ein guter Cop, der nicht aufgehört hatte, sich zu fragen, was mit dem Mann, der unbedingt bei ihnen sitzen wollte, nicht stimmte.

»Ein Beamter erschoss den Angreifer. Polizeipräsident Waldmann hat viele solcher Fälle dokumentiert. Der Respekt vor der Polizei schwindet, sagte er. Früher sei eine Wirtshausschlägerei beendet worden, wenn die Polizei gerufen wurde, heute könne es sein, dass die Gegner vereint auf die Beamten losgingen.«

»Der hat doch keine Ahnung von früher! Der hat in seinem Leben noch keine Wirtshausschlägerei gesehen!«

Die junge Polizistin musste lachen. »Er sehe noch eine entscheidende Ursache für die Gewalt: Fast drei Viertel der Angreifer seien betrunken oder stünden unter Drogeneinfluss. Alkohol ist der Aggressionsverstärker Nummer eins, sagte der Polizeipräsident. Also der Mann ist ein Genie.«

Ihr Kollege knurrte zustimmend und fügte eine Weisheit hinzu: »Und bei manchen reicht ja schon ein Pils.«

Der böse Cop wusste, dass er zuhörte, und Fallner überlegte, ob er reagieren sollte. Wenn er sich einmischte, würde er es wieder übertreiben, und irgendwann würde er damit auf irgendeine Weise auf die Schnauze fallen. Er wollte nicht auf die Schnauze fallen, und mit diesen beiden auf keinen Fall.

»… beim Schmerzensgeld in Vorleistung gehen. Das müssten sich Polizisten bislang oft in jahrelangen Zivilprozessen und auf eigenes Risiko selbst erstreiten. Abschließend sagte der Innenminister: Wir müssen die schützen, die uns schützen.«

»Gut gebrüllt, Löwe. Amen. Ich will mir die Schützen gar nicht vorstellen, die uns beschützen wollen. Wie würden Sie uns denn schützen?« Der böse Cop stellte die Frage leise, sozusagen gut getarnt und nicht direkt an Fallner gerichtet. Dem es zu anstrengend war, die Einladung abzulehnen.

»Im Notfall mit der Heckler, die in meiner Tasche liegt«, sagte er und grinste besonders schlau.

Die Pferdeschwanzkriegerin war verwirrt und alarmiert. Der böse Cop grinste ihn mit einem ebenfalls schlauen Nicht-mit-mir-Grinsen an. Wovon sich die Polizistin sofort beeinflussen ließ und ihre Alarmbereitschaft einstellte. Der gute Cop war also nicht gut, und der böse Cop lag falsch und war nur von seiner eigenen Schlauheit beeindruckt, anstatt auf den guten Cop zu achten, und das war nicht gut genug für einen bösen Cop. Fallner war bereit, ihn hochzunehmen, aber der nächste Bahnhof wurde angekündigt und sie würden ihn verlassen.

»Mein Bruder ist ein Kollege«, sagte er, »deshalb weiß ich, was Sie vorhin meinten. Ich weiß auch, dass Streifenbeamte am gefährdetsten sind, und nicht die anderen Angeber.«

Der erfahrene alte Cop nickte freundlich, war doch klar, dass er den Braten sofort gerochen und den Scherz als solchen erkannt hatte. Das war etwas, das diese Klugscheißer, die von den Hochschulen kamen und ihm vor die Nase gesetzt wurden, nicht gelernt hatten, weil man es nur durch Erfahrung lernen konnte. Er würde der jungen Kollegin jetzt einen ausführlichen Vortrag halten. Er gab Fallner zum Abschied einen kameradschaftlichen Der-Bruder-eines-Bullen-ist-auch-mein-Bruder-Klaps an die Seite. Ein paar Zentimeter weiter unten hätte er seine Makarow getroffen, und Fallner hätte ihm nicht erklären können, warum er sie an diesem Morgen aus der Tasche genommen und in die Jacke gesteckt hatte.

»Ich habe übrigens grade eine andere Zahl gehört, die allerdings nur für Berlin gilt«, rief er ihm hinterher. »Letztes Jahr wurde gegen 636 Beamte wegen Körperverletzung ermittelt, und nicht einer wurde verurteilt!«

Der Kollege drehte sich um. Aber es war zu spät, der Zug hielt und er musste ihn verlassen.

Er dachte über diese neue, von der Polizistin vorgelesene Statistik nach, die nichts Neues zu bieten hatte. Es waren wie immer die Lücken, die interessant waren. Zum Beispiel, wie viele Zivilpolizisten waren im Dienst von uniformierten Kollegen angegriffen oder verletzt worden? Und auf wessen Konto gingen diese Fälle? Die Antwort war, dass nicht wenige Polizisten der Meinung waren, dass viele Zivilcops nicht alle Tassen im Schrank hatten und viel zu oft das eigentliche Problem in einer problematischen Situation darstellten, als hätte ihnen jemand den Auftrag erteilt, für Eskalation zu sorgen. In einem der umgekehrten Fälle hatte Fallner die Hauptrolle gespielt – bei einer Demonstration gegen Nazis hatte er eine uniformierte Kampfmaschine kampfunfähig gemacht, die anfangen wollte, auf ein am Boden liegendes Autonomengirl einzuprügeln, deren schwarze Stiefel so groß waren wie der Rest ihres Körpers. Er hatte diesen Beamten einfach nur von der Seite umgerannt, weil er den Anblick nicht ertragen konnte. Dann war er sofort in der Menge untergetaucht, hatte die Nummer mit dem Dienstausweis gar nicht erst ins Auge gefasst, denn sie hätten ihn zusammengeschlagen, ehe er Dienstaufsichtsbeschwerde sagen konnte. War das ein Einzelfall, oder fehlten in der offiziellen Statistik ein paar Seiten? Und wie viele suspendierte Bullen waren nicht erfasst worden, deren Gehirn nicht registrieren wollte, dass sie suspendiert waren? Und wie viele Cops hatten illegale Waffen? Und wie viele hatten für Vergehen im Dienst Bewährungsstrafen bekommen? Was sagten die Zahlen, die sie nicht preisgaben, und wer kannte die Zahlen, die sie absolut niemandem preisgeben wollten?

Warum hatte ihm Telling eigentlich nicht genau erklärt, was er jetzt machte, und warum fiel ihm das genau in dem Moment wieder ein?

Wie sagte man so schön, wenn alle Zahlen mit Sorgfalt erhoben, analysiert und bearbeitet waren: »Menschen lassen sich doch auch frisieren.« Leises Gekicher.

Hatte ihnen ein Vorgesetzter erklärt, der von so weit oben herabgestiegen war, dass ihn keiner je gesehen hatte. Und er hatte es nicht witzig gemeint. Er machte einen nachdenklichen Eindruck, deshalb war aus dem Gekicher nicht mehr geworden, und fügte hinzu: »Wie wir aus unserer Vergangenheit wissen.«

Alle lauerten, ob er erwartete, in der Pause etwas Schlaues zu hören. Keinem war klar, ob er damit die Vergangenheit der Polizei oder des Landes oder beides meinte, oder etwas aus seiner persönlichen Geschichte, von dem er dachte, jeder sollte davon gehört haben. Er sah niemanden an.

Vorgesetzte, die so weit oben saßen, dass man ihnen kaum je begegnete, waren nicht immer die einfachsten Menschen. Sie gruben irgendwas aus und erwarteten, dass man ihr Ding als unglaubliche Entdeckung feierte.

Dann brachte er es schließlich selbst zu Ende: »Und niemals vergessen sollten.«

Aber er wirkte auf ihn nur wie ein Blindgänger, dem seine Frau an diesem Morgen eingeschärft hatte, es endlich einmal zu erwähnen. Ehe die Behauptung die Runde machte, er würde sich nicht für Geschichte interessieren.

Schlucht der Verdammten 2:
Männer mit Stihl

Die kleine Stadt hatte einen überraschend großen Bahnhofsvorplatz, den man vom Zug aus nicht sehen konnte, und noch ehe er sich ein genaues Bild davon gemacht hatte, fühlte er sich an diesem Ort vollkommen falsch.

Links ein leerer Parkplatz, vor ihm eine leere Straße, rechts ein leerer Busbahnhof. Vor ihm eine durchgehende Front fünfstöckiger Häuser mit Hunderten von Fenstern, in denen sich nichts bewegte. So elend leer war es an diesem Bahnhof, dass er sich bedroht fühlte. Als wäre er gekommen, um hier begraben zu werden.

Es war so still und leer wie in einem Western, von dessen Helden schon am Anfang klar war, dass sie am Ende tot sein würden, und die Bewohner dieser einst aufblühenden Gemeinde, von deren Anblick aus dem vorbeifahrenden Zug er sich so viel versprochen hatte, knieten zu dieser Stunde versammelt in der Kirche und glauben ihr letztes Gebet zu sprechen, während eine Zeitungsseite gelangweilt über den Platz flatterte, von deren großer Schlagzeile er nur ein Wort lesen konnte: ENDLICH.

Aber ENDLICH was denn? Gab es ENDLICH Freibier für alle Eltern mit mehr als drei Kindern auf Lebenszeit? War der Tag des Jüngsten Gerichts ENDLICH angebrochen und alles Jammern und Beten hatte ENDLICH ein Ende? So gute Nachrichten? Umdrehen und weiterfahren, dachte er. Als er sah, dass da plötzlich und ENDLICH eine Menge Leben in diese weggetretene Bude kam.

Ein Junge, der auf dem Gehsteig ein Moped schob!

Er stellte seinen Koffer aufrecht und zündete sich eine Zigarette an. Das Gespann war ein Hoffnungsschimmer, dem er seine Anerkennung nicht versagen wollte. Eine Zigarette lang konnte man abwarten. Dann die Zigarette austreten und diesem von Gott verlassenen und vom Teufel gemiedenen Misthaufen eine allerletzte Chance geben. Dann umdrehen und mit dem nächsten Zug weiterfahren.

Er hatte keine Eile und kein Ziel. Er hatte Zeit. Während den Jungen die Zeit quälte, die sein verdammtes kaputtes Moped verschwendete: Er verprügelte die Sitzbank.

Ein Blick in die Runde, ob es nicht langsam mehr Publikum für den kleinen Banditen gab – *Teenager mit Moped Gehweg runtergehend: letzte Vorstellung heute Abend!!* –, und dabei wurde ihm bewusst, dass er die Regel Nummer eins außer Acht gelassen hatte. Du sollst ein Auge auf das haben, was in deinem Rücken passiert (außer du presst ihn an eine Wand). Als er jetzt endlich mal nach hinten kontrollierte, entdeckte er die Kneipe neben der Treppe zu den Bahnsteigen.

Das niedrige Gasthaus mit der fleckigen gelbbraunen Wand machte den Eindruck, als würden die Insassen um einen Volksempfänger sitzen und mit offenem Mund die Meldung hören, dass die Rote Armee den Führerbunker erobert hatte. Das Wesentliche gefiel ihm, die offene Tür.

Innen war es, wie es das Gesetz in diesem Städtchen verlangte, totenstill. Drei Männer im frühen Rentenalter saßen vor und hinter der Theke und verschoben ihre Köpfe und Augen in seine Richtung. Sein freundlich kräftiger Gottgruß zeigte keine Wirkung. Er störte sie beim Gedankenaustausch. Vielleicht ging es im Moment darum, dass sie wie im neunten Monat aussahen, und wenn man in diesem Alter schwanger war, wollte man das vor einem Fremden natürlich nicht ausdiskutieren. Oder ging's um die Basecap, die einer aufhatte, mit dem Schriftzug von *Stihl* vorne drauf? Der Mann hatte in seinem Leben selten die Motorsäge geschwungen.

Es roch, wie die Außenansicht vermuten ließ, nach einer Flachbaukneipe mit dicken Vorhängen, die man nicht waschen und durch die man raus-, aber nicht reinsehen konnte, und das Rauchverbot hatte die Sache erheblich verschärft. Auf der Theke ein Teddy mit Lederhose und Pfeife im Maul, daneben ein kleiner Fußball mit einem Zapfhähnchen. Daneben auf einem Sockel Marilyn Monroe im roten Badeanzug, die irgendwas machte, wenn man ihr fünfzig Cent in den Spalt zwischen den Beinen steckte.

Den anderen Krempel auf, über und hinter der Theke wollte er nicht identifizieren, auch nicht die verdorrten Gartenanlagen auf den rotweißkarierten Tischdecken. Das rotweiße Muster schlug ihm sofort auf den Magen. Es war das Signal für eine Kotzbrockengeschichte, die sich in einer dunklen Ecke seines Gehirns verkrochen hatte und die jetzt leise zu heulen anfing, weil sie aufgeschreckt worden war.

Einer der drei Spielautomaten begrüßte ihn mit einem schüchternen Klingeln – so komm herein, Fremder, und habe Mitleid mit einer hungrigen Maschine. An den Wänden Fotos, die historisch aussahen – wir waren glücklich, obwohl wir keinen Farbfilm hatten! Man erkannte Menschengruppen vor krummen Häusern, obwohl man auf die Distanz eigentlich nichts erkennen konnte – wir fühlten uns damals sicher, obwohl wir niemals unsere Türen versperrten!

Er konnte nicht ausschließen, dass er mit einem Sonderprojekt des Fremdenverkehrsbüros konfrontiert war, mit der Installation *Freunde ohne Facebook*, die wie alle moderne Kunst in kleinen

Städten schlecht besucht war. Nein, das wäre zu schön gewesen – dieses Scheißhaus erinnerte ihn nicht an ein Kunstprojekt. Die karierten Tischdecken brüllten, dass sie böse waren, und sie stanken nach Blut und Kotze und dreckigen Händen, die ihn im Gesicht packten. Die drei schweigenden Männer trugen rotkarierte Hemden und rotkarierte Hosen und rotkarierte Socken und rotkarierte Tücher um den Kopf, und er würde ihnen jetzt seine Neunmillimeter-Ossi in die dummen fetten Fressen halten und abdrücken, wenn nicht sofort korrekte Informationen aus ihren verdammten rotkarierten Fressen kamen, was hier in ihrer rotkarierten Pinte los war.

Er flüchtete vor diesem rotkarierten Terror, dessen Abschussrampe er nicht orten konnte, an den Tisch neben der Tür, und es war ihm recht, dass der Wirt keine Eile hatte.

»Was darf's denn sein, der Herr?«, sagte der Wirt, als er sich mühselig zu ihm durchgekämpft hatte.

Und damit hatte Fallner ENDLICH die Verbindung, die sich im Rotkarierten angekündigt hatte – es war: *der Herr*. Der Wirt hatte *der Herr* gesagt – und dort hatten sie damals auch immer *der Herr* gesagt.

Noch ein Bier, *der Herr*?

Noch einen Wunsch, *die Herren*?

Gähörrn die irrn Härrn hirrhärr? – wäre die irrsinnige Ernst-Jandl-Version gewesen in diesem Albtraum damals, und sie hätten darauf geantwortet: Ja, wir gehören hierher, wir sind gekommen, damit ihr verschwindet.

Ihre sympathische kleine Bahnhofskneipe von gestern erinnerte ihn an einen Mordfall in einer Kneipe, bei dem sogar die härtesten Kollegen in die Knie gegangen waren und selbst in ihren Träumen nur noch ihre Innereien auswürgten. Er kam sich vor wie in einen Nachbau gestolpert und sein Körper rebellierte –

obwohl hier das Entscheidende fehlte: die geistig behinderten jungen Damen waren nicht da, die sie dort, damals, in einem Hinterzimmer, in alle möglichen Löcher gefickt hatten. Oder die Mädchen kamen jetzt gleich rein. An der Hand von Muttis, die etwas Geld dazuverdienen mussten. Es waren tapfere Muttis gewesen, die sich von den nicht ausreichenden Zuwendungen von wem auch immer nicht unterkriegen lassen wollten. Und gute Mädels, die alles machten, was ihre guten Muttis sagten, ja, die Mädels waren der Traum aller Eltern gewesen. Wovon man sich auch in einer Art Katalog vorab überzeugen konnte, in dem sie in Dirndl, Hochzeitskleid, in Krankenschwester- oder Discotracht präsentiert wurden. Als würde jemand ein zukunftsweisendes Business zuerst in einem Unterschichtsloch testen.

Mit jedem Tag war ihnen die Szenerie deutlicher geworden, mit jedem neuen Tag konnten sie weniger glauben, dass sie immer noch mehr erfuhren. Und die allwissende und alles kontrollierende Wirtin dieses Vorzimmers zur Hölle fragte die Ermittler immer noch, ob's ein Kaffee sein dürfte, *der Herr*, als auch der letzte Idiot ihrer Truppe aufgehört hatte, in dieser Pissbude irgendwas zu sich zu nehmen oder mit nackten Fingern zu berühren, und ihnen jeder ansah, dass sie nur noch den Wunsch hatten, jedem, der Bescheid wusste, in den Kopf zu schießen.

Als sollten die Cops für diesen Wunsch bestraft werden, kam es am Ende zu keiner einzigen Verurteilung. Weil sie die Leiche, um die sich der ganze Fall drehte, nicht finden konnten.

Am Ende war von allem, was sie unternommen hatten, nichts übrig geblieben, und es war, als hätten sie nichts getan.

Sie hätten es komisch gefunden, wenn sie noch irgendwas komisch gefunden hätten. Sie waren nicht mal mehr zu verzweifelten, dummen Witzen fähig, um sich zu schützen. Sie waren nur noch Wracks, die kein Schrottplatz aufnehmen wollte. Dabei hatten sie mehr gefunden, als sich ein Psychopath erträumen konnte, aber nicht genug, es war nichts wert. Keiner, der es mitgemacht hatte, war ohne Schaden rausgekommen. Jeder hatte auf seine persönliche Art dafür bezahlt. Und Fallner, der gedacht hatte, genug bezahlt zu haben, war in diesem Déjà-vu gelandet. Wie in einer Zelle.

Der Wirt sah ihn an, als würde er Bescheid wissen und sich darüber freuen, und es war ihm egal, ob sich der Fremde irgendwann daran erinnerte, ob er etwas bestellen wollte.

Fallner wischte sich einmal mit beiden Händen heftig übers Gesicht, um wieder hier in dieser friedlichen Stadt anzukommen. Ehe was passierte, weil er in seinem psychedelischen Reisefieber glaubte, in der Vergangenheit gelandet zu sein, und nicht daran dachte, dass er von diesen Männern nichts wusste und sich grundlos ein schlechtes Bild von ihnen machte. Sah doch ein Blinder: Sie waren seit Jahrzehnten in ihrer Freizeit für die Telefonseelsorge tätig, bauten der Freiwilligen Feuerwehr ein neues Haus, reichten die Hand jedem, der stolperte. Wie hatte er das übersehen können?

»Mit einem kleinen Bier machen Sie mich vollkommen glücklich, werter Herr Chef.«

Wissendes Nicken der beiden patenten alten Burschen an der Theke, mit etwas Geächze und einem müden Lächeln. Ein kleines Bier! Das hatten sie sich gleich gedacht. Er wirkte wie ein kleiner Angestellter, der nach sorgfältigen Überlegungen alles in Maßen machte. Kleines Bier, kleines Auto, kleine Frau. Wär doch 'ne kleine Sache, dem kleinen Angestellten seinen kleinen Kopf abzureißen …

Langsam, Freunde, ihr habt meine kleine Privatpistole vergessen, fügte er hinzu. Die bei nicht allzu großer Entfernung große Löcher macht. Ihr kennt doch sicher die alte Weisheit. Die sollte

euer *Stihl*-Mann mal auf 'n schönes Brettchen schreiben und an
die Wand nageln:

Der liebe Gott
hat den Mensch erschaffen.
Samuel Colt
machte alle Menschen gleich.

Seine Finger wanderten über die rotweißkarierte Tischdecke.
Abgesehen davon war er größer als diese alten Helden. Ein Blick
aus dem Fenster alarmierte ihn, eine Panik schien ausgebrochen
zu sein: nicht weniger als drei Menschen, die über den Platz in
Richtung der Bahnsteige hetzten! Der Junge mit dem Moped war
verschwunden! Er würde den Zug verpassen, der in den nächsten
Minuten abfuhr, und damit vielleicht die letzte Möglichkeit, rauszukommen. Er hatte nicht mehr genug Energie, um sich sofort
um den Fahrplan zu kümmern.

Der Wirt hatte ihn mittlerweile ins Herz geschlossen: »Sehr
zum Wohle, der Herr!«

Es konnte sich nicht vorstellen, dass er hier ein Problem hätte,
wenn er keinen Zug mehr bekäme, und es wäre kein Problem,
wenn er dann kein Zimmer bekäme, er hatte einen arktiserprobten Vierhundertdreißig-Gramm-Schlafsack in seinem Koffer. Er
würde auch aus dieser Ansiedlung mit heiler Haut rauskommen.
Der Ort war zu klein, um einem Fremden Schwierigkeiten zu machen – was für eine Erkenntnis, sie hallte wie ein Echo durch seinen Kopf. Er nahm das Glas und trank es in einem Zug aus und
knallte es ärgerlich auf die rotweiße Decke. Seine Müdigkeit war
keine Entschuldigung, so einen Unsinn zu denken. Der Ort war
zu klein? Da lachten ja die Hühner – und er hatte das Ortsschild
genau vor Augen: *Plainfield* (und darunter klein), *Population 642*.

Man hätte die Ortschaft wegen Beihilfe zu einigen schweren Verbrechen verurteilen können, und sie hatte diese Verbrechen begünstigt aufgrund ihrer geringen Größe, ihrer abgelegenen Lage und der Zerstreutheit ihrer einzelnen Teile. Es gab sogar die These, den Ort als Verursacher, als Kraftfeld des Bösen zu betrachten. Es war Jahre her, dass er sich damit beschäftigt hatte, doch auf die Einblendung des Ortsschilds folgte überfallartig eine Flut von Details.

Dinge, die sich nicht so leicht löschen lassen.

Die nur scheinbar gelöscht sind.

Ein falsches Wort, und sie brechen aus ihren tief unten vergrabenen Dunkelkammern aus ... An einem Abend im November betraten Besucher ein altertümliches, einsames Farmhaus im ländlichen Wisconsin. In einem angrenzenden Schuppen hing der nackte, geschlachtete Körper einer Frau. Sie war an den Füßen aufgehängt. In der Küche gleich neben dem Schuppen flackerte in einem altmodischen Kanonenofen das Feuer. In einer Pfanne, die auf dem Ofen stand, lag ein menschliches Herz. Zu den Besuchern gesellten sich weitere Polizeibeamte. Da es in dem düsteren Haus keinen Strom gab, mussten sie ihren Rundgang mit Öllampen, Laternen und Taschenlampen vornehmen ... Er hatte es aufgesaugt und in sich aufgenommen, als wäre er dabei gewesen.

Das Haus sah aus wie ein Schlachtfeld. Die zugänglichen Räume waren übersät mit alten Zeitungen, Büchern, Zeitschriften, Blechdosen, Werkzeugen, Musikinstrumenten, Pappkartons und einer Ansammlung von Abfall. Ein Schlafzimmer und ein Wohnzimmer waren zugenagelt worden, die fünf oben gelegenen Räume waren ebenfalls zugenagelt und aufgegeben. In den bewohnten Räumen entdeckten sie Armbänder aus Menschenhaut, vier Stühle, deren Sitzflächen aus Streifen menschlicher Haut gefertigt waren, eine Trommel, die mit Menschenhaut überzogen war, eine Weste aus der abgezogenen Haut eines weiblichen Rumpfs und anderes Kunsthandwerk.

Eduard galt als ruhiger Sonderling, der lachte, wenn ihn jemand im Scherz fragte, ob nicht er die verschwundenen Frauen aus der Gegend bei sich aufgenommen habe, und sagte, jawohl, das habe er. Alle schätzten ihn als verlässliches Mädchen für alles und als vertrauenswürdigen Babysitter. Eduard war zweiundfünfzig und verehrte seine längst tote Mutter, die ihm nicht erlaubt hatte zu heiraten, wie eine Heilige, und wenn er in Stimmung war, tanzte er in seinem Haus in einer Weste, die er aus weiblichen Brüsten genäht hatte. Die vierundfünfzigjährige Kneipenwirtin Maria Hogan, sein erstes Opfer, mochte seine langsame Art zu sprechen, seine Ernsthaftigkeit und seine merkwürdigen Gesprächsthemen. Warum er sich mit so Scheiß beschäftige, ob er denn Chef der Abteilung für Perverse Tötungsdelikte werden wolle, hatte ihn Jaqueline gefragt, als er ihr von seinen Studien erzählte.

»Das ist Fortbildung«, hatte er gesagt. »Eddie trug ein rotweißkariertes Hemd, als er verhaftet wurde.«

»Tja, die sind auf der ganzen Welt sehr beliebt«, sagte sie und schaute ihn misstrauisch an. Schlug ihre scharfen Augenkrallen in stillgelegte Gehirnzellen, die aufheulten. Sein Glück, dass nicht sie sein Psychodoktor war.

»Wir sammeln ja immer nur die Fakten ein«, sagte er.

»Wir sammeln nie nur die Fakten ein«, sagte sie.

»Siehst du. Genau deswegen«, sagte er.

Damals hatte er angefangen, den riesigen Raum hinter den Fakten, mit denen sie zu tun hatten, zu betreten. Und bis heute war es eher ein Herumtasten als ein Sichauskennen. Er stand immer noch in der Tür und schaute in diesen wahnsinnigen Raum hinein mit den riesigen Augen eines kleinen Jungen, der seine Mutter heimlich beim Sex beobachtet. Man traute sich nicht, mit einem lockeren Späßchen diesen Raum zu betreten, die Jalousien hochfahren zu lassen und die Fenster aufzureißen. Stöhnten die vor Schmerzen oder Lust? Das musste zuerst herausgefunden werden.

Er hatte zu sammeln angefangen damals. Wenn er in einem Buch von einer Frau las, die Psychologie mit Schwerpunkt Serienkiller studierte, dann ordnete er sie in einem seiner Fächer für Serienkiller ein oder in einer der Unterabteilungen, die sich im Computer, in Heften oder Regalen befanden, entweder nur mit Verweis auf den Ort ihres Auftretens oder mit Notizen: Dass Mara ungern über Leute spekulierte, die keine Serienkiller waren, kam ihm vor wie eine Art Blitzlicht. Es strahlte ein Bild an, über das er nicht genug wusste. Je mehr er sammelte, desto weniger konnte er verstehen, dass die meisten Kollegen nicht nur so wenig Ahnung von diesen Räumen hatten, sondern sich kaum dafür interessierten, falls es nicht genau ihr Job war. Sie wussten nicht, dass einige bedeutende Spezialisten angefangen hatten, Serienkiller wie Künstler zu betrachten, nicht um deswegen in einer Bildzeitung auf die erste Seite geprügelt zu werden, sondern um diese Räume besser zu verstehen und um den Typen, die diese Künstler aus dem Verkehr ziehen mussten, bessere Munition zu verschaffen. Ebenso war ihnen egal, ob es um die Selbstmorde von Stammheim eine Diskussion gegeben hatte und es gute Gründe gab, sich das genauer anzusehen. Man brauchte ihnen nicht damit zu kommen, dass im Fall Rote-Armee-Fraktion Berge von Fakten wenig hilfreich waren, um den Fall, die Affäre, die Bewegung, den speziellen Krieg im Jahrhundert der deutschen Kriege und das Eigentliche daran zu verstehen. War genauso piepegal wie die Methoden, mit denen das FBI die Black-Panther-

Partei zerlegt hatte, obwohl man eine Menge davon lernen konnte. Für Fallner war es undenkbar, dass jemand auf eine Chefetage gekommen war, ohne sich in den irren Räumen auszukennen, und es war immer wieder unglaublich, welcher Naivität man auf allen Etagen begegnete, die anscheinend nichts geschadet und verhindert hatte.

»Noch ein kleines Bier, der Herr?«, sagte der Wirt.

»Auf einem Bein kann man ja schlecht stehen«, sagte er.

»Wohl wahr«, sagte der alte Mann im rotkarierten Hemd unter der großen *Stihl*-Kappe.

Da flatterte die rotweiße Tischdecke hoch und wickelte sich um Fallner, sodass er für Sekunden völlig wehrlos war. Er konnte sich nicht mehr bewegen, war blind und erschöpft und konnte außerdem nichts mehr sehen und war müde. Würde sich dieser rotweißen Pest geschlagen geben und hoffen, dass es ENDLICH das Letzte war, was ihm hier mitgeteilt wurde. Die Mitteilung war gut: Der Vater des Jungen, den er erschossen hatte, hatte ein rotkariertes Hemd getragen. Und jetzt sah er zum ersten Mal das Bild, das er in der Nacht vor sich gehabt hatte: Ihm gegenüber saß Maarouf am Tisch, links von ihm seine Freundin, rechts von ihm der Vater, seitlich hinter ihm stehend die Mutter. Und er hatte sich gefragt, warum sie nicht mehr Licht im Raum hatten. Und worüber sie – das war deutlich – heftig gestritten hatten.

Er musste raus, ehe er umkippte und mit einer rotkarierten Tischdecke zugedeckt wurde. Das wäre nicht fair, er hatte es verdient, auf dem leeren Bahnhofsvorplatz einer vergessenen Kleinstadt umzukippen. Er fragte diese Herren, wo er ein Zimmer bekommen könnte – spürte eine Bewegung in seinem Rücken, jemand stand in der offenen Tür, aber er schaffte es, sich nicht umzudrehen. Hatte den Eindruck, als versuchte der Junge ebenfalls, sich an die Nacht zu erinnern.

Weißte, was?

Halt die Klappe, du sagst jetzt nichts.

Wie kann denn ein Toter die Klappe halten, du Obermeister.

Die alten Herren musterten ihn zum ersten Mal interessiert. War er laut geworden, ohne es zu merken? Er sagte: »Entschuldigung, was haben Sie gesagt?« Die Straße gegenüber sollte er grade runtergehen, sagte der Wirt, da komme nach fünf Minuten eine Pension, die eigentlich immer was frei habe.

Er bezahlte und bekam eine Handvoll Münzen raus. Marilyn strahlte ihn an, und er schob ihr fünfzig Cent in den Schlitz und wünschte den Herren einen guten Abend.

»Guten Abend, die Herren.«

Obwohl er sich von ihrem Kaff betrogen fühlte. Er hatte es mehrmals aus dem Zug bewundert, war fasziniert, wie es in einer tiefen Schlucht lag, die scheinbar so lang wie der Weg zur Hölle war, ein böses Bergdorf, das jeden Fremden vor Angst erstarren ließ. Und dann war er ausgestiegen, stand in einer matten Siedlung zwischen schüchternen Hügeln. Unter rotkarierten Tischdecken.

Er stand in der Tür und schaute auf den absolut leeren Platz, als hinter ihm die kleine Marilynpuppe zu singen anfing.

»I wanna be loved by you.«

Und es waren immer noch vier Stunden bis zur Geisterstunde. Und der letzte Zug war abgefahren.

Zukunft nicht vergessen

Wo war der Doc?

Er hatte draußen übernachtet. Er wollte zuerst auf einen der umliegenden Hügel steigen und einen Schlafplatz suchen, ließ den Plan jedoch fallen, weil sie in ihrem Bahnhof keine Schließfächer hatten und es ihm zu umständlich war, mit Rollkoffer und Umhängetasche durch ein stilles Dorf zu trampeln, bis er einen Feldweg nach oben fand, um dann bei Dunkelheit in einem unbekannten Wald ein lauschiges Plätzchen zu finden – er hatte einen Dachschaden, aber er war noch nicht so weit, dass er bei der Einlieferung mit Rambo unterschrieben hätte.

Er ging an der Straße bis zum Ende des Bahngeländes und fand dort eines dieser kleinen Steinhäuser, die schon lange nicht mehr benutzt wurden. Von Büschen, ausgemusterten Güterwaggons und Stapeln mit verfault riechendem Bauholz abgeschirmt, schlief er in seinem arktiserprobten Schlafsack an der Wand.

Als er um kurz nach sechs, eine gute Stunde vor Sonnenaufgang in die Welt zurückkam, fragte er sich, was zur Hölle er hier machte, und sofort: Wo war der Doc? Sie hatte ihn lange Zeit mindestens einmal wöchentlich angerufen, und er hatte sie nicht ignoriert, und dann war plötzlich, ohne dass er einen Grund dafür erkennen konnte, eine Wand zwischen ihnen. Ein Anrufbeantworter, der was von Urlaub faselte oder sie sei im Moment nicht zu sprechen. Sie meldete sich auch nicht, nachdem er gesagt hatte: Doc, was ist passiert? Sind Sie im Knast oder tot? Doc, brauchen Sie Hilfe?

Fallner vermisste den Doc, sein Instinkt sagte, dass sie ihm guttat, obwohl er behauptet hätte, davon nichts zu bemerken. Er hatte ihr sogar eine Karte aus Cottbus geschickt – und er hatte außer ihr niemandem eine Karte geschickt –, weil er ihre Karten vermisste.

Auf den Straßenschildern stehen die Straßennamen zusätzlich in einer fremden Sprache, die angeblich niemand mehr spricht, hatte er ihr geschrieben, finden Sie das gut?

»Befreit ist nicht der Mensch in seiner idealen Realität, in seiner inneren Wahrheit oder seiner Transparenz – befreit ist der Mensch, der den Raum wechselt, der umhergeht, der Geschlecht, Kleidung und Lebensgewohnheiten je nach der Mode und nicht nach der Moral wechselt. So sieht die praktische Befreiung aus, ob man will oder nicht.«

Stand auf der letzten Karte, die sie ihm gegeben hatte, mit den Worten: »Nur so als Anstoß für Überlegungen, was sagen Sie dazu?«

»Alles ist vergänglich, außer lebenslänglich!«

Sie sah ernst in ihre Aufzeichnungen. Kein Kommentar. Als würde sie über den Sinn nachdenken.

Sie hatte es mit der Hand auf die Rückseite einer Ansichtskarte geschrieben, und er hatte sie in sein Doc-Heft geklebt, mit der Schrift nach oben, obwohl ihn das Foto von der Synagoge in Marienbad mehr interessierte. Den Text zum Bild konnte er nicht lesen, nur die Jahreszahl, 1938.

Sie gab ihm nicht jedes Mal eine Karte und es schien keinen speziellen Grund dafür zu geben. Oder er blickte das System nicht, nach dem sie ihm Anstöße für Überlegungen zu geben versuchte. Auf eine andere Karte, die sie ihm wie immer zum Abschluss einer Sitzung übergab, hatte sie geschrieben, es gebe kaum etwas Komischeres und zugleich Armseligeres, als wenn ein

Polizist einem anderen seine Freundschaft bekunde, das Gespräch versande dann rasch in Gestammel, und der Ausdruck tiefster Zuneigung verkehre sich in eine Beschimpfung.

In dem Fall erkannte er die Verbindung – er hatte in der Stunde zuvor erzählt, dass seine direkten Kollegen den Kontakt mit ihm abgebrochen hatten oder ihn vermieden, als wäre er ausgestoßen worden, ein Rätsel und ein Arschtritt, mit dem er nicht gerechnet hätte.

Sie fragte ihn, ob das auch seine Erfahrung sei. Für ihn war es ein dummer Kommentar zu seinem Bericht, und er sah ihr in die Augen und überlegte, was die dumme Schlampe hören wollte.

»Wer hat das gesagt? Bernardo Provenzano zu den Bullen, als sie ihn endlich von seinem scheiß Traktor holten?«

Sie hatte nur gelacht und war aufgestanden. Ein verlegenes Lachen bekam er nie zu sehen, und sie lieferte nie eine Erklärung, wenn man eine haben wollte, und man konnte nicht einschätzen, womit sie einen aufs Glatteis zu locken versuchte, wenn man's durchschaute, war's zu spät – natürlich hätte sie den Gedanken an Glatteis zurückgewiesen.

Ihre Souveränität war so großartig wie seine Spekulationen über ihr Privatleben unvermeidlich. Irgendwas an ihr machte ihn misstrauisch. Vielleicht nur aus Prinzip. Eine der schlechten Angewohnheiten. Weil er unglaublich souveräne und großartige Leute kennengelernt hatte, die sich, wenn sie abends in ihren Privatgemächern aufschlugen, mit netten Stoffen abschossen und im Keller eine Plastikpuppe auspeitschten, wenn sie nichts Besseres zur Hand hatten. Wenn er einen Schuss ins Blaue frei hätte, würde er sich zuerst ihren Partner genau ansehen; vor Kontostand, Studienzeit und Golfpartner.

Und er hatte keinen Zweifel daran, dass seine Chefs von ihr alles rausbekamen, was sie wollten. Um in seinem Doc-Heft zu lesen, mussten sie ihn jedoch zuerst bewusstlos schlagen, und das war ein Kompetenzbereich, in dem die Chefs Defizite aufwiesen.

Bei ihrem letzten Treffen hatte sie ihn daran erinnert, auch über seine Zukunft nachzudenken, und ihn gebeten, eine Liste aufzustellen mit allen Möglichkeiten, die er sich vorstellen könnte. In der Nacht, bevor ihn die *Stihl*-Männer umhauten, hatte er es endlich gemacht (geleitet von der alkoholisierten Idee, sie würde sich erst nach Ausführung bei ihm melden) und die Details wieder vergessen. Womit hatte er angefangen, mit Hubschrauberpilot wie damals?

In der Firma bleiben ggf. Hatte er das ernst gemeint? In einer verblödeten Die-Hoffnung-stirbt-zuletzt-Verfassung, eine andere Erklärung war nicht möglich.

In der Firma meines Bruders anfangen ggf. In keiner normalen, wenn er das an Punkt zwei gesetzt hatte.

In der Firma Verwaltung/Archiv ggf. Er war offensichtlich total betrunken und hatte sich auch noch in dieses bescheuerte ggf. verliebt.

Auftragskiller Und hatte also doch angefangen, ernsthaft darüber nachzudenken. Aber war dafür ein Mann tauglich, der die Probleme hatte, die er hatte? Oder hatte er sich vorgestellt, man würde ihn für ein Team anheuern, das ein wenig Zivilisation in eine national befreite Zone zurückbrachte? Aktuelle Version der Glorreichen Sieben. Würde er mitmachen?

Personenschutz War der Beweis, dass sich sein Bruder mit seiner Aufforderung, er solle endlich in seiner Firma mitarbeiten, in seinem Kopf festgesetzt hatte. Spielte keine Rolle, dass er sich weigerte. Der Mistkerl wusste genau, dass er jetzt gute Karten hatte, um den kleinen Bruder weichzukochen. An dieser Stelle würde ihn der Doc fragen, was genau er befürchtete, wenn er für seinen

Bruder arbeiten würde. Nichts! Sein Bruder war zur Polizei gegangen, und er hinterher, dann war sein Bruder ausgestiegen und hatte sein eigenes Säcjuritiebissnäss gegründet, und er also hinterher. Ich befürchte absolut nichts, Doc, weil ich mich nämlich mit Familienpsychopathologie verdammt gut auskenne.

Personenschutz vs. Stalker (eigene Firma!) Wenn er wieder einmal in die Fußstapfen des Bruders treten sollte, nur mit eigener Firma. Stalkerbekämpfung war eine gute Idee, Stalker waren schwer im Kommen, und die Möglichkeiten, die die Opfer gegen diese Säcke hatten, waren lächerlich. Gutes Feld für Ex-Cops, die keine Heiligen werden wollten. Er hatte nebenbei zwei Stalker genauer betrachten können und einige gute Dokus über die Typen gesehen. Sie waren einerseits krank wie alle Psychos, andererseits ekelhafte Feiglinge. Der Typ, der eine Tonne Paragraphen auswendig kannte, mit denen er weiterhin irgendwie durchkam und einer armen Braut das Leben versaute. Die Typen kapierten es nur, wenn man ihnen ein Messer an die Nase hielt – »was hast du gesagt, du willst mich anzeigen? Kein Problem, ich fahr dich sofort hin, kein Thema, Mann, du lebst schließlich in einem Rechtsstaat, hat dir das deine Mami nicht erklärt, bevor sie dich gefickt hat?«

Psychoberatung Vergessen, was er damit gemeint hatte, so was wie Subunternehmer für seinen Doc? Er redete mit Bullen, denen dasselbe wie ihm passiert war? Großes Ziel. Könnte man auch in der Art von diesen Mit-dem-Motorrad-durch-die-Sahara-Diamit-Sound-Vorträgen durchs Land ziehen. By the way, wozu war er denn eigentlich bereit, wenn er rausflog oder abging und ihnen das Geld ausging? Jaqueline: Was ist der Unterschied zwischen einem Polizisten und einem Bankräuber? Der Polizist weiß, wie's geht.

Film/TV-Beratung Die wahre Nr. 1 seiner Berufswünsche, ganz klar. Selbst wenn er sich völlig falsche Vorstellungen von dem Job machte. Wahrscheinlich quatschte einen jemand den ganzen Tag damit voll, dass man's im Film nicht so zeigen konnte, wie's in der Realität ablief.

Kopfgeldjäger Wer Assata Shakur, die Tante von Tupac, auf Kuba schnappte, konnte sich jetzt zwei Millionen verdienen. Der Preis erreichte nur derartige Höhen, wenn es jemand auf die Hitliste der gesuchten Terroristen des FBI schaffte, und er stieg, wenn man, wie sie, eine untote Black Panther war, die sie seit Jahrzehnten für einen Mord haben wollen, den sie nicht begangen hatte; nur auf einige Vorstandsvorsitzende der größten mexikanischen Drogenkonzerne war mehr als das doppelte Kopfgeld ausgesetzt. Allein bei der Vorstellung der ehrbaren Kämpfer, die jetzt auf Kuba landeten, wurde ihm schlecht. Typen, die sie bei miesen Söldnertrupps wie Blackwater rausgeschmissen hatten, Söldner, die Nutten einen Lauf in den Mund steckten, wenn sie die Engel singen hören wollten, außerdem Möchtegernbullen, -soldaten und -killer, die in Kleidung und Benehmen eine groteske Parodie vorführten, die sie für Disziplin hielten. Nicht zu vergessen die Freunde von Shakur, die sich bisher nie für Geld interessierten. Für die Firma seines Bruders war diese Angelegenheit sicher eine Nummer zu groß, aber er interessierte sich garantiert für diesen Bereich, und er hatte auch Angestellte, die aus diesem Abschaum kamen. In der Anfangszeit seiner Firma hatte er tatsächlich einmal zu ihm gesagt, er wolle »so 'ne Art Blackwater im nichtmilitärischen Bereich« aufziehen und dafür wolle er seinen kleinen Bruder mit seinen Erfahrungen unbedingt haben. Er hatte ihm geantwortet, seine Vorstellung sei ein Widerspruch in sich, und er wolle mit seinem Security-und-Söldner-Macho-Waffen-Scheiß nichts zu tun haben.

Recherche jeder Art War doch eher sein Gebiet. Er würde sich aus einem der guten alten Kriminalromane einen Hut aussuchen und eine Zeitungsannonce aufgeben. Eine billige.

Politesse Hatte er sich verschrieben? Oder es wörtlich gemeint? Nicht auszudenken, was dann da alles dranhängen würde. Mit Pferdeschwanz? Könnte Jaqueline gefallen.

Scheiße wegmachen Mehr Träume vom Film und ein sicheres Zeichen, dass er nicht mehr zurechnungsfähig gewesen war. Hatte wohl an den Kerl gedacht, der die blutigen Fehler der anderen beseitigen musste. Wie hieß er denn gleich wieder – der den *Bad Lieutenant* gespielt hatte und den besonders bösen Cop in *Cop Killer*, der Cop, der den vermeintlichen Cop Killer in seiner Wohnung gefangen hält, die er mit einem Copkumpel angemietet hat, ohne dass jemand etwas davon weiß, um ihre illegalen Dinger durchzuziehen, was der vermeintliche Cop Killer herausfindet. Der junge Typ, der vermeintliche Cop Killer war Johnny Rotten von den Sex Pistols, nach den Sex Pistols natürlich, aber wer war der Albtraum-Cop, Michael Madsen? Quatsch. Michael Madsen hätte auch gepasst, aber er war's nicht, Herrgott nochmal, er war 's nicht! Und seine Schwester war's auch nicht, das war genauso sicher – Virginia Madsen! Der Wahnsinn! Virginia Madsen in *Hot Spot* als blonder Wahnsinn, während er in einem dummen Zug ohne sie durch sein Leben gondelte und sein Spiegelbild anglotzte, das war nicht fair. Was war eigentlich aus Virginia Madsen geworden? Hatte sie ebenfalls grade jemanden erschossen, weil er sie als eine weitere in Depression versunkene Ex-Sexbombe bezeichnet hatte, und bekam Hilfe von dem Copschwein aus *Cop Killer*, dem aus *Bad Lieutenant*, der in *Pulp Fiction* putzen muss?

Ein Buch schreiben (How I met your killer!) Er unterstrich die Zeile. Bücher von Bullen waren angesagt. Er würde die Bücher-von-Ex-Cops-Welle anführen.

Streetworker Hatte ihm garantiert der Junge eingeflüstert. Arbeitest du auf der Straße, Mann, du bist'n echter Straßenarbeiter, die Straße ist, wo du herkommst, und auf der Straße wirst du enden, dieser Typ, der die Kinder mit so'ner Fahne in der Hand über die Straße rüberbringt.

Türsteher Der Türsteher, gut, dass er ihn nicht vergessen hatte. Türsteher in Hannover, das war klar.

Das Leben hatte auch seine guten Seiten, das durfte man nie vergessen, und die beste war, dass man es selbst nicht merkte, wenn man langsam dumm und dümmer wurde.

Rekapitulation 3

Es war drei Uhr morgens, und Fallner saß allein in einem Großraumwagen des ICE Lichtenhagen, als ihn der Junge fragte, ob
ihm damals eigentlich einer abgegangen sei, als er ihm ins Gesicht
gespritzt habe. Er hatte keine Lust, auf derart unsinnige Gedanken zu reagieren – was wie immer die falsche Methode war, um
ihn abzuschütteln. Wenn er nicht mit ihm redete, kam er näher
und näher und biss sich fest wie ein Kampfhund.

Ob der Bulle denn nicht sein Gesicht sehen würde, fragte der
Junge, wenn er seiner Frau ins Gesicht spritzte, falls seine debile
alte Schlampe ausnahmsweise so freundlich wäre, ihm das zu
erlauben, denn auf eine andere Art, als in ihr dämliches Blondie-
bullengesicht abzuspritzen, ginge bei ihm doch sowieso nichts
mehr.

Fallner winkte müde ab; das wäre sogar zu wenig, um bei
Deutschland sucht den Rapperkönig die kleinen Mädchen im
Publikum rumzukriegen. Er wählte die sachliche Tour, um ihn
loszuwerden. Erinnerte ihn daran, dass er sowohl mit der polnischen Sängerin als auch mit der Witzeerzählerin im Zug, mit der
er dann in die Behindertentoilette gezogen war, bewiesen hätte,
dass er ein gesunder Mann war, mit geradezu peinlich konventio-
nellen Vorlieben.

Sind nur Vortäuschungen und Ausnahmen, sagte der Junge; in
Wahrheit sei er total abgestumpft und bekäme nur noch dann
einen Dicken, wenn er sich vorstellte, dass er seinen Schwanz *ihm*
in den Mund steckte und seinen Kopf mit beiden Händen festhielt
und ihn dann rauszog und sich abwichste und ihm ins Gesicht

spritzte. Er solle es endlich zugeben, dann würde er ihn in Ruhe lassen.

Hatte er in einem Buch über Verhörmethoden geblättert? Er könne nichts zugeben, sagte Fallner, weil es nicht stimmte. Weder im Speziellen noch im Allgemeinen hätte sein beschriebenes Foto mit ihm zu tun. Ins Gesicht hätte ihn nie interessiert, Titten ja, Gesicht nein, nur auf Wunsch, ein-, zweimal vielleicht war das vorgekommen. Diese kleinen privaten Spielchen gingen ihn nichts an, er erzähle ihm nur davon, weil sie inzwischen fast Kumpels wären, und er solle nichts an unbeteiligte Dritte weitergeben.

Du glaubst, du bist schlau, sagte Maarouf. Aber ich kann mich da an eine süße Drogentante erinnern, die du mal nach Hause gefahren hast.

Es gibt keine süßen Drogentanten. Dein Problem ist, dass du nicht viel vom Leben mitbekommen hast, das tut mir leid, ehrlich, aber dafür kannst du mir nicht die Schuld geben, wenn du ehrlich bist.

Der Junge schmatzte, holte seinen steifen Schwanz raus und fickte sich selbst mit Daumen und Zeigefinger. Weißte, kleiner Wachtmeister, sagte er, als du mit mir Bang-Bang spieltest in jener Nacht vor sechs Monden, da hattest du einen fetten Dicken in der Hose, und voller Begehren warst du, es mit einem Bang-Bang endlich rauszulassen.

Er schüttelte nur den Kopf. Sagte gelangweilt, diesen Schwachsinn könne er vergessen.

Ach, kannste dich erinnern? Das ist ja ein Ding, dassde dich jetzt wieder genau erinnern kannst.

Muss ich mich nicht erinnern, weil ich auf dem Gebiet noch nie Gefühle hatte, mein Freund.

Meinen Freund nennt er mich, der liebe Wachtmeister, weil er sich erinnern kann an seinen geheimen Wunsch in jener Nacht, meinen starken jungen Schwanz zu lutschen, war sein Wunsch! Der Junge kam einen Schritt näher, legte seine Hände auf die Arschbacken und streckte ihm seinen Penis entgegen, schwenkte ihn leicht hin und her, so wie Frauen ihre Brüste schwenkten, wenn sie jemanden anlocken wollten.

Ich geb's zu, sagte Fallner, aber geh jetzt endlich heim zu deiner Mutter und schieb ihn ihr rein, dann habt ihr beide das, was ihr euch schon immer gewünscht habt, aber verpiss dich endlich, gib ihr 'ne Ladung ins Maul und piss hinterher oder was dir sonst Spaß macht, aber lass mich damit in Frieden.

Der Junge hörte auf, sich zu bewegen, starrte ihn nur mit großen, blinkenden Augen an, und er ging in Erwartung eines stärkeren Angriffs in Deckung.

Aber du hast mein Freund zu mir gesagt, sagte er.

Aber nur, weil ich blöd bin, sagte er, denn ich habe erkannt, was du willst, du willst, dass ich meine Pistole in den Mund nehme und es mir selbst besorge, erst dann wirst du mich in Frieden lassen.

Da ist keine Wahrheit drin, sagte er.

Und ging auf die Knie. Hob beide Arme, die Hände in Kopfhöhe. Zeigte ihm nicht nur weiter seinen aufgerichteten Schwanz, sondern auch seine Handflächen. Er wolle ihm nichts Böses, sondern, im Gegenteil, sein Freund sein. Schob sich auf Knien langsam näher. Habe deshalb Verständnis für seine geheimen Wünsche. Bei deren Erfüllung er ihm, als Freund, behilflich sein wolle. Er müsse sich nicht dafür schämen, dass er in dem Moment einen Dicken gehabt hatte. Sei doch ganz normal. Ein echter Mann könne sein Gerät doch nicht kontrollieren. Er sei doch ganz normal. Habe er selbst gesagt. Wollte ihn nicht erschießen, wollte doch was anderes. Mit dem anderen Gerät was anderes. Und jetzt wolle er ihm schenken, was er gewollt hätte. Jetzt würde er ihm seine Balance zurückgeben. Hätte doch seine Therapeutin gesagt.

Kannste dich denn nicht erinnern, was die gesagt hat? Du hast deine Balance verloren und musst sehen, dass du sie dir wiederholst.

Will sie nicht, sagte er.

Ich habe sie dir genommen, ich gebe sie dir zurück, sagte der Junge.

Der jetzt zwischen seinen Beinen kniete, und mit einer schnellen Bewegung seinen Schwanz im Mund hatte, und er war nicht mehr fähig, sich ihm zu entziehen.

Er presste ihm den Lauf seiner Makarow an die Schläfe und drückte ab und spürte im selben Moment, wie das Sperma aus seinem Schwanz spritzte.

Er kippte seitlich in den Gang, trat um sich, hörte, dass jemand schrie, sah in mehrere riesige Gesichter, die auf ihn herabsahen. Er griff sich zuerst zwischen die Beine – die Hose war geschlossen.

Dann sagte er: »Nichts passiert, danke, alles in Ordnung.«

Dann kämpfte er sich hoch, setzte sich, benommen.

Dann sagte er: Das wird nicht reichen.

Dann hörte er: Man wird sehn, was man sehn wird.

»Ich bin Fu, die Tigerin. Meine Landsleute sagen, ich hätte tausend Männer getötet. Das ist weit übertrieben. Trotzdem erheben sich alle Fischer im Perlflussdelta, wenn ich an Bord komme. Mit meinen sechsundzwanzig Jahren habe ich noch keine chinesische Frau gesehen, vor der Männer aufstehen. Ich meine gelbe, schlaue und mutvolle Männer, die zwischen Wasser und Himmel zu leben gewohnt sind.«

Er wühlte in einer Kiste mit verstoßenen Büchern. Die Kiste stand unter einem Regal mit riesigen Wassergewehren.

»Jedes Buch fünfzig Cent«, sagte der Ladenbesitzer, »und wenn du zehn nimmst, eins umsonst.«

Er las die ersten Zeilen in der Hocke. Wenn das kein Anfang war. Und wer war denn dieser Robert H. Sperling? Und hatte er *Die Piratin* erfunden oder geklaut? Und wo waren die anderen, die vergessen waren?

In den Import/Export-Läden bei den großen Bahnhöfen.

»Warum ich diesen Bericht schreibe? Weil ich Silberdollars brauche – und zugleich jemanden mit diesen Seiten an den Galgen bringen will.«

Die tätowierte Mutter

Die Arme waren von unten bis oben tätowiert, mit verzerrten Fratzen, Fäusten, Messern, Schlangen, Sonnen, Sternen und Frauen, die so schwere Stiefel trugen wie sie selbst. Eine dieser Frauen hielt dem Betrachter einen Revolver ins Gesicht, und auf dem anderen Oberarm war an derselben Stelle die Zwillingsschwester mit derselben Kanone. Unter beiden Kanonen standen je drei Worte, die Fallner nicht lesen konnte, es schienen jedoch unterschiedliche Ausdrücke zu sein. Aus ihrem Ausschnitt flammten die Ausläufer einer Zeichnung fast bis zum Hals hoch. Die Muster an den Waden waren blass, und aus den Knien wuchsen bunte Sachen, die nach oben strömten.

Im Gesicht hatte sie nichts, keine Schminke, kein Metall. Ihre Frisur war unauffällig, halblange Haare, Sechziger-Jahre-Stil.

Sie nutzte das absurd warme Wetter Ende November, um ihre Ausstellung noch einmal zu präsentieren – und zugleich einen Dreh, der Fallner nicht weniger beeindruckte. Sie war exakt so tätowiert, dass sie bei entsprechender Bekleidung nichts zeigte und einen völlig anderen Eindruck machen konnte.

In ihren Armen hielt sie ein Baby, das die im Fenster vorbeiziehenden Baumkronen beobachtete. Die Mutter war dreißig bis vierzig. Sie sang ihrem Kind leise was vor, wieder und wieder denselben Reim, und er hatte das Gefühl, dass er selbst seit Stunden eingelullt war und zwischen Schlaf und Halbschlaf dahintorkelte.

»Im Walde kräht der böse Hahn, wir fahren mit der Bimmelbahn«, sang sie mit zarter Stimme.

Zuerst hatte er gedacht, er könnte es nicht aushalten und

müsste sich einen anderen Platz im vollen Zug suchen, aber ehe er sich aufraffte, fing die singende Erscheinung an, ihn zu beruhigen. Sie blendete für ihn den Lärm und die Enge aus, und er hörte auf, sich selbst zu beschimpfen, weil er vergessen hatte, dass er manche Bimmelbahnen am frühen Abend meiden musste, die sich zu einem Nahkampfgebiet entwickelten, das ihn fertig machte.

Ihr Anblick entschädigte ihn. Sie schien gekommen, um die Pest der Millionen von kleinen Tierchen-und-japanischen-Buchstaben-Tattoos zu beseitigen, nachdem sie alle Mütter, die vom Leben nicht mehr erwarteten als einen Parkplatz vor dem Kindergarten, beseitigt hatte.

»Im Walde kräht der böse Hahn, wir fahren mit der Bimmelbahn«, sang sie mit zarter Stimme.

Und er konnte nicht verhindern, dass er gerührt davon war. Es ließ ihn an seine Kindheit denken; dass ihre Mutter eine furchtbar schweigsame Frau war, aber auch sehr körperlich, als wollte sie die Stimme mit dem Körper ersetzen. Sie umarmte die Kinder oft, und sie durften sich immer an sie drücken. Er hatte nie das Gefühl gehabt, sich besser von ihr fernzuhalten. Sie redete so gut wie nichts, aber sie sang ihren Kindern oft etwas vor oder einfach vor sich hin. Sie hatte etwas in sich, das der Alte nicht zerstören konnte.

Außerdem musste er bei ihrem Anblick an die Sache mit einem eigenen Kind denken. Und an die heftigen Diskussionen darüber, die sie gehabt hatten, obwohl sie beide kein oder im Moment kein Kind haben wollten. Fallner hatte die Erfahrung gemacht, dass es das Thema war, das die Menschen am meisten verwirrte, überforderte und durchdrehen ließ. Nur in Mitteleuropa oder in aller Welt? Mehr als Krieg, Sex und Karriere. Weil es an allem, was einen beschäftigen konnte, wie eine schwere Kugel hing.

Ausgerechnet bei dieser bizarren Marien-Comicerscheinung, die wie ein Anschlag auf Mittelklassekleinfamilien wirkte, sah es ganz selbstverständlich aus. Sie schaukelten in die Dämmerung, als wären sie allein im Zug.

Dann setzte sich der Junge neben Mutter und Kind.

Willste jetzt vielleicht auch noch so 'n Ding, du Held, wozu ist das denn? Haste keine Lust mehr, die Kinder von anderen Menschen zu erschießen?

Fallner sagte nichts. Hatte die Hoffnung, dass er es neben ihr nicht lange aushalten würde. Ihr Bild würde sein Bild in den Wind schießen.

Meine Mutter verflucht dich, sagte er, denn von ihr genommen hast du ihr ganzes Glück.

Ein schönes Glück hatte sie.

Ja, deshalb verflucht sie dich.

Das ist der Job einer Mutter, sagte er, sie liebt auch noch den miesesten Drecksack, nur weil sie ihn großgezogen hat und der Drecksack irgendwann ein lieber kleiner Wurm war. Deine Mutter tut mir leid, aber sie hätte nie irgendwas kapiert.

Ihre Tage sind voller Leid und sie verflucht dich.

»Geh zu ihr und lass mich in Ruhe«, sagte Fallner, und ohne es zu wollen, sagte er es laut.

Die tätowierte Mutter schaute ihn an und stoppte ihren Singsang. Er erwartete, dass sie ihn beschimpfte, aber sie tat's nicht. Schien zu glauben, dass sie ihn mit ihren schönen Augen erledigen könnte.

»Entschuldigung«, sagte er, »ich habe nicht Sie gemeint, ich hab nur laut gedacht, singen Sie ruhig weiter.«

Aber sie sang nicht mehr. Das Kind fing zu wimmern an, sie schloss die Augen und schaukelte es.

Seine Psychologin hatte ihn darauf vorbereitet, dass das alles seine Zeit dauern würde. Und dass jeder seine eigene Zeit dafür brauchte und dass sie ihm weder eine Prognose noch irgendein Versprechen geben könnte.

»Ich will Ihnen nichts vormachen: Bei manchen dauert das so lange, bis sie am Tor zur Hölle stehen.«

»Wie war das? Am Tor zur Hölle? Haben Sie vielleicht zu viele schlechte Filme gesehen, Frau Doktor? So einen Ausdruck hätte ich von Ihnen nicht erwartet.«

»Was meinen Sie mit schlechten Filmen?«

Frau Dr. und ihre Fragen waren das Einzige, worauf man sich in dieser Welt verlassen konnte. Es gab nichts, was keine Frage zur Folge hatte, und wenn er zu ihr gesagt hätte, er habe Angst, dass er, ohne es zu wollen, aus einem Fenster im achten Stock springen könnte, hätte sie geantwortet: Was empfinden Sie, wenn Sie fliegen?

Sie flüsterte dem Baby ununterbrochen etwas ins Ohr, es war hellwach und brabbelte mit. Das Baby war fast verschwunden hinter den Händen und Armen, die es umklammerten, und diese Umklammerung war es, die ihm Fotos in den Kopf schob, an die er lange nicht gedacht hatte – genauso hatte der Mann sein Baby umklammert und ihm mit geschlossenen Augen ins Ohr geflüstert, während das Baby sie aus riesigen Augen anstarrte.

Mit dem Unterschied, dass das andere Baby von den Händen seines Vaters umklammert wurde und dass er in einer Hand eine große schwarze Pistole hielt, die an der Brust seines Babys lag. Er saß auf dem Boden, an die Wand gelehnt, neben ihm lagen seine Frau, die wach, aber still und unter Schock war, und ein fünfjähriger Junge, der schlief. Sie alle hatten einen zehnstündigen Albtraum hinter sich – das Besondere war, dass der Vater selbst Polizist war, und das bei einem Sondereinsatzkommando.

Es gab keinen Plan, wie man sie lebend rausbringen konnte, den er nicht bis ins Detail kannte. Am Ende aller genialen Pläne klopfte Fallner einfach nur an die Tür des Wohnzimmers und sagte, sie würden reinkommen, ohne zu schießen. Das Baby hatte sie angestarrt. Die dick verpackten Männer und ihre Waffen. Dann hatte es gut gelaunt, obwohl im Zimmer ein unglaublicher Gestank herrschte, zu brabbeln angefangen, während direkt über seinem Kopf sein weinender Vater sich den Lauf in den Mund steckte.

Sie konnten nichts mehr tun, standen nur da. Nur das Geplapper des Babys in der Stille.

»Tu das deinen Kindern nicht an«, hatte er irgendwann automatisch gesagt.

»Ausgerechnet du«, sagte Jaqueline, »obwohl du von Kindern angeblich keine Ahnung hast. Und worum ging's, um Schulden, sonst nichts?«

»Schulden. Schulden und Ehre. Schulden und der ganze andere Scheiß. Sonst nichts.«

Er merkte erst an der Endstation, dass es die Endstation war, an der sie ausstieg. Er ging ein paar Plätze hinter ihr in der Schlange durch die Unterführung, eine schweigsame Prozession zum Bahnhofsgebäude. Die Schlange war nicht klein, und er war gespannt auf den Ort, hatte vergessen, wo zum Teufel er hingewollt hatte und wo er jetzt landete.

Er verließ den Tunnel und stand in einem Nichts, zwischen einem Bahnhof, der auf den ersten Blick wie ausgebrannt aussah, und einem stattlichen Parkplatz. Es war zweifellos die tollste Park+Ride-Station in der ganzen Gegend. Der Spuk, dass hier Menschen in einer menschlichen Ansiedlung hausten, hatte sich in wenigen Minuten aufgelöst. Als sich die Autos aufgelöst hatten, blieben zwei Autos übrig. Als sollten sie dem traurigen Bild den letzten Schliff geben.

Er dachte, die Mutter hätte sich ebenfalls in ein Auto verkrochen – aber da stand sie, vor dem kaputten Bahnhof. Das Baby saß in einem kleinen Kinderwagen. Sie hantierte an der Kette, mit der sie den Wagen am Geländer festgemacht hatte. Am Ende des Gebäudes durchsuchte jemand einen großen Abfalleimer. Anhand dieser Indizien war klar, dass hier irgendwo in der Nähe ein Dorf sein musste.

Auf der anderen Straßenseite entdeckte er einen Kiosk, der so arm aussah, dass er ihn zuerst mit einem Unterstand oder etwas Ähnlichem verwechselt hatte. Und der Kumpel hatte tatsächlich geöffnet und vor seiner dunklen Luke standen zwei Männer mit Bierflaschen.

Fallner erreichte die Luke, aus der die Flaschen kamen, knapp hinter der tätowierten Mutter. Eine alte, fleckige Hand schob ihr eine Flasche raus und wischte mit dem Geld wieder rein.

Fallner beugte sich zur Luke und sagte laut: »Für mich dasselbe, bitte!«

»Sie schon wieder«, sagte sie.

»Ich wollte Sie vorhin …«

»Ich weiß schon. Was machen Sie hier?«

Jetzt konnte er die Worte lesen, auf dem linken Arm *Ich liebe dich*, rechts *Ich hasse dich*.

»Nichts. Ich glaube, ich habe mich jetzt endgültig verfahren.«

»Wie kann man sich denn mit dem Zug verfahren?« Sie betrachtete ihn genau und misstrauisch.

»Ich bin falsch umgestiegen und hab dann nicht mehr richtig aufgepasst. Ich war etwas …«

»Hinter Ihnen fährt übrigens grade der letzte Zug zurück.«

Er hörte auf das Geräusch, ohne sich umzudrehen. »Dann ist ja alles perfekt.«

Er überlegte, welche interessante Botschaft er anbieten könnte – und hörte, wie sich in das abtauchende Zuggeräusch leise ein anderes Geräusch mischte, etwas, das auf dem Boden schleifte und näher kam.

Jetzt drehte er sich um.

Jetzt spürte er, wie sich der Sprung in seiner Schüssel bildete.

Jetzt würde aus dem Sprung gleich Jesus zu ihm sprechen.

Es war die alte Frau mit dem Einkaufswagen. Die er vor einigen Wochen im Traum gesehen hatte. Die mit dem verlorenen Hund. Jetzt saß der Hund in dem kleinen, aufklappbaren Fach im Einkaufswagen. Sie schimpfte mit ihm und er winselte.

Die Frage war, an welchem Zeitpunkt sie sich befanden: War der Hund noch nicht abgehauen oder war er schon wieder aufgetaucht?

Er fragte die Mutter: »Gibt's hier ein Hotel?«

»Ob's hier ein Hotel gibt?«

Sie wandte sich an die alte Einkaufswagenfrau und die zwei Bierflaschenmänner, die kein Wort verloren hatten.

»Liebe Leute, ich möchte kurz um eure Aufmerksamkeit bitten! Welches von unseren Hotels können wir diesem tapferen Pilger empfehlen?«

Sprechstunde

Ein nettes Haus in einer ruhigen Gegend, in der viele nette kleine und größere, alte und neue Einfamilienhäuser mit Garten drum herum und Bäumen und Büschen standen. Das hatte der Doc. Man stand mit einem Bein in der Großstadt und schien mit der Nase in einem Dorf zu sein. Fallner saß auf ihrer Terrasse und sah zu, wie in der Umgebung ein helles Viereck nach dem anderen auftauchte.

Es war immer besser, ein Privatgespräch privat zu führen als in einem dieser Arztpraxenhäuser – besonders wenn man keinen Termin hatte und es nicht so aussah, als würde man bald einen bekommen.

Er parkte den Leihwagen ein paar Häuser weiter zwischen anderen Autos und betrat ihr Grundstück mit einem großen Blumenstrauß in der einen Hand und einer Flasche Rotwein in der anderen. Was man einer Dame so mitbrachte – besonders wenn sie allein lebte und einen nicht treffen wollte. Sollte bis dahin jemand die Polizei einschalten, wusste er, wie er sich zu verhalten hätte. Bei der Polizei zu sein, hatte auch seine Vorteile – besonders wenn man in einem fremden Dorf war.

Als das Licht im Wohnzimmer anging, nahm er einen Schluck aus der Flasche, schleuderte ihn im Mund hin und her, spuckte ihn aus und schüttete sich etwas Rotwein an den Hals und aufs Hemd; außerdem hatte er sich zwei Tage nicht rasiert. Er ging rundum durch als Typ, der auf der Jagd nach dem Glück alle Hoffnungen versetzt hatte.

Fallner aber hatte mehr Glück als nötig – seine Therapeutin, die ihn nach einer durchaus angenehmen Beziehungszeit a) übel abserviert hatte und b) auch noch zu einem anderen Therapeuten abschieben wollte, öffnete erstens die Tür, und zweitens ohne nachzusehen, ob auf dem Stuhl im Schatten ein Polizist saß, der schlechte Laune hatte. Was ihn an einen guten alten Jaqueline-Witz erinnerte: Wenn ein Polizist in meinem Bett liegt, will ich wissen, warum – außer er ist tot.

Dr. Vehring drehte sich um, ging durch das Wohnzimmer in die Küche, von der im Türausschnitt nicht viel zu erkennen war, und er ging rein und stellte sich neben die Tür. Als sie ins Wohnzimmer zurückkam, hatte sie ein Glas Rotwein in der Hand. Sie ging langsam und achtete nur auf die Tastatur ihres Telefons.

Er nahm es ihr aus der Hand und sagte: »Prost, Doc, ich wollte mal nachsehen, ob's Ihnen gutgeht.«

Sie ließ ihr Glas fallen.

»Tut mir leid, ich wollte Sie nicht erschrecken, aber anders ging's nicht.«

Sie presste beide Hände über ihre Brüste und sah ihn mit offenem Mund an. Er hielt sie zur Sicherheit am Arm fest. Lächelte freundlich, kam ihr dann aber mit dem Gesicht viel zu nah.

»Jetzt müssen Sie mich fragen, was nicht anders ging. Dann sage ich: Setzen wir uns doch erst mal auf Ihr geiles Sofa.«

Er führte sie zum Sofa. Hielt sie fest, als sie ihren Arm aus seiner Hand ziehen wollte. Setzte sich und zog sie mit, gab dann ihren Arm frei.

»Herr Fallner, es tut mir …«

»Dann sage ich: Mit Ihnen endlich wieder so richtig rumdiskutieren. Weil ich Sie tausendmal angerufen habe, aber nichts. Abserviert! Meine Frau Doktor, eiskalt abserviert hat die mich, und jetzt soll ich plötzlich auch noch mit so einem schwulen Yuppietherapeuten …«

Sie fing an, den Neuen anzupreisen, von dem er nicht das Geringste wusste. Außer dass der Chef ihn nach dem ersten geplatzten Termin ermahnt hatte, ihn aufzusuchen.

»Ich habe Sie nicht abserviert«, sagte sie, »ich will Ihnen nur helfen. Der Kollege hat mit derartigen Fällen viel mehr Erfahrung als ich.«

Als sie aufstehen wollte, fasste er sie wieder am Arm und sagte, sie dürfe ihn jetzt nicht verlassen, alle würden ihn ständig verlassen und er wünsche sich, dass wenigstens sie damit aufhören würde, ihn zu verlassen, es gebe eine Grenze, wo man das als Mann in seinem Alter nicht mehr ertragen könne, aber das müsste er ihr sicher nicht erklären.

»Wissen Sie doch aus der Praxis, behaupte ich mal, wenn ein Mann immer wieder …«

»Ich möchte uns nur zwei Gläser Wein holen, lassen Sie mich los, oder finden Sie das keine gute Idee?«

»Ich hatte heute schon genug Wein, Doc, was ich brauche, ist Ihre Hilfe, das ist echt alles, sonst weiß ich wirklich nicht mehr …«

»Dann eben Wasser. Ich hole uns zwei Gläser Wasser und dann überlegen wir.«

»Passen Sie mal kurz auf, Dr. Vehring, einen Moment volle Konzentration und zuhören, trotz Feierabend – stopp! Zuhören: Reden Sie nicht so, als wäre ich irgendso 'n bekloppter, blöder Idiot, haben Sie das?«

»Aber das ist …«

»Das ist nicht in Ordnung, das ist das, auf keinen Fall in Ordnung, möchte ich klarstellen«, sagte er leise und konzentrierte sich darauf, leise zu bleiben.

»Sie glauben, ich bin etwas unterbelichtet, und damit meine ich nicht, dass Sie meinen, weil ich diesen netten Jungen erschossen habe, bin ich etwas aus der Spur, sondern damit meine ich, dass Sie mich grundsätzlich für etwas unterbelichtet halten, also schon immer, Doc, warum ist das so, weil ich Polizist bin?«

»Aber das ist doch Unsinn, und das wissen Sie auch genau«, sagte sie ehrlich verärgert und versuchte wieder, ihren Arm loszureißen. Als sie es aufgab, nahm er die Hand weg und legte sie auf ihren Oberschenkel. Spürte, dass sie sich verkrampfte.

»Das ist gut«, sagte er und tätschelte ihr Bein. Ließ Ruhe einkehren. Doch noch ein friedlicher Abend im Dorf.

»Und trotzdem haben Sie mich abserviert wie den letzten Dummkopf, der zu blöd ist, um bis drei zu zählen, das ist meine subjektive Empfindung.«

»Ich habe Ihnen doch geschrieben, dass ich mich einfach nicht mehr in …«

Er beugte sich über sie, legte seinen Arm über ihren Oberkörper, fasste sie an der Schulter und presste seinen Mund an ihr Ohr: »Ich sehe mich ebenfalls nicht mehr in der Lage, Sie zu behandeln. Frage: Haben Sie den Eindruck, mein lieber Herr Fallner, dass Sie mich behandeln? Antwort: Wen denn sonst, Doc, außer dir ist doch niemand hier, den ich behandeln könnte.«

»Ich weiß nicht, wovon Sie sprechen. Und jetzt lassen Sie mich bitte los.«

Er schnüffelte an ihrem Hals: »Doc, Ihr Parfüm bringt mich echt durcheinander.«

»Wir können über alles sprechen, aber nehmen Sie jetzt endlich Ihren Arm …«

Er nahm den Arm weg und zog die Makarow, die er sich seitlich vorn unter dem Hemd in die Hose geklemmt hatte. Mit dem Schalldämpfer war sie scheinbar doppelt so groß, sah aus wie zehn Kilo und machte Lärm, obwohl er sie vorsichtig auf den eleganten Glastisch legte.

»Also, ich meine, in meinem Durcheinander durcheinander«, säuselte er, »also aus dem Konzept, mich, das ist nicht fair, verstehen Sie? Jetzt Ihre Frage.«

Sie sagte, er tue ihr weh mit seiner Hand an der Schulter, und er leckte an ihrem Ohrläppchen und flüsterte, sie habe ihm auch wehgetan, sie habe ihm sogar sehr wehgetan, obwohl sie in ihrem Beruf doch angeblich für das Gegenteil zuständig sei und sich zum Beispiel jetzt überlegen könnte, was ihm jetzt guttun würde, das nur kurz nebenbei gesagt, und wenn sie ihm jetzt keine Antwort geben würde, genauer gesagt natürlich eine Frage, die er wie üblich irgendwie auch als Antwort verstehen könnte, würde sie ihm schon wieder wehtun.

Sie sagte nichts.

»Ich höre, Doc, ich bin ganz Ohr.«

Sie sagte nichts.

»Doktor, es ist Zeit für Ihre Frage.«

Sie sagte nichts.

»Doc, Ihre Frage, bitte.«

»Was für ein Konzept?«

»Danke«, hauchte er, »dass Sie mich glücklich machen. Also, es gibt natürlich mal wieder überhaupt kein Scheißkonzept, das muss ich vorab ehrlich zugeben. Ich dachte nur Folgendes, also a) mein Doc lässt mich plötzlich ganz unerwartet hängen, b) was könnte passiert sein, c) warum hat mein guter Freund Maier unseren Doc verlassen, d) könnte das denn alles irgendwie tatsächlich zusammenhängen, e) Moment, hab ich jetzt glatt vergessen, und f) welcher Chef fickt meine Docmaus!«

»Sie ticken doch …«

»Wieso ticken! Ich habe nicht von ticken gesprochen! Nennen Sie das ticken? Sagen Sie wirklich ticken dazu? Möchten Sie mit mir ticken? Von mir durchgetickt werden? Oder glauben Sie, ich bin zu blöd zum Ticken, sogar zu blöd, um Sie zu ticken, Doc, nur weil Sie glauben, dass ich nicht mehr richtig ticke, ist das so?«

Er schwang sich mit dem ganzen Arsch auf ihren Schoß und legte ihr beide Hände um den Hals. Streichelte sie mit den Daumen und passte auf, dass er nur sehr wenig Druck ausübte. Presste seine Stirn an ihre Stirn.

Sie fing zu weinen an.

»Bitte, nicht weinen«, sagte er, »ich tu Ihnen doch nichts, Doc.«

Er wischte mit beiden Daumen unter ihren Augen herum und legte dann seine Wange an ihre Wange.

»Sie müssen mir helfen, Doc, ich weiß doch echt nicht mehr, was ich tun soll.«

Er streichelte sie im Nacken. Aber es schienen immer mehr Tränen zu fließen.

»Ich will doch nur ein paar einfache Antworten. Keine Fragen mehr. Nur ein paar einfache Antworten. Und dann trinken wir ein Gläschen zusammen, was halten Sie davon?«

Er strich ihr mit beiden Händen über den Kopf.

»Keine gute Idee? Ich finde, die Idee ist gut, geben Sie's zu, Doc, die Idee ist verdammt genial. Oder haben Sie eine bessere? Wollen Sie zwei Gläschen? Entschuldigung, Mist, es tut mir leid. Keine Frage mehr, ganz klar, ich hab's versprochen, und ein Mann muss sich an sein Versprechen halten, das wusste ich schon, ehe ich in die Schule kam, Tatsache, Doc, mein Alter, das habe ich Ihnen sicher erzählt, der war im Grunde – egal, Sie wissen schon, also ich halte mein Versprechen, keine Frage.«

Besuchszeit

Das Wetter war nicht mehr normal. Gestern Nachmittag hätte seine Ex-Therapeutin auf der Terrasse im Badeanzug sitzen können, und einen Tag später schneite es am Abend so heftig, dass er von seinem Fenstertisch im Bertl seinen Hauseingang gegenüber nicht erkennen konnte. War jedoch keine Katastrophe, solange er den Hauseingang sehen konnte, wenn die Beleuchtung anging, auch wenn die Zeitungen schon auf der ersten Seite behaupteten, man habe es mit einem Schneechaos zu tun. Das war ebenfalls nicht mehr normal, den ersten starken Schneefall als Chaos zu bezeichnen. Das konnte nur Leuten einfallen, die keine Ahnung von Chaos hatten.

Im Bertls Eck war ebenfalls nichts normal. Um halb neun war Fallner der einzige Gast, hinter der Theke stand ein unglaublich fetter junger Mann, in dessen Gesicht er eine Spur des alten Bertl zu entdecken glaubte, und aus den Lautsprechern kam deutscher Hiphop. Wenn das zur Normalität wurde, sollte sich das Eck ins Knie ficken. Er kam nicht hierher, um sich in einem Kindergarten in Stimmung zu bringen.

Und Fallners Vermutung, er selbst wäre nicht mehr normal, hatte sich endgültig bestätigt – seit er sich zum ersten Mal in seinem Leben wünschte, mit seinem Mobiltelefon tauschen zu können. Es lag eingeschaltet in einem Zug ans Ende der Welt, während er seit achtundvierzig Stunden fast ohne Unterbrechung in einer Blechkiste eingeklemmt war. Es gab Bullen, die ihre Arbeitszeit am liebsten auf diese Art absaßen.

Was war denn heute normal? Dass die Container und Abfalleimer in der Nähe der Bahnhöfe durchsucht wurden; dass Nazis vor Gericht mit der Begründung durchkamen, sie wären betrunken gewesen; und dass ein Mann, der in einem Auto saß und kein Mobiltelefon hatte, ein toter Mann war.

Vor Maiers Wohnung hatte er im Auto übernachtet, nachdem er sie stundenlang observiert hatte. Ohne Ergebnis. Morgens war er zu seiner Wohnung gefahren, hatte gesehen, wie Jaqueline zur üblichen Zeit rauskam, war ihrem Wagen nachgefahren und hatte sie nach fünf Minuten verloren. Sein Instinkt sagte zu ihm, er solle besser nicht in die Wohnung gehen, denn er würde dort nur einschlafen. Weil er nicht hier war, sondern dort, wo sein Handy war, konnte er nirgendwo anrufen und fragen, wo er denn seinen guten alten Freund Eric Maier auftreiben könnte; sogar auf den irren Trick, Telling könnte aus Berlin anrufen und seinen Ex-Partner Maier sprechen wollen, war er gekommen, und dann sofort auf die irre Erkenntnis, dass Maier kein Idiot war.

Also konnte es tagelang so weitergehen, und am Ende saß er erfroren im Auto und wurde von den Zeitungen als erstes Schneechaosopfer verhöhnt. Dafür hatte er seine Ex-Therapeutin nicht gequält. Er schuldete ihr ein Ergebnis – ihr und sich selbst und, nicht zu vergessen, der Gerechtigkeit!

Es fließen Tränen aus meinen Augen, sagte der Junge.

An der Haustür ging das Licht an, und da waren sie endlich, Jaqueline und ihr neuer Masseur, und er sagte zu dem Jungen, von Gerechtigkeit verstehst du nichts.

Er gab ihnen eine Viertelstunde. Diesmal musste er sich nichts übers Hemd schütten, um einen gewissen Eindruck zu machen, er war todmüde und zugleich aufgekratzt, er wirkte, wie er sich fühlte, wie jemand, dem alles egal war, wenn er es nur endlich hinter sich bringen konnte.

Und doch ist mir bekannt, sagte der Junge, dass da geschrieben steht: Hütet euch, eure Gerechtigkeit vor den Menschen zur Schau zu stellen.

Er kämpfte sich durch das Schneechaos, stieg in den dritten Stock und blieb mit dem Schlüssel in der Hand vor seiner Tür stehen. Es wurde schwarz um ihn herum. Er wartete, bis er alle Geräusche im Haus einordnen konnte. Dann hörte er sie, und dass sie nicht im Flur waren. Er drückte den Lichtknopf und schob den Schlüssel mit größtmöglicher Vorsicht und Langsamkeit ins Schloss, und öffnete und schloss die Tür ohne ein Geräusch.

Es war halbdunkel im Flur, durch die Wohnzimmertür kam Licht. Er blieb stehen, mit gesenktem Kopf, beruhigte und konzentrierte sich. Hörte, dass Jaqueline viel lauter als üblich war; entweder sie wurde von Maier viel besser massiert, oder er brauchte das und sie wollte ihm eine Freude machen, oder sie hatte sich mit der personellen Veränderung eine neue Gewohnheit zugelegt. Maier hatte ihm von den intimen Details seiner Persönlichkeit nie etwas erzählt, aber mit Jaqueline war er sich von Anfang an einig gewesen, dass sie beim Geschlechtsverkehr nicht angebrüllt werden wollten.

Fallner zog langsam den Reißverschluss seiner Jacke runter. Erst als er die Makarow mit dem Schalldämpfer aus dem Hosenbund zog, fiel ihm auf, dass sein Regenmantel einen Höllenlärm veranstaltete, und er fragte sich, ob es möglich war, dass sein Lärm bis zu ihrem Lärm durchdrang – und welche Fehler er noch machen würde, wenn er sich derartig blöde Fragen stellte. Wichtiger war die Überlegung, ob er sie unterbrechen oder ihnen den Spaß bis zum Ende lassen sollte. Weniger Energie war besser. Der Nachteil war, dass es noch eine Weile dauern konnte. Und dass es ihm auf die Nerven ging.

Wie lauteten die wichtigsten Regeln? Wenn du losgehen musst, dann geh los, und wenn du schießen musst, dann musst du auch treffen.

Das klang alt. Und out wie das Gestammel der Putzfrau, die bei Facebook das Scheißhaus putzte, wenn die Freunde schliefen. Entsprach nicht den neuen Investmentrichtlinien – wurde jedoch, seltsam, bis heute von den Ausbildern vorgebetet. Es klang, als würde es jeden umbringen, der sich daran vergriff, ohne es kapiert zu haben.

Es klang immer noch logisch, und Fallner öffnete die Tür und blieb in der Tür stehen – als Jaqueline grade von seinem Ex-Freund abstieg und sich auf die Seite schwang und neben ihn ins Sofa plumpste. Damit hatten die beiden auf einen Schlag eine vollkommen neue Situation voll im Blick.

Ihre Reaktion war normal für Bullen. Sie drehten nicht durch, gaben keinen Laut von sich, machten sich die Lage klar und gingen den Plan B durch. Aber ihre Gesichter … und Jaqueline bedeckte instinktiv ihre Brüste, eine unkontrollierte Geste, als wäre er ein Fremder. Aber er war kein Fremder, er war ein anderer.

Es war nicht nur seine Erscheinung, sondern viel stärker sein Erscheinungsbild, das die Wirkung erzielte. Ein Mann in einem tropfenden gelben Regenmantel mit einer Pistole in der Hand war kein Polizist, der eine Sache und sich selbst im Griff hatte.

Und es war nicht die Pistole, sondern der Schalldämpfer, der ihnen Angst machte.

Er hatte ihn natürlich noch nie benutzt, außer auf der Anlage, die sein Bruder im Keller seiner Firma hatte, um zu sehen, wie es sich in der Hand und beim Schuss anders anfühlte. Er hatte ihn auch bei seiner Therapeutin nicht benutzt, nur auf dem Tisch liegengelassen, hinter seinem Rücken, sie hatte ihn nicht sehen können, während sie redeten. Dass ein Schalldämpfer mehr Schrecken verbreitete als eine normale große Pistole, hatte er nur gelesen. Aber es hatte ihm sofort eingeleuchtet, und jetzt hatte er den Beweis.

Fallner sagte nichts und wischte sich Ex-Schneeflocken und Schweißperlen aus dem Gesicht. Die beiden Spielkameraden starrten ihn und den Schalldämpfer an und fühlten sich nicht mehr wohl in ihrer Nacktheit. Ihre Kleider lagen vor dem Sofa verstreut, ihre Waffen konnte er nicht entdecken, sicher war nur, dass sie sie abgelegt hatten. Hätte auch anders sein können. Hatte er schon erlebt – ja, sie hatten doch eine Menge erlebt, seit sie sich kennengelernt hatten, das musste man sagen, und es war wohl nicht alles normal.

Sah so aus, als wäre ihre Beziehungszeit damit abgelaufen, sah so aus, er war sich jedoch nicht sicher, ob es anscheinend so aussah oder nur scheinbar. Und ob es entscheidend war, dass sie nicht ihren Sportclubmasseur, sondern ihren und seinen Bullenfreund als Ersatzmann genommen hatte. War im Moment alles nicht so wichtig. Es ging zuerst nicht um sie oder sie beide, sondern um Maier. Der musste den Eindruck bekommen, dass er fähig war, ihn zu töten.

»Du solltest jetzt …«, sagte Jaqueline.

»Halt die Klappe«, sagte er, ohne Maier aus den Augen zu lassen, »du bist jetzt nicht dran, was dich betrifft, wird später verhandelt.«

»Aber wir können doch wie …«

»Halt die Klappe!«, brüllte er mit aller Gewalt und schwenkte die Pistole wirr herum.

Dann hielt er sie wieder still. Er fing an, seine Beine zu bewegen, als könnte er sie nicht ruhighalten, und er riss den Mund plötzlich auf, als müsste er die Ohren freibekommen.

»Punkt eins ist er«, sagte er und zielte auf seinen Bauch, »er hat mich in den Schlamassel reingebracht und jetzt hat er sich meine Frau geschnappt.«

Jaqueline kämpfte dagegen an, etwas zu sagen, und Eric sagte immer noch nichts. Wartete ab und beobachtete ihn. Fallner ging auf sie zu, die Waffe weiter auf ihn gerichtet. Er trampelte auf ihren Klamotten herum, bis er auf zwei harte Gegenstände stieß, kickte sie weg und ging wieder auf Abstand.

»Er hat mein Leben kaputt gemacht.«

Er stach mit dem Lauf in Richtung seines Gesichts: »Du hast meinen Job kaputt gemacht, du hast meine Ehe kaputt gemacht, du hast mein Leben kaputt gemacht.«

»Ich habe überhaupt nichts gemacht«, sagte Eric.

»Ach ja? Überhaupt nichts?«

»Nichts. Weder das eine noch das andere. Nichts von dem, was du mir anhängen willst.«

»Wer die Gerechtigkeit verhöhnt, wird durch die Gerechtigkeit umkommen«, sagte Fallner.

Langsam konnte er den durchgeknallten Verzweifelten erfassen, den er ihnen vorzumachen versuchte. Maiers Visage machte ihn mit jeder Sekunde wütender, und er wusste genau, welche höhnischen Bemerkungen er nicht zu sagen wagte, weil er ihn nicht provozieren wollte; ob er vorhabe, irgend so ein Scheißprediger zu werden und so.

»Er hat recht, Robert«, sagte seine Frau, »er hat wirklich nichts gemacht, ich habe das gemacht.«

»Du hast doch keine Ahnung!«, schrie er sie an.

»Hör auf mit diesem Scheiß!«, schrie sie zurück. Endlich fing sie an, ihm behilflich zu sein.

»Pass mal auf, Kommissarin«, sagte er, »ich habe unsere Ex-Therapeutin besucht, weil ich dachte, Mensch, wieso redet die denn nicht mehr mit dir und hat dich gefeuert, war doch immer ganz nett, und Punkt zwo, wieso ist denn der Maier bei ihr ausgestiegen, obwohl's ihm doch angeblich auch nicht gutgeht? Und warum hat der Chef nicht zu ihm gesagt, Maier, so geht das nicht, du gehst da weiter hin? Also ich rede mal mit dem Doc, könnte ja interessant werden. Verstehst du die Ausgangslage?«

Sie glotzte ihn nur an, wie er sich mit dem Schalldämpfer an der Schläfe kratzte, und er schrie sie an, ob sie ihn verstanden habe.

»Ja!«, schrie sie, »ich hab's verstanden! Hör endlich auf, mich anzubrüllen und leg dein Scheißding weg, ehe noch was passiert!«

»Halt die Klappe und pass auf. Der Doc, erzählt der Doc, hat sich also irgendwann gedacht: interessant: Dieser Maier macht einen munteren Eindruck, und dieser Fallner ist echt am Arsch, klar, er hat den Jungen erschossen – das Komische ist jedoch, dass der Killer sagt, er hat eigentlich kein Problem damit, weil er nicht anders konnte, als sich zu verteidigen, weil der Junge eine Pistole hatte und ziehen wollte, während dieser Maier überall erzählt, dass er total traumatisiert ist von diesem Scheißabend, aber ihr Eindruck ist: Oho, der kommt mir ganz okay vor. Totales Schneechaos!«, sagte er und ließ den grotesk langen Lauf seiner Pistole kreisen.

»Du hältst die Schnauze!«, brüllte er Maier an, der sich einmischen wollte.

»Problem: Es wurde keine Pistole gefunden. Aussage Maier: nichts gesehen. Eltern und Freundin: nichts gesehen, logisch, was willst du von den Eltern erwarten, dass sie sagen, unser guter Junge war eine üble Drecksau?«

Der Junge tauchte neben ihm auf und sagte, er solle mit mehr Respekt von seinen Eltern reden, und Fallner schrie laut »Hau ab!« und stieß mit seiner Pistole ins Leere.

»Der Doc fängt also an, da 'n bisschen rumzubohren. Aussage, Wahrnehmung, Erinnerung, post-koitale Ergänzung oder so ähnlich, sehr interessant, das heißt, du baust etwas in deine Erinnerung ein, das nicht stattgefunden hat, aber es passt dir gut in den Kram – könnte perfekt mein Problem sein: Ich kann mich nur deshalb genau an die Kanone von Maarouf erinnern, die er nicht hatte, weil sie mein Freispruch wäre. Gute Nacht. Egal, der Doc ist eine Meisterin im Herumbohren, also woran erinnert sich denn dieser Maier, der sich an nichts erinnert, wie ist der so als Mensch, als Freund? Oder als Neuficker. Das Doc-Problem ist folgendes, Jackyline: Du verstehst nur die Hälfte von dem, was sie sagt, und sie sagt scheinbar nichts Besonderes, aber plötzlich erzählst du ihr, dass du schon immer deine Mutter ficken und deinen Vater töten wolltest, aber du warst leider zu dumm dazu und deshalb wolltest du nach Afghanistan, um für das deutsche Vaterland ein paar Fundamentalafghanen umzulegen, obwohl du das niemals jemandem erzählen wolltest. Nur ein Beispiel, totaler Schwachsinn natürlich, aber so läuft das. Und dann ist Maier plötzlich in dieses Therapeutenmesser gelaufen. Und sagt zu ihr, wissense Dr. Vehring, mein Freund Fallner ist mir schon lange etwas unheimlich. Passt zu ihm, dass der da grundlos durchgedreht ist und den Jungen erschossen hat. Ich hab's geahnt, ich hätte ihn aufhalten müssen, und das macht mir zu schaffen. Gut, oder? Und sagt zu ihr, der ist auch schon lange nicht mehr mein Freund, aber ich tu so, das ist auch ein Problem. Aber seine Alte, Frau Doktor, ganz unter uns, die ist mein echtes Problem. Was meinen Sie damit?, fragt der Doc. Na ja, sagt unser Eric, sie gehört eigentlich zu mir, sie sollte nicht bei diesem Arsch sein, sondern bei mir, dieser Idiot hat sie nicht verdient, und sie sieht das ganz genauso.«

Jaqueline hatte ihn aufmerksam angehört, als würden sie sich normal unterhalten, und sie war jetzt genauso überrascht.

»Du hältst das Maul!«, brüllte er Maier an, und wiederholte es zweimal, um ihn zu stoppen.

Er ging zu dem kleinen Tisch neben seinem Plattenspieler,

nahm die Flasche Jaqueline Daniels und trank einen Schluck, ohne ihn aus den Augen zu lassen.

»Wenn ich fertig bin, hast du die Gelegenheit, dich zu verteidigen.«

Er war todmüde. Hatte das dumpfe Gefühl, dass er sich in diesem Dschungel verlief. Musste Klarheit schaffen. Die Gefahr war, dass er sich auf Jaqueline konzentrierte, weil er auf ihre Unterstützung hoffte. Er lehnte sich neben die Tür und wischte sich mit der Makarowhand über das schweißnasse Gesicht.

»Ist doch komisch, Maier, oder was sagt ein mieses Verräterschwein dazu: Lee Morgan hat seine Frau erschossen, weil sie verzweifelt war«, sagte er, nebenbei wie im Selbstgespräch, »also könnte ein Lee-Morgan-Fan seine Frau erschießen, weil er verzweifelt ist. Eine exzentrische Balance, könnte man sagen. Der Doc hat mir einen Vortrag über Balance gehalten. Und Jaqueline ist der Meinung, dass ich eigentlich kein Lee-Morgan-Fan bin, sondern ein Lee-Morgan-wurde-von-seiner-Frau-erschossen-als-er-auf-die-Bühne-gehen-wollte-Fan bin, kapierst du den Unterschied? Ich muss gestehen, dass ich's nicht ausschließen kann. Sehr seltsam. Aber ich glaube, ich habe dir schon viele Vorträge darüber gehalten. Ich dachte immer, dass es dich interessiert. Ich wollte dich nie damit langweilen.«

An seiner rechten Hand hing die Makarow herunter, an seiner linken Hand hing die Flasche, und an allem schien der gelbe Regenmantel zu hängen.

»Wichtig ist nur, dass du die Klappe hältst«, sagte er und wedelte wieder mit dem Schalldämpfer herum.

»Also Maier gesteht dem Doc, dass er sich die Braut seines alten Freundes schnappen würde, wenn's irgendwie ginge, aber das ist nichts Besonderes – doch dann sagt Maier zum Doc noch etwas, hat mir der Doc gesagt, dass er nämlich in dieser Nacht etwas ge-

327

tan hat, das er nicht geplant hatte, weil man's nicht planen konnte. Was genau, hat er ihr nicht gesagt. Und jetzt zählen …«

»Was für ein Schwachsinn«, sagte Maier.

Er setzte sich mit einem Ruck auf, hatte die Schnauze voll, wollte aufstehen, aber Fallner kippte mit seinem Oberkörper nach vorn und streckte ihm den Arm mit der Makarow entgegen, und er blieb sitzen.

Jaqueline sagte nichts. Versuchte in der Informationsflut den Kopf über Wasser zu halten.

»Schwachsinn also«, sagte Fallner.

»Ja, weil du ihr Angst gemacht hast, sie hätte dir jeden Quatsch erzählt. Die Mondlandung war eine Erfindung des Mossad und dein Lee Morgan war der Astronaut.«

»Warum hätte sie das erfinden sollen?«

»Warum hätte sie das erfinden sollen?«, machte er ihn nach.

»Es geht ja noch weiter.«

»Das war klar, dass es weitergeht.«

Fallner setzte sich auf den Boden an die Wand neben der Tür. Setzte die Flasche zu einem heftigen Schluck an, ließ eine Menge übers Kinn laufen und trank nicht mehr als das, was an seinen Lippen klebte.

»Vielleicht sogar mit Neuigkeiten für dich. Ein paar Tage nachdem du deine Therapie abgebrochen hast, besucht der Chef den Doc. Und geht wieder raus mit allen Unterlagen, die Dr. Vehring über dich und mich hat.«

»Totaler Schwachsinn«, sagte Maier.

Jaqueline griff sich ein großes Kissen und stellte es vor ihren Oberkörper und nahm mit der anderen Hand ihren Eric an der Hand, und jetzt saßen sie händchenhaltend da.

»Das glaubst du doch selbst nicht«, sagte sie.

»Natürlich nicht. Niemals, auf keinen Fall. Weil ja offensichtlich nichts passiert. Der Chef hat angeblich diese Unterlagen, aber es passiert nichts. Aber was passiert, wenn nichts passiert? Wenn du irgendwo reingehst und du denkst, da müsste was passieren, aber es passiert nichts, dann geh erst mal in Deckung.« Er deutete mit dem Kinn auf Maier: »Hat er mir beigebracht.«

»Nennst du das Deckung?«, sagte er.

»Telling hat mir in Berlin was von taktischen Möglichkeiten erzählt, aber ich konnte nichts damit anfangen.«

»Jetzt auch noch Telling«, sagte Jaqueline.

»Es geht nur um Fakten!«, brüllte er sie an. Knallte die Flasche auf den Boden.

»Dass nichts passiert – genau das ist es, was passiert. Ich dachte, die ziehen meine Geschichte in die Länge, damit sie nicht schon wieder einen Scheißbullen haben, der grundlos jemanden fertiggemacht hat. Der Typ ist krank, müssen wir abwarten. Guter Plan. Aber mich hat interessiert, warum Maier diese Scheiße gegen mich aussagt und mich dann abfahren lässt, als wären wir nie Freunde gewesen. War dein Fehler, Eric. Obwohl sogar deine neue Braut eher dich verstanden hat als mich.«

»Weil man dich schon lange nicht mehr verstehen kann«, sagte sie.

»Und dann passierte immer noch nichts. Mit ihm nichts, mit mir nichts. Phase zwo: Der Doc wollte mich nicht mehr, was ich nicht verstehen konnte. Maier besuchte den Doc nicht mehr, und der Chef hatte die Unterlagen. In meinen war nichts Neues, aber bei ihm musste er nur zwei und zwei zusammenzählen: Er hat die Pistole des Jungen beseitigt – plötzlich die Gelegenheit, seinem Partner zu schaden, und plötzlich mit der echt kranken Idee im Hirn, er kommt dadurch an die Braut. Und jetzt …«

»Du bist krank im Hirn«, sagte Maier, »oder einfach nur total besoffen.«

»Watt Krupp in Essen, sin wir in Saufen! Wenn ich dir aus Versehen ins Ohr schieße, dann habe ich zwei Promille. Wenn die meisten Scheißnazis damit durchkommen, dann müsste ich's doch auch schaffen, verstehste?«

Jaqueline reagierte nicht, und Fallner war sicher, dass sie auf seiner Seite war.

»Und wenn das rauskommt, hat der Chef plötzlich zwei Probleme. Zwei Scheißbullen am Hals. Dass der eine dann tatsächlich 'nen echten Grund für Schusswaffengebrauch hatte, wird in dieser unglaublich bescheuerten Geschichte ziemlich untergehen. Zwei schlechte Polizisten und zwischen ihnen auch noch dieser dritte Polizist hier. Er ist sich ziemlich sicher, dass er dann selbst genauso in die Pfanne gehauen wird.«

»Klingt gar nicht schlecht, außer dass nichts davon stimmt«, sagte Maier, »du bist einfach etwas …«

»Ich weiß«, sagte Fallner, »aber nur deswegen.«

»Du bist wütend auf mich«, sagte der dritte Polizist, »auf mich und auf uns beide. Aber es ist absurd zu glauben, dass Eric das geplant hat.«

»Ich sollte endlich ein Foto von euch machen. Wird sicher gut bezahlt. Und dann ein Foto mit mir in eurer Mitte, angezogen natürlich.«

»Du glaubst doch nicht im Ernst, dass ich das nicht irgendwann gemerkt hätte, dass irgendwas nicht stimmt.«

»Glaub wenigstens ihr.«

»Meine Makarow in deinem Mund, mit der anderen Hand an seinem Schwanz, und deine an meinem.« Er klopfte mit dem Schalldämpfer Applaus auf den Boden. »Langsam kommt doch etwas Stimmung auf.«

»Ich will mit dir nicht mehr zusammen sein, aber ich könnte dir niemals schaden, das weißt du.«

»Ich weiß, dass ich nichts mehr weiß. Und mehr gibt's nicht zu wissen.« Er sah sie an, ob sie auch alles mitbekam.

»Und ich weiß, dass ich dich gut genug kenne, um zu wissen, dass du's weißt. Aber ich weiß auch, dass ich nicht genug gewusst habe.« Sah so aus, als hätte sie alles mitbekommen.

»Will ich schwer hoffen, obwohl's mir egal sein könnte.«

»Wir vergessen das alles. Du gehst raus und du wirst wieder gesund werden, da bin ich mir sicher.«

»Freut mich zu hören, aber ich scheiß drauf. Er hat mein Leben kaputt gemacht und du machst den Rest kaputt.«

»Ich habe dein Leben nicht ka …«

»Du solltest mal an das 11. Gebot denken.«

»Ich werde dran denken, wenn es so weit ist.«

»Ich finde auch, wir sollten das Ganze vergessen«, sagte Eric Maier, »es ist nichts passiert. Aber ich sage dir, geh in Behandlung. Sage ich als dein Freund. Und lass uns beide in Ruhe.«

Jaqueline drehte plötzlich den Kopf und sah Maier an, als würde sie den nackten Mann neben ihr nicht kennen – und dann schoss Fallner. Er dachte an das 11. Gebot und zerschoss die Gegend über ihren Köpfen mit drei Geschossen.

Man hörte nur den ersten Schuss, und nicht mehr als ein dumpfes Ploppen, aber der Effekt war echtes Chaos, die halbe Wand schien auf sie niederzugehen, Verputz mit Trümmern einer Porzellanvase, Holzteile, Flaschenscherben, und dazu das Kreischen von Jaqueline. Sie versuchten, sich mit den Armen zu bedecken, zogen die Beine an, beugten die Köpfe, und Fallner war mit einem Sprung bei Maier und verpasste ihm schreiend mit dem Schalldämpfer einen Schlag ans Knie und einen weniger heftigen an den Kopf, und er packte Jaqueline an den Haaren und schrie, sie müsste doch kei-kei-keine Aaangst haben, um sofort wieder Maier direkt ins Gesicht zu kreischen und noch einen Schlag an das Knie zu verpassen, wie ein echter Psycho, dem einer abging, wenn er Menschen ins Gesicht kreischen und einen Schlag mit dem Schalldämpfer ans Knie verpassen konnte, und alle brüllten und kreischten.

Dann schob er Jaqueline den Schalldämpfer in den Mund und drückte ihren Kopf nach hinten auf die Lehne. Sie machte die Augen zu.

Es wurde still. Nur noch das Atmen. In einem heftigen Schweiß-Alkohol-Dunst.

»Von mir aus könnt ihr beiden glücklich werden«, sagte er leise.

Sie zuckte mit Armen und Beinen und gab hässliche kleine Laute von sich.

»Aber wenn mein Leben deswegen kaputtgeht, werde ich nicht allein gehen, das kannst du mir glauben.«

Jaqueline wurde lauter und schlug mit der linken Faust hektisch nach Maier, ein Schlag nach dem anderen, ohne richtig ausholen zu können und ohne ihn richtig zu treffen.

»Hör auf«, sagte Maier. Dann schrie er es ein paarmal, hielt sich die Ohren zu und schrie.

Sie strampelte mit den Beinen und dann fing sie gleichzeitig zu heulen und zu pissen an, und beides war laut, und dass sie heulte, verwirrte ihn, denn das war etwas anderes, und er hatte immer wieder vergessen, die gelbe Regenjacke, die ihn so wahnsinnig schwitzen ließ, abzuwerfen, und er bekam Angst, dass er ihr wehgetan hatte und dass etwas passierte, obwohl er es nicht wollte, und er konnte es nicht mehr ertragen, dass jemand brüllte oder er selbst brüllte, und er war bereit aufzugeben, als sie es endlich hörten.

»Lass sie los. Du kriegst deine Pistole, liegt bei mir zu Hause. Jetzt lass sie los.«

Fallner forderte ihn auf, es zu wiederholen, und er wiederholte es.

Er zog den Schalldämpfer vorsichtig aus ihrem Mund.

Jaqueline stand auf und schlug ihrem neuen Ex-Freund ihre rechte Faust mit aller Kraft ins Gesicht.

»Du hast mir wehgetan!«, schrie sie Fallner an.

Zugzwang

Der Regen hatte den Schnee schnell weggeräumt. Als wollten die beiden Rekorde brechen.

Die Regionalbahn fuhr stadtauswärts so nah an seinem Haus vorbei, dass er meinte, Jaqueline und sich einen Moment lang auf dem Balkon stehen zu sehen, sie in Uniform, er im roten Morgenmantel, und sie sagte zu ihm, er solle nicht da draußen in der Welt herumfahren, sie habe kein gutes Gefühl.

Fallner fuhr wieder dorthin, wo er sich vor vielen Wintern verabschiedet hatte, denn gekommen war die Zeit für den traditionellen Besuch. Er dachte, er müsste sich besser fühlen, wo er jetzt zwei Pistolen in seiner Tasche hatte – aber die Glock 28 des Jungen war schwarz, und er hätte geschworen, dass er eine stahlhelle Pistole in jener Nacht gesehen hatte.

Der Himmel war grau. Der Zug fuhr eine halbe Stunde durch eine Ebene; im Fenster dunkelgrün-braune Wiesen, Äcker, Wälder und am Horizont die Alpen mit dem grauen Schnee. Nachdem der Zug die Ebene durchquert hatte, ging es stetig aufwärts, und dann war plötzlich der Schnee wieder da. Innerhalb von wenigen Minuten sah man im Fenster nichts mehr, außer den wütenden Angriff wirbelnder dicker Schneeflocken. Der Zug kroch den Berg hinauf, der die Region teilte; er schien nur noch Schritttempo zu schaffen, und deshalb ging's parallel zum Aufstieg mit der gefühlten Sicherheit bergab. Es war ungewöhnlich still im vollbesetzten Waggon, in dem der Sitz neben ihm, auf dem seine Tasche stand, jedoch nicht benötigt wurde. Ihm gegenüber saß ein Paar um die dreißig, das einen altmodischen Eindruck machte.

Sie lächelte das Unwetter an, er wanderte mit einem Füller über senkrechte Reihen von mit der Hand geschriebenen, einzelnen Wörtern, die in einem Heft standen, das er auf den Beinen liegen hatte.

Die Bahn erreichte auf neunhundert Metern über dem Meeresspiegel den Höhepunkt der Strecke und blieb auf dem Weg nach unten, schon bald nach der Station, von der man nichts erkennen konnte, im Wald stehen. Nachdem der Schaffner einmal in diese und wieder in die andere Richtung durchgelaufen war, wurde es auf eine müde Art etwas unruhig. Man stand auf, sah aus dem Fenster, und sah, dass man nichts sah. Nur fallende Schneemassen im Orkan und die Andeutung von Wald. Fallner nahm seinen Wintermantel vom Haken und deckte sich zu. Nach der Durchsage, dass die Fahrt aufgrund einer Betriebsstörung nicht fortgesetzt werden könne, dämmerte er weg.

»Dieses Wort gibt es nicht, mein Schatz«, sagte die Frau.

Der Mann hielt ihr sein Heft vors Gesicht. Sie hatte ebenfalls geschlafen, sich an ihn gedrückt, die Beine ausgestreckt, mit den (auf einer Zeitung liegenden) Wanderstiefeln auf dem Sitz neben Fallners Tasche. Ihr Mann widersprach ihr, sie wiederholte ihre Aussage (ohne Schatz), er dachte darüber nach.

»Entschuldigen Sie«, sagte er zu Fallner, »dürfte ich Sie was fragen?«

»Aber klar«, sagte er.

»Zugpolizist. Gibt es den Ausdruck oder nicht?«

»Zugpolizist. Der gute alte Zugpolizist. Klingt vertraut, aber den gibt's nicht. Tut mir leid, sie hat gewonnen.« Er sah auf die Uhr. Er hatte zwei Stunden geschlafen, und der Zug hatte sich nicht bewegt.

Die Frau setzte sich auf, sah sich einen Moment das unverändert schlimme Wetter an und sagte zu Fallner: »Dieser Mann ist ein Zugspinner, er stellt permanent Listen auf, die irgendetwas mit Zügen zu tun haben. Die aktuelle Liste heißt *Wörter mit Zug.* Wobei der Zug überall stehen kann, mein Lieblingswort ist Dunstabzugshaube.« Sie freute sich, und der Mann nickte stolz. »Davor war es eine Liste mit Filmen, in denen Züge eine wichtige Rolle spielen, verbunden mit einer Liste der zehn besten Zug-filme. Über Platz Nummer eins waren wir uns einig.«

»Da gibt's keine Diskussion«, sagte Fallner, »und was ist Nummer zwei?«

»Zwei Fremde im Zug.«

»Sie bringen meine Frau um, ich bringe Ihren Vater um. Wir haben uns im Zug kennengelernt, und niemand kann wissen, dass wir uns kennen, verstehen Sie?«

»Natürlich mit mehreren Monaten Abstand und ohne jede Verbindung zwischen uns«, sagte sie.

»Interessante Idee«, sagte Fallner, »ich hatte es ganz vergessen, erst jetzt wo Sie's sagen, fällt's mir wieder ein. Extrem verrückt, aber nicht ausgeschlossen. Es gibt nichts, was es nicht gibt, das darf man nie vergessen.«

Er öffnete seine Tasche und holte die Flasche Devil's Cut raus, die er am Hauptbahnhof gekauft hatte. Er drehte den Verschluss auf und reichte sie der Frau zuerst. Jeder von ihnen nahm einen guten Schluck. Die Flasche drehte zwei weitere Runden.

»Zugzwang«, sagte Fallner.

Der Mann sah ihn verblüfft an, und suchte dann mit dem Füller seine Wortreihen ab.

»Genau das ist es, was er hat«, sagte sie, »Zugzwang. Listen-zwang und Zugzwang.«

»Hab ich noch nie dran gedacht«, sagte Fallner, »man hört es, aber denkt immer nur an die eine Bedeutung.«

Endlich kapierte er, was der Sohn seines Bruders vor einigen

Monaten, am Tag nach dem Unfall, gemeint hatte. Sie lagen auf dem Boden und unterhielten sich darüber, wer was tun würde, wenn er es sich wünschen könnte. Der Kleine wollte in den Weltraum fliegen, und Fallner, mit einer Menge Medizin intus, erzählte von seinem alten Traum, mit dem Zug ziellos und endlos herumzufahren, und sein Neffe hatte es, ohne sich was dabei zu denken, Zugzwang genannt.

»Zugriff habe ich, Zugzwang nicht. Und ich wollte die Liste fast schon abschließen.«

»Ich glaube, das Wetter wird dich von deinem Zugzwang kurieren. Aus Zugzwang wird Zugphobie. Kannst du dir das vorstellen? Findest du nicht, dass das zusammengehört? Falls wir jemals wieder irgendwo ankommen.«

»Wieso bricht hier eigentlich keine Panik aus?«, sagte Fallner.

»Das ist gut, Zugpanik.«

Schneechaos

»Vier Stunden Verspätung auf einer Strecke von knapp zwei Stunden. Ab da kann man tatsächlich anfangen, über Schneechaos nachzudenken. Hat's das zu deiner Zeit auch gegeben? Ich meine, als du noch am Bahnhof warst.«

Keine Antwort.

»Hast du das in den letzten Jahren eigentlich mitbekommen, dass da heute nur noch absolut tote Hose ist? Genau ein Zug fährt noch hin und her, ich glaube dreimal am Tag oder so ein Quatsch. Alles tot. Nur noch ein Automat. Und deine Bahnhofsgaststätte ist dicht. Sieht aus, als hätten sie im Klo vergessen, deine Kotze aufzuwischen. Aber kein einziger Güterzug mehr, nur ein Haufen alter Waggons steht blöd rum. Hast du nicht dagegen protestiert? Du bist doch ein angesehener Bürger, haben sie dich nicht gefragt?«

Keine Antwort.

»Man hat dich was gefragt, Meister, also mach mal dein Maul auf, sonst liefern wir dich ein und die lassen dich dann in irgendeinem Keller verrotten, genau wie du's verdient hast. Ich meine, das Christkind steht vor der Tür, und du machst hier einen auf PTBS. Sieht mir übrigens eher nach einer Posttraumatischen Verbitterungsstörung aus, wenn du's genau wissen willst. Das ist kein Riesenunterschied, aber es ist einer. Morgen kommt dein ältester Sohn mit seiner Gattin und deinen lieben Enkelkindern, und was machst du? Verjagst das Christkind mit deinem PTED-Scheiß und versaust allen das schönste Fest des Jahres. Okay, du warst schon immer ein fieser Arsch, aber jetzt übertreibst du's langsam.«

Der alte Mann sah aus dem Küchenfenster, als hätte er nicht bemerkt, dass er da war. Er räusperte sich, als wollte er eine Äußerung vorbereiten, aber es kam nichts.

»Dachte ich mir doch, dass dich das interessiert: PTED ist nur die englische Abkürzung, Posttraumatic Embitterment Disorder. Aber ich glaube dir deine tolle Show sowieso nicht. Du ziehst deine blöde Show nur ab, weil sich irgendein Idiot um dich kümmern soll. Dein Pech, dass ich der Idiot bin. Dein Glück, dass der Idiot in drei Tagen wieder weg ist.«

Oder er hatte ihn bemerkt und inzwischen wieder vergessen. Es war schwer zu sagen, ob sein Vater ihn, wie es Tradition war, ignorierte oder ihn in seinem Demenznebel aus den Augen verloren hatte.

»Schade, dass Mutter das nicht erleben durfte, wie du hier in deinem Sessel hängst. Hätte sie verdient. Könnte sie dir jeden Tag irgendwas reinwürgen. Oder ein bisschen an dir rumsäbeln. Hätte sie natürlich nicht gemacht.«

Es war nicht fair, wenn ihm der Mann vom Kreuz einen Nebel für sein Hirn geschenkt hatte.

Während er sich allein schon in der Küche vor Erinnerungen kaum retten konnte – »Du bleibst hier am Tisch sitzen«, hatte der Alte gebrüllt, »und wenn's bis nächste Woche dauert, und wenn jetzt noch ein einziges Wort aus deinem blöden Maul kommt, dann übernachtest du im Scheißhaus!« Seine Mutter wollte etwas sagen, um ihm beizustehen. Jetzt brüllte er sie an: »Und du hältst dein Maul! Oder du kriegst einen Tritt in deinen fetten Zigeunerarsch! Du und dein kleiner Scheißkerl!« So was in der Art war jahrelang keine Seltenheit, sondern eine beliebte Unterhaltung.

Er hatte natürlich auch eine schöne Küchenerinnerung – sein Bruder war sechzehn oder siebzehn, als er eines Abends über den Tisch explodierte und dem Vater mit voller Wucht die Faust ans

Kinn schlug. Das Schöne war, dass sie alle dabei waren. Der Vater kippte mit dem Stuhl nach hinten und machte das Vieh, das auf dem Rücken liegt und sich aus eigener Kraft nicht mehr aufrichten kann. Dann heulte er und jammerte, er hätte sich für seine Söhne aufgearbeitet und aufgeopfert und das sei nun der Dank. Eine unfassbare Lüge. Aber die Tat war ein tiefer Einschnitt, und er liebte seinen Bruder bis heute dafür.

»Vielleicht sollte ich hierbleiben und die Gaststätte mieten. Kultur im Ex-Bahnhof ist ein Trend in jedem Pisskaff. Ich stell einen Flipper rein, Retro ist das neue Ding, hast du ja sicher mitbekommen. Dazu 'ne kleine Bühne, da spielen ACAB oder wie diese Tiere heißen. Und eine trockene Johanna am Tresen, allein schon deswegen ist die Hütte jeden Abend voll. Um Mitternacht könnte ich ein paar Kunststücke vorführen, ich schieß dir mit verbundenen Augen eine Zigarette aus dem Mund und andere Knaller.«

Der Alte machte wieder ein Sprachgeräusch, das so ähnlich wie Unsinn klang. Fallner konnte deshalb nicht ausschließen, dass er allen was vormachte, weil er es immer noch schaffte, allein zu überleben. Obwohl es nicht so aussah, als könnte er irgendwo einkaufen oder irgendwas für Unsinn halten.

»Du hast recht, ein Polizist sollte keine Wirtschaft führen. Aber bis es soweit ist, bin ich nur noch ein Ex-Cop. Die Alternative ist, dass ich für deinen ältesten Sohn arbeite. Der Nachteil ist, dass ich dann für meinen Bruder arbeite. Wenn man sich die beiden Möglichkeiten ansieht, könnte man auf die Idee kommen, dass es besser ist, wenn ich in die Fremdenlegion gehe.«

Er stand vom Küchentisch auf: »Ich ziehe mich etwas zurück in mein Zimmer. Ich muss die Sache ordentlich abwägen. Die Legion ist bekanntlich kein Freizeitpark. Wenn ich dir meine Makarow leihen soll, sag einfach Bescheid, die Glock geht nicht, ist ein Beweisstück. Mit oder ohne Schalldämpfer. Hat mir damals ein

Stasi-Kollege verkauft. Wäre eine interessante Spur, da würden sich die örtlichen Kollegen freuen. Aber zuerst anklopfen.«

Der Alte drehte seinen Sessel und machte den Fernseher an. Im Fenster wurde es dunkel. Und es schneite immer noch, und es schneite immer mehr und dickere Flocken.

Ihre Jugendzimmer waren im Dachgeschoss neben dem Speicher, und niemand hatte je etwas verändert. Jedes Mal hatte er wieder vergessen, wie schrottig das Zimmer war, wie eng und geduckt und als würde bei einem Gewitter alles umkippen und zusammenfallen. Im gelblichen Licht sah's noch schlimmer aus – eine verdammte Grabkammer. Der vergessene Außenposten, an dem er seine gesamten Schulden bezahlen musste. Zum Glück hatte er sich irgendwann dazu durchgerungen, die alten Poster abzuhängen. Er holte den Devil's Cut aus der Tasche und schüttete etwas in ein Senfglas, das umgedreht auf dem kleinen Schreibtisch stand und auf seinen jährlichen Einsatz wartete. Er hatte Devil's Cut vorher nicht gekannt und natürlich nur wegen des Namens gekauft. Schien das passende Beruhigungsmittel zu sein, wenn man eine Reise in die Vergangenheit überleben wollte. Er trank aus und gab dem Barmann ein Zeichen, er solle noch einen einschenken.

Vorsichtig legte er sich aufs Bett. Wie immer von der Frage begleitet, ob es hier nicht besser gewesen war und ausgesehen hatte, als ihre Mutter noch lebte. Er konnte sich nicht erinnern. Es war ein anderes Leben, mit einem anderen in einer anderen Welt. Aber es musste besser gewesen sein, in den Stunden, in denen sie sich nicht vor dem Alten in Acht nehmen musste.

Aus dem schmalen Regal über seinem Kopf holte er sich die ersten Abenteuer zurück, ein Heftchen aus dieser anderen Welt, in der er davon geträumt hatte, ein Landser zu werden.

»Er schoss mit der MPi in die zurückgehenden Russen. Nun saßen sie in der Zange. Der zweite Panzer wurde von einer Pak erledigt und ging in Flammen auf. Wir waren auf jeden Mann angewiesen, der eine Waffe zu gebrauchen verstand.«

Er ließ diesen Wahnsinn praktisch an jedem Ort zwischen Toilette und Autorückbank auf sich einwirken, und sein Bruder meinte schon damals, dass er ein Rad abhätte und außerdem nicht alle Tassen im Schrank. Das störte ihn nicht, und dass die Geschichte vom Opa, der für die deutsche Mutter vor Stalingrad sein Leben hingegeben hätte, nur eine bekloppte Erfindung des Vaters sei, glaubte er seinem Bruder nicht.

Als er nach oben zum Dachfenster sah, entdeckte er den Mann, der dasselbe machte wie er. Hob die Hand und grüßte ihn. Hatte ein Glas und solide deutsche Dichtung auf der Brust. Guter Typ. Sah so aus, als hätte er mehr Ahnung vom Leben als die Polizei erlaubte. Und wusste, dass man Spiegelbilder in Scheiben vorsichtig interpretieren sollte.

Sein Vater schlief vor dem Fernseher. Als Fallner sich an den Tisch setzte, schreckte er auf und schwenkte verärgert seine Arme durch die Luft. Er fragte ihn, ob er etwas brauche, etwas zu essen?

»Nein«, sagte der debile Mann klar verständlich, und dann auch noch: »Ruhe!«

Die Spielshow im Fernseher hatte ihn offensichtlich geheilt. Wahrscheinlich hielt er die Moderatorin für seine persönliche Krankenschwester. Abgesehen von einem weihnachtlichen Mützchen, war sie nicht wintermäßig gekleidet, und sie beugte sich immer wieder nach vorne, um zu zeigen, dass sie im Studio eine hammermäßige Mallorcastimmung hatten.

»Wär's nicht passender, wenn ich dir was aus der Bibel vorlese, Vater?«

»Ruhe!«

»Dein Wortschatz ist fast so gut wie früher, ich glaube fast, die Hammerbraut hat heilende Kräfte, du solltest auf dein Herz aufpassen …«

»Ruhe!«

»Wenn du weißt, was ich meine. Das sagt man so, unabhängig davon, ob jemand ein Herz hat oder so 'ne Pumpe wie du.«

»Es wird spannend«, sagte die Krankenschwester, und dann sehr langgezogen, »es … wird … spannend«, und sie legte wirklich ihre Fingernägel an die nackten Schultern.

»Wie«, sagte sie und sah sich im Studio um, als müssten zuerst Tumulte geklärt werden, »meine Herrschaften: Wie heißt der Sänger der Rolling Stones? Mickey Maus, Mick Jagger oder Mike Tyson?«

»Hammer!«, brüllte er, »Papa, ich weiß es, der verdammte Pott gehört mir! Wie viel sind drin, da unten steht's, Hunderttausend, wir steigen aus! Aber es ist noch zu früh, um anzurufen, die ziehen das jetzt erst mal in die Länge. Vertrau mir, wir kriegen das hin. Wir müssen abwarten, verstehst du, der richtige Zeitpunkt, sonst verarschen sie dich.«

»Ruhe!«, krähte der Alte wieder und trommelte auf die Lehnen seines Sessels.

»Wir werden reich und du willst deine Ruhe haben, ich glaube, du spinnst«, sagte Fallner und zündete sich eine Zigarette an.

»Nein!«, schrie sein Vater und zeigte auf seine Zigarette, »'rett aus!« Mit kräftiger Stimme. Ein weiteres Indiz für die Theorie, dass er allen was vormachte.

»Du kannst ja die Bullen rufen«, sagte sein jüngster Sohn und blies Rauch in seine Richtung. »Wenn du Hilfe brauchst, ich bin ein Haus weiter.«

Johanna lag in ihrer Küche auf dem Sofa und bekam die entscheidende Phase der Show im Fernsehen nicht mit. Sie war betrunken. Lallte irgendwas, als Fallner sich neben sie legte. Schien ihn zu erkennen und ließ eine Hand auf seinen Bauch fallen.

»Wollte nur fragen, ob du morgen bei uns feierst, Weihnachten, falls du's noch nicht bemerkt hast.«

»Isson arrk mankich.«

»Ich werde dich abholen, sicher ist sicher. Hast du das Wetter gesehen? Sieht so aus, als würden wir nie wieder rauskommen.«

Er drehte sich zu ihr, um sie anzusehen. Jetzt lag der Junge auf der anderen Seite neben ihr. Er hatte seinen Kopf an ihre Schulter gelegt und schlief.

»Er ist auch eingeladen«, sagte er.

»Wiss errrn tull.«

»Keine Ahnung, das musst du ihn fragen.«

Dann stand er auf und legte eine Decke über die beiden.

Wir reisen hier nur durch
und nehmen nichts mit.
Den Himmel sehen wir uns an
hier und jetzt.
Nils Koppruch (1965–2012)

Der Autor bedankt sich bei denen, die Stoff und Werk gefördert haben: Natalie Buchholz (Lektorat) und Tom Kraushaar (und allen bei Tropen/Klett-Cotta), Henriette Gallus, Christoph Rüter, Norbert Grupe (S. 293 Mitte), Manfred Schwarz, Monika Dobler, HF Coltello (S. 274), Agnes Hüfner (†), Lothar Roser, Andreas Niedermann, Robert Bloch (S. 287 f.), Hubl Greiner, David Simon (S. 293 unten), Markus Naegele (Heyne Hardcore). Und besonders bei seiner Familie.

Inhalt

Philip Kerr
Der Wintertransfer

Thriller
Aus dem Englischen von
Axel Merz
425 Seiten, Klappenbroschur
ISBN 978-3-608-50138-4
€ 14,95 (D) / € 15,40 (A)

»Philip Kerr legt los wie der FC Arsenal
in seinen besten Zeiten. Schnell, elegant,
unwiderstehlich.« *Spiegel Online*

Ein Grab mitten im Stadion, ein toter Trainer, eine
erbarmungslose Jagd. Für Scott Manson, Co-Trainer
und Ermittler wider Willen, steht alles auf dem
Spiel. Vom internationalen Bestsellerautor Philip
Kerr kommt ein Thriller aus der Welt des Profi-
fußballs, bei dem aus der schönsten Nebensache
der Welt blutiger Ernst wird.